Stranddieven

STRAND DIEVEN

JOANNE HARRIS

DE AUTEUR VAN CHOCOLAT

DE KERN BAARN

Tweede druk, februari 2003

Oorspronkelijke titel: Coastliners
Oorspronkelijke uitgever: Doubleday, a division of Transworld Publishers
Copyright © 2002 Joanne Harris
Copyright © 2002 voor deze uitgave: Uitgeverij De Kern, Baarn
Vertaling: Monique de Vré
Omslagontwerp: Teo van Gerwen Design
Omslagillustratie: Stuart Haygarth
Zetwerk: Scriptura, Westbroek
ISBN 90 325 0868 7
NUR 302

Voor mijn moeder
Jeannette Payen Short

Niemand is een eiland...
John Donne

Een wereld zien in een korrel zand...
William Blake

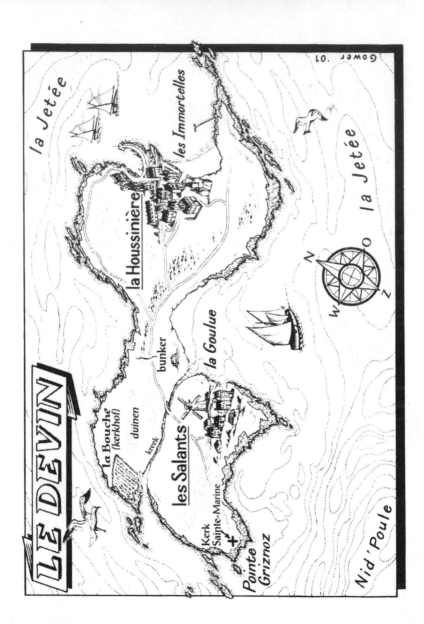

Proloog

EILANDEN ZIJN ANDERS. HOE KLEINER HET EILAND, HOE meer waarheid in deze uitspraak schuilt. Kijk maar naar Groot-Brittannië. Je kunt je nauwelijks voorstellen dat deze smalle strook land zoveel diversiteit kan herbergen. Cricket, *cream tea*, Shakespeare, Sheffield, *fish and chips* in een met azijn doordrenkte krant, Soho, twee universiteiten, de strandboulevard in Southend, gestreepte ligstoelen in Green Park, *Coronation Street*, Oxford Street, luie zondagmiddagen. Allemaal tegenstellingen. Ze marcheren naast elkaar als dronken protesteerders, tot wie het nog niet is doorgedrongen dat hun belangrijkste reden tot klagen de ander is. Eilanden zijn pioniers, splintergroeperingen, ontevreden mensen, buitenbeentjes, geboren isolationisten. Zoals ik al zei: anders.

Neem nu dit eiland. Je kunt zó van het ene uiteinde naar het andere fietsen. Als je over het water loopt, bereik je de kust in een middag. Het eiland Le Devin, een van de vele eilanden die als krabben in de ondiepten voor de kust van de Vendée gevangen liggen. Aan de kustzijde overschaduwd door Noirmoutier, aan de zuidzijde door het Île d'Yeu – op een mistige dag zou je het totaal over het hoofd kunnen zien. Kaarten vermelden het zelden. Eigenlijk verdient het de eilandstatus niet eens, want het is weinig meer dan een verzameling zandbanken met pretenties, met een rotsrug die

9

zich boven de Atlantische Oceaan verheft, een paar dorpjes, een kleine visfabriek en één enkel strand. Aan het ene uiteinde mijn thuis, Les Salants. Een rij huisjes, eigenlijk niet genoeg om aan te duiden als dorp, die her en der verspreid staan tussen rotsen en duinen, tot aan een zee die bij ieder gevaarlijk tij verder oprukt. Dit is mijn thuis, de onontkoombare plek waar het kompas van het hart telkens weer heen wijst.

Als je me had laten kiezen, zou ik aan iets anders de voorkeur hebben gegeven. Misschien een plek ergens in Engeland, waar mijn moeder en ik bijna een jaar lang gelukkig waren voordat mijn rusteloosheid ons weer voortdreef. Of Ierland, of Jersey, Iona of Skye. Je ziet: ik zoek bijna instinctief eilanden op, alsof ik de elementen van mijn eiland, Le Devin, de enige plek die onvervangbaar is, opnieuw probeer te vangen.

Qua vorm lijkt het een beetje op een slapende vrouw. Les Salants is haar hoofd, de schouders lijken bescherming te willen bieden tegen het weer. La Goulue is haar buik, La Houssinière de beschutte holte van haar knieën. Eromheen ligt La Jetée, een zoom van zanderige eilandjes die met het tij uitdijen en slinken, langzaam de kust verplaatsen; aan de ene kant wordt wat afgeknabbeld, aan de andere wat zand afgezet. Zelden behouden ze hun vorm lang genoeg om een naam waard te zijn. Ervoorbij ligt het grote onbekende, waar de ondiepe plaat voorbij La Jetée plotseling scherp daalt naar een nooit-gepeilde diepte die de plaatselijke bewoners Nid'-Poule noemen. Een fles met een briefje die je op een willekeurig punt op het eiland in zee gooit, spoelt bijna altijd aan bij La Goulue, De Gulzige, waarachter de huisjes van Les Salants bij elkaar beschutting zoeken tegen de harde zeewind. Doordat het ten oosten van de rotsachtige uitloper van Pointe Griznoz ligt, hopen zandkorrels, slib en rommel zich er snel op. Dit effect wordt versterkt wanneer er sprake is van hoogwater en winterstormen, waardoor er op de rotskust hele bolwerken van zeewier ontstaan die soms een halfjaar tot een jaar blijven staan, voordat ze door een storm weer worden weggespoeld.

Zoals je ziet is Le Devin geen schoonheid. Net als onze beschermheilige Marine-de-la-Mer heeft de ineengedoken gestalte iets ruws en primitiefs. Er komen hier maar weinig toeristen. Er zijn weinig attracties. Zo deze eilanden vanuit de lucht danseressen zijn met wijd uitgespreide tutu's, dan is Le Devin het meisje in de achterste rij van het corps de ballet – een tamelijk gewoon meisje – dat haar passen niet meer weet. We lopen achter, zij en ik. De dans gaat zonder ons verder.

Maar het eiland heeft zijn identiteit behouden. Het is een stuk land van slechts een paar kilometer lengte, en toch heeft het een geheel eigen karakter: het dialect, de keuken, de tradities en de kleding verschillen evenveel van die van de andere eilanden als van die van het vasteland van Frankrijk. De eilanders zien zichzelf eerder als *Devinnois* dan als Fransen of zelfs als Vendéebewoners. Ze voelen geen binding met politici. Weinigen van hun zoons nemen de moeite in militaire dienst te gaan. Ze staan zover van alles af dat het absurd lijkt. En omdat Le Devin zover buiten het bereik van de ambtenarij en de wet ligt, volgt het zijn eigen wetten.

Dat wil niet zeggen dat mensen van buitenaf niet welkom zijn. Integendeel, als we wisten hoe we het toerisme moesten stimuleren, zouden we dat doen. In Les Salants betekent toerisme rijkdom. We kijken over het water naar Noirmoutier, met zijn hotels en pensions en winkels en de grote, elegante brug die over het water naar het vasteland zweeft. Daar zijn de zomerwegen rivieren van auto's met buitenlandse nummerborden en uitpuilende imperials; de stranden zien zwart van de mensen. We proberen ons voor te stellen hoe het zou zijn als die van ons waren. Maar het komt zelden verder dan fantasie. De toeristen, de weinigen die zich zover wagen, blijven halsstarrig in La Houssinière aan de dichtstbijgelegen kant van het eiland. Er is voor hen niets te vinden in Les Salants, met zijn rotsachtige, strandloze kust, zijn duinen van stenen die met hard zand aan elkaar gemetseld zijn en zijn schurende, onophoudelijke wind.

De bewoners van La Houssinière weten dat. Er is al zolang iedereen zich kan heugen een vete tussen de *Houssins* en de *Salannais* – eerst om godsdienstige kwesties, daarna om visrechten, bouwrechten, handel, en natuurlijk om land. Teruggewonnen land behoort krachtens de wet toe aan degenen die het hebben teruggewonnen en aan hun nakomelingen. Het is de enige rijkdom die de Salannais bezitten. Maar in La Houssinière komen alle bestellingen van de kust binnen (de oudste familie runt de enige veerdienst) en worden de prijzen vastgesteld. Als een Houssin een Salannais een hak kan zetten, zal hij dat doen. Als een Salannais een Houssin een poot kan uitdraaien, deelt het hele dorp in zijn triomf.

Maar La Houssinière heeft een geheim wapen. Het heet Les Immortelles, een klein zandstrand op twee minuten lopen van de haven en aan één kant beschermd door een oud havenhoofd. Hier scheren zeilboten over het water, beschermd tegen de westenwind. Dit is de enige plek waar je veilig kunt baden of zeilen, omdat je er geen last hebt van de sterke stromingen die de rest van het eiland teisteren. Dit strand – deze gril van de natuur – is het grote verschil tussen de twee gemeenschappen. Het dorp is uitgegroeid tot een stadje. Hierdoor is La Houssinière naar eilandmaatstaven welvarend. Er is een restaurant, een hotel, een bioscoop, een discotheek en een kampeerterrein. 's Zomers ligt het haventje vol met plezierboten. In La Houssinière zetelt de burgemeester van het eiland en je vindt er de politieagent, het postkantoor en de enige priester. Een aantal families van de kust huurt hier in augustus een huis, wat handel oplevert.

Ondertussen is het in Les Salants de hele zomer een dooie boel; het ligt hijgend en verdord in de wind en de hitte. Maar het is toch de plek waar ik thuishoor. Niet de mooiste plek ter wereld, zelfs niet de meest uitnodigende, maar het is mijn thuis.

Alles keert terug. Dat is het devies van Le Devin. Omdat we wonen aan de lelijke uitloper van de Warme Golfstroom is het een affirmatie van hoop. Uiteindelijk keert alles terug: kapotgeslagen boten, flessenpost, reddingsboeien, drijvende spullen, omgekomen vissers. Velen kunnen aan de aantrekkingskracht van La Goulue geen weerstand bieden. Het kan jaren duren. Het vasteland lokt met zijn geld, steden en dolle bestaan. Drie van de vier kinderen trekken weg wanneer ze achttien zijn, omdat ze dromen van de wereld die voorbij La Jetée ligt. Maar De Gulzige is behalve hongerig ook geduldig. En voor mensen als ik, die verder niets hebben dat hen bindt, lijkt terugkeren onvermijdelijk.

Ooit had ik een eigen geschiedenis. Niet dat die er nu toe doet. Op Le Devin maakt iedereen zich alleen maar druk om zijn eigen geschiedenis. Er spoelen voorwerpen op deze kusten aan – wrakstukken, strandballen, dode vogels, lege por-

temonnees, dure sportschoenen, plastic bestek, zelfs mensen
– maar niemand vraagt zich af waar ze vandaan komen. De
zee verwijdert wat niet wordt opgeëist. Ook zeedieren maken
soms gebruik van deze snelweg: Portugese oorlogsschepen
(kwallensoort; vert.), verpleegsterhaaien, zeepaardjes, brosse
zeesterren en af en toe een walvis. Ze blijven of ze gaan, kort-
stondige rariteiten waaraan men zich vergaapt en die even
snel vergeten worden als ze onze wateren verlaten. Voor de
eilandbewoners is er voorbij La Jetée niets. Vanaf dat punt is
er niets dat de horizon breekt, totdat je in Amerika komt.
Niemand waagt zich verder. Niemand bestudeert de getijden
of hetgeen ze meebrengen. Behalve ik. Omdat ik zelf een stuk
drijfhout ben, vind ik dat ik het recht heb.

Neem nou dat strand. Het is een vreemde zaak. Eén eiland, één enkel strand; een gelukkige samenloop van getijden en stromingen; honderdduizend ton oud zand, zo onverzettelijk als steen, door duizenden afgunstige blikken verguld tot iets dat kostbaarder is dan goudstof. Het heeft de
Houssins wel rijk gemaakt, maar zowel Houssins als
Salannais beseffen dat alles heel goed totaal anders had kunnen zijn.

Een iets andere stroming, een paar honderd meter meer
naar links of naar rechts. Een paar graden verandering in de
overheersende windrichting. Verandering in de geografie
van de zeebodem. Een zware storm. Al die dingen zouden
op ieder willekeurig moment een rampzalige ommekeer teweeg kunnen brengen. Geluk is als een slinger die langzaam
door de decaden zwaait en in zijn schaduw het onontkoombare meeneemt.

Les Salants wacht nog steeds geduldig, verwachtingsvol,
op het terugzwaaien van die slinger.

Deel een

Aangespoeld

1

Ik keerde na een afwezigheid van tien jaar terug, op een warme dag aan het eind van augustus, vlak voordat het slechte zomertij begon. Terwijl ik op het dek van de *Brismand 1*, de oude veerboot naar La Houssinière, stond te kijken naar het naderen van het eiland, was het bijna alsof ik nooit was weggeweest. Er was niets veranderd – de prikkelende geur van de lucht, het dek onder mijn voeten, het geluid van de meeuwen in de warme, blauwe lucht. Tien jaar, bijna mijn halve leven, in één keer weggewist, als letters in het zand. Of bijna weggewist.

Ik had haast geen bagage bij me en dat versterkte de illusie. Maar ik had altijd met weinig bagage gereisd. Dat hadden we allebei, moeder en ik; we hadden nooit veel gehad dat ons kon binden. Op het laatst was ik degene geweest die de huur voor onze etage in Parijs had betaald; met mijn baan in een groezelig nachtcafé had ik het inkomen aangevuld dat ik verdiende met de schilderijen waaraan moeder zo'n hekel had, terwijl zij worstelde met haar emfyseem en deed alsof ze niet wist dat ze stervende was.

Toch was ik graag teruggekeerd als een rijke, succesvolle vrouw. Ik had mijn vader willen laten zien hoe goed we het gered hadden zonder zijn hulp. Maar mijn moeders weinige spaargeld was lang geleden opgeraakt en het mijne – een paar duizend frank bij de Crédit Maritime, plus een map met niet verkochte schilderijen – was bij elkaar niet veel meer dan wat we hadden meegenomen op de dag waarop we vertrokken. Niet dat het ertoe deed. Ik was niet van plan te blijven. Hoe krachtig de illusie dat de tijd had stilgestaan ook was, ik had nu een ander leven. Ik was veranderd. Ik was geen eiland meer.

Niemand schonk enige aandacht aan me zoals ik daar, een eindje bij de anderen vandaan, op het dek van de *Brismand 1* stond. Het was hoogseizoen en er was al een flink aantal toeristen aan boord. Sommigen waren zelfs net zo gekleed als ik, in een broek van oliegoed en een *vareuse*, het vormloze kledingstuk dat een kruising is tussen een hemd en een jack – stadsmensen die erg hun best deden er niet als stadsmensen uit te zien. Toeristen met rugzakken, koffers, honden en kinderen stonden op het dek tussen de kratten fruit en kruidenierswaren, kooien met kippen, postzakken en dozen geperst. Het lawaai was oorverdovend. Daaronderdoor het zeewater dat tegen de kiel van de veerboot spatte en het gekrijs van de meeuwen. Mijn hart bonsde op het ritme van de branding.

Terwijl de *Brismand 1* de haven naderde, liet ik mijn blik over het water naar de promenade dwalen. Als kind kwam ik er graag: ik had er vaak op het strand gespeeld en me verstopt onder de dikke buik van de oude strandhutten, terwijl mijn vader zaken deed in de haven. Ik herkende de uitgebleekte Choky-parasols op het terras van het kleine café waar mijn zus altijd zat, de hotdogkraam, de cadeaushop. Het was misschien drukker dan ik me herinnerde. Verspreid over de kade stonden vissers met manden vol krab en kreeft hun vangst te verkopen. Ik hoorde muziek van de boulevard komen; aan de voet ervan speelden kinderen op een strand dat, zelfs nu het vloed was, gladder en gevulder leek dan ik me herinnerde. La Houssinière leek te gedijen.

Ik liet mijn ogen over de Rue des Immortelles zwerven, de hoofdstraat die parallel loopt aan het strand. Ik zag drie mensen naast elkaar zitten op een plek die ooit mijn lievelingsplek was geweest: de strandmuur aan de voet van de promenade die uitzicht bood op de baai. Ik herinnerde me dat ik er als kind had zitten kijken naar het verre, grijze, kaakvormige vasteland en me af had zitten afvragen wat daar allemaal was. Ik kneep mijn ogen tot spleetjes om beter te kunnen zien; van halverwege de baai kon ik al zien dat twee van de figuurtjes nonnen waren.

Toen de pont dichterbij kwam, herkende ik hen: soeur Extase en soeur Thérèse, karmelietessen die vrijwilligerswerk deden in het verzorgingstehuis Les Immortelles en die al oud waren voordat ik ter wereld kwam. Het had een vreemd geruststellend effect op me dat ze er nog waren. Beide nonnen aten een ijsje; hun habijt was opgetrokken tot aan hun knieën en hun blote voeten bungelden over de zeewering. De man die naast hen zat, zijn gezicht onzichtbaar door een hoed met brede rand, had iedereen kunnen zijn.

De *Brismand 1* kwam langszij de steiger te liggen. Er werd een loopplank op zijn plaats gehesen en ik wachtte tot de toeristen van boord gingen. De steiger was even vol als de boot: er stonden mensen drankjes en lekkernijen te verkopen, een taxichauffeur bood luidkeels zijn diensten aan en kinderen met karretjes verdrongen zich om de aandacht van de toeristen te vangen. Zelfs voor augustus was het druk.

'Uw bagage dragen, *mademoiselle*?' Een jongen met een rond gezicht, ongeveer veertien, met een rood, vaal T-shirt aan, trok aan mijn mouw. 'Uw bagage naar het hotel brengen?'

'Dank je, ik red me wel.' Ik liet hem mijn kleine koffer-tje zien.

De jongen keek me bevreemd aan, alsof hij mijn gelaats-trekken probeerde thuis te brengen. Hij haalde zijn schou-ders op en liep door om een rijkere buit te zoeken.

De promenade was vol mensen. Vertrekkende toeristen, arriverende toeristen; daartussendoor Houssins. Ik schudde mijn hoofd toen een oudere man probeerde me een sleutel-hanger van touwknoopwerk te verkopen; het was Jojo-le-Goëland, die ons 's zomers wel eens meenam met zijn boot, en hoewel hij nooit een vriend was geweest – hij was per slot van rekening een Houssin – raakte het me dat hij me niet herkend had.

'Logeert u op het eiland? Bent u toerist?' Dat was weer de jongen met het ronde gezicht; hij had inmiddels gezelschap gekregen van een vriend, een joch met donkere ogen en een leren jasje aan, die met meer stoerheid dan genot een sigaret rookte. Beide jongens droegen een koffer.

'Ik ben geen toerist. Ik ben geboren in Les Salants.'

'Les Salants?'

'Ja. Mijn vader is Jean Prasteau. Hij is botenbouwer. Al-thans, dat was hij.'

'GrosJean Prasteau!' De twee jongens keken me met onverholen nieuwsgierigheid aan. Ze zouden misschien meer hebben gezegd, maar precies op dat moment voegden drie andere tieners zich bij ons. De grootste sprak de jongen met het ronde gezicht met een zeker gezag aan.

'Wat doen jullie Salannais hier nou weer?' wilde hij weten. 'De promenade is van de Houssins, dat weten jullie toch. Jullie mogen geen bagage naar Les Immortelles brengen!'

'Wie zegt dat?' vroeg de jongen met het ronde gezicht. 'De

promenade is niet van jullie! De toeristen zijn niet van jullie!'

'Lolo heeft gelijk,' zei de jongen met de donkere ogen. 'Wij waren eerst.'

De twee Salannais kwamen een beetje dichterbij. De Houssins waren in de meerderheid, maar ik voelde dat ze eerder zouden vechten dan hun koffers afstaan. Even zag ik mezelf op hun leeftijd, wachtend op mijn vader en geen aandacht schenkend aan het gelach van de knappe meisjes uit La Houssinière op het terras van het café, totdat het me te veel werd en ik naar mijn schuilplaats onder de strandhutten vluchtte, waar ik veilig was.

'Zij waren er het eerst,' zei ik tegen de drie. 'Dus wegwezen!'

Even keken de Houssins me vol wrok aan, maar toen vertrokken ze tegensputterend naar de steiger. Lolo keek me uiterst dankbaar aan. Zijn vriend haalde alleen maar zijn schouders op.

'Ik loop met jullie mee,' zei ik. 'Naar Les Immortelles, geloof ik, hè?' Het grote, witte huis stond slechts een paar honderd meter verder op de promenade. Vroeger was het een verzorgingstehuis geweest.

'Het is nu een hotel,' zei Lolo. 'Het is van monsieur Brismand.'

'Ja, ik ken hem.'

Claude Brismand, een gedrongen Houssin met een overdreven snor, die naar eau de cologne rook, espadrilles droeg als een boer en een stem had die even vol en duur was als goede wijn. Brismand de Vos, noemden ze hem in het dorp. Brismand de Bofferd. Jarenlang had ik gedacht dat hij weduwnaar was, maar er gingen geruchten dat hij ergens op het vasteland een vrouw en een kind had. Ik had hem altijd graag gemogen, ook al was hij een Houssin: hij was opgewekt, praatte graag en zijn zakken puilden altijd uit van de snoepjes. Mijn vader had een hekel aan hem gehad. Alsof ze hem wilde tarten was mijn zus Adrienne met zijn neef getrouwd.

'Zo, we zijn er al.' We waren aan het eind van de promenade gekomen. Door een stel glazen deuren kon ik de lobby van Les Immortelles zien: een balie, een vaas met bloemen, een forse man die bij het open raam een sigaar zat te roken. Even overwoog ik of ik naar binnen zou gaan, maar besloot toen het niet te doen. 'Ik denk dat jullie het nu wel redden. Ga maar naar binnen.'

Dat deden ze, de jongen met de donkere ogen zonder iets te zeggen en Lolo met een verontschuldigende grimas op zijn gezicht. 'Let maar niet op Damien,' zei hij zacht. 'Hij wil altijd vechten.'

Ik glimlachte. Ik was net zo geweest. Mijn zus, die vier jaar ouder was dan ik, was met haar mooie kleren en modieuze kapsel nooit zo uit de toon gevallen als ik; op het terras van het café had haar lach altijd het luidst geklonken.

Ik zocht me een weg door de drukke straten naar de plek waar de twee oude karmelietessen zaten. Ik wist niet of ze me zouden herkennen – een Salannaise die ze sinds haar tiende niet meer hadden gezien – maar ik had hen vroeger altijd graag gemogen. Toen ik dichterbij kwam verbaasde het me niet dat ze nauwelijks veranderd waren: hun ogen stonden helder, maar hun huid was bruin en leerachtig, als dingen die op het strand hadden liggen uitdrogen. Soeur Thérèse droeg een donkere sjaal om haar hoofd in plaats van de witte *quichenotte coiffe* die op de eilanden gedragen wordt – ik weet niet of ik hen anders uit elkaar gehouden had. De man naast hen, die een bloedkoralen kraal om zijn hals en een slappe hoed op zijn hoofd had, kende ik niet. Achter in de twintig of voor in de dertig, een prettig gezicht, maar niet opvallend knap; hij had een toerist kunnen zijn, als hij me niet zo ongedwongen begroet had, met het knikje van de eilanden.

Soeur Extase en soeur Thérèse keken me even scherp aan, maar toen verscheen op hun gezicht dezelfde stralende lach. 'Nee maar, het is de kleine meid van GrosJean.'

Doordat ze al zo lang ver van hun klooster in elkaars gezelschap verkeerden, hadden ze dezelfde manier van doen aangenomen. Hun stemmen klonken ook bijna hetzelfde, snel en krakerig als die van een ekster. Als een tweeling voelden ze elkaar op een eigenaardige manier aan; ze maakten elkaars zinnen af en benadrukten elkaars woorden met bemoedigende gebaren. Gek genoeg noemden ze elkaar nooit bij de naam; ze spraken elkaar altijd aan met *'ma soeur'*, hoewel ze voorzover ik weet niet aan elkaar verwant waren.

'Het is Mado, *ma soeur*, de kleine Madeleine Prasteau. Wat is ze gegroeid! De tijd gaat...'

'...zo snel hier op de eilanden. Het lijkt nog maar...'

'...een paar jaar geleden dat we hier kwamen en nu zijn we...'

'...oud en krakkemikkig, *ma soeur*, oud en krakkemikkig. Maar we zijn blij je weer te zien, Madootje. Je was altijd zo anders. Heel-heel anders dan...'

'...je zus.' Ze spraken de laatste woorden tegelijk uit. Hun donkere ogen glansden.

'Het is prettig weer hier te zijn.' Pas toen ik dat zei wist ik hóé prettig.

'Er is hier niet veel veranderd, hè, *ma soeur*?'

'Niet, er verandert niet veel. Het wordt...'

'...ouder, meer niet. Net als wij.' De beide nonnen schudden zakelijk hun hoofd en richtten hun aandacht weer op hun ijsje.

'Ze hebben Les Immortelles omgebouwd, zie ik,' zei ik.

'Dat klopt, ja.' Soeur Extase knikte. 'In ieder geval het grootste deel. Wij en nog een paar andere mensen wonen nog op de bovenste verdieping.'

'Permanente gasten, noemt Brismand ons.'

'Het zijn er niet veel. Georgette Loyon, Raoul Lacroix en Bette Plancpain. Hij heeft hun huis gekocht toen ze te oud werden om zich te redden.'

'Goedkoop gekocht en opgeknapt voor de zomergasten.'

De nonnen wisselden een blik. 'Brismand houdt hen alleen maar hier omdat hij van het klooster een deel van de giften krijgt. Hij wil graag op goede voet met de kerk blijven. Hij weet waar Abraham de mosterd haalt.'

Een bedachtzame stilte terwijl ze allebei aan hun ijsje zogen.

'En dit is Rouget, Madootje.' Soeur Thérèse wees naar de vreemdeling, die met een grijns op zijn gezicht naar hun commentaar had zitten luisteren.

'Rouget, de Engelsman...'

'...die gekomen is om ons van het goede pad af te brengen met ijs en gevlei. En dat op onze leeftijd.'

De Engelsman schudde zijn hoofd. 'Let maar niet op hen,' raadde hij haar aan. 'Ik verwen hen alleen maar omdat ze anders al mijn geheimen verklappen.' Zijn stem klonk aangenaam, hoewel hij een sterk accent had.

De zusters giechelden. 'Geheimen, ja, ja. Er is niet veel dat we niet weten, hè, *ma soeur*? We zijn dan misschien wel...'

'...oud, maar aan onze oren mankeert niets.'
'De mensen denken niet aan ons...'
'...omdat we...'
'...nonnen zijn.'

De man die ze Rouget noemden, keek me aan en grijnsde. Hij had een intelligent, grappig gezicht, dat oplichtte wanneer hij lachte. Ik voelde dat zijn ogen elk detail van mijn uiterlijk in zich opnamen, niet op een onvriendelijke manier, maar met verwachtingsvolle nieuwsgierigheid.

'Rouget?' De meeste namen op Le Devin zijn bijnamen. Alleen buitenlanders en mensen van het vasteland gebruiken andere namen.

Met een ironisch zwierig gebaar nam hij zijn hoed af. 'Richard Flynn: filosoof, aannemer, beeldhouwer, lasser, visser, klusjesman, weerman...' Hij gebaarde vaag naar het zand van Les Immortelles. 'Maar bovenal: bestudeerder van het strand en strandjutter.'

Soeur Extase liet hierop een goedkeurend gegiechel horen dat aangaf dat dit een oude grap was. 'In gewone taal: een lastpak,' legde ze uit.

Flynn lachte. Zijn haar had zo'n beetje dezelfde kleur als de kraal om zijn nek. Rood haar, slecht bloed, zei mijn moeder altijd, hoewel het op de eilanden een ongewone kleur is en meestal als een geluksteken beschouwd wordt. Dat verklaarde de bijnaam. Maar toch: een bijnaam geeft op Le Devin een soort status die voor een buitenlander ongewoon is. Het duurt wel even voor je een eilandnaam hebt.

'Woon je hier?' Op de een of andere manier leek het me niet waarschijnlijk. Hij had iets rusteloos, vond ik; een verborgen element dat elk moment actief kon worden.

Hij haalde zijn schouders op. 'Het is hier niet slechter dan ergens anders.'

Dat gaf me een kleine schok. Alsof alle plekken voor hem hetzelfde waren. Ik probeerde me voor te stellen hoe het was als het me niet kon schelen waar ik thuishoorde, als ik niet constant dat trekken aan mijn hart zou voelen. Hoe zijn verschrikkelijke vrijheid was. En toch hadden ze hem een naam gegeven. Ik was mijn hele leven *la fille à GrosJean* gebleven, net als mijn zus.

'En,' zei hij grijnzend, 'wat doe jij?'

'Ik schilder. Ik bedoel, ik verkoop mijn schilderijen.'

'Wat schilder je?'

Even dacht ik aan mijn kleine woning in Parijs en aan de kamer die ik als atelier gebruikte. Een kleine ruimte, te klein om als logeerkamer te gebruiken – en zelfs die concessie had moeder met weinig gratie gedaan – waarin mijn ezel en mappen en doeken tegen de muur stonden. Ik had voor mijn schilderijen ieder onderwerp kunnen kiezen, mocht moeder altijd graag zeggen. Ik had talent. Waarom, zo vroeg ze zich af, schilderde ik dan altijd hetzelfde? Gebrek aan fantasie? Of wilde ik haar kwellen?

'Meestal de eilanden.'

Flynn keek me aan, maar zei verder niets. Zijn ogen hadden dezelfde leigrijze kleur als de wolkenstreep aan de rand van de horizon. Ik kon er tot mijn bevreemding slechts met moeite in kijken, alsof ze gedachten konden lezen.

Soeur Extase had haar ijsje op. 'En hoe gaat het met je moeder, Madootje? Is ze vandaag met je meegekomen?'

Ik aarzelde. Flynn keek nog steeds naar me. 'Ze is overleden,' zei ik ten slotte. 'In Parijs. Mijn zus was er niet bij.' Ik hoorde iets lelijks in mijn stem doorklinken toen ik aan Adrienne dacht.

Beide nonnen sloegen een kruis. 'Wat triest, Madootje. Heel-heel triest.' Soeur Thérèse nam mijn hand tussen haar dorre vingers. Soeur Extase gaf een klopje op mijn knie. 'Laat je in Les Salants een mis voor haar opdragen?' vroeg soeur Thérèse. 'Om je vader een plezier te doen?'

'Nee.' Ik hoorde nog steeds een harde klank in mijn stem. 'Dat is voorbij. Bovendien zei ze altijd dat ze nooit meer terug zou komen. Zelfs niet als as.'

'Wat jammer. Het zou voor iedereen beter zijn geweest.'

Soeur Extase wierp me vanonder haar *quichenotte* een snelle blik toe. 'Het zal voor haar niet gemakkelijk geweest zijn om daar te wonen. Eilanden...'

'Ik weet het.'

De *Brismand 1* vertrok weer. Even voelde ik me helemaal verloren, alsof mijn enige levenslijn was doorgesneden. Bij de gedachte werd het me kil om het hart. 'Mijn vader maakte het er ook niet makkelijker op,' zei ik, terwijl ik naar de wegvarende veerboot keek. 'Maar goed, hij is nu vrij. Dat wilde hij ten slotte. Met rust gelaten worden.'

2

'PRASTEAU. DAT IS EEN EILANDNAAM.'

De taxichauffeur, een Houssin die ik niet herkende, klonk beschuldigend, alsof ik de naam zonder toestemming had gebruikt.

'Ja. Ik ben hier geboren.'

'Huh?' De chauffeur wierp een blik naar achteren op me, alsof hij probeerde mijn gezicht te plaatsen. 'Je hebt nog familie op het eiland?'

Ik knikte. 'Mijn vader. In Les Salants.'

'O.' De man haalde de schouders op, alsof het noemen van Les Salants een eind aan zijn nieuwsgierigheid had gemaakt. In gedachten zag ik GrosJean in zijn werf, zag ik mezelf hem gadeslaan. Trots vermengd met schuldgevoel toen ik terugdacht aan mijn vaders vakmanschap. Ik dwong mezelf naar de achterkant van het hoofd van de chauffeur te kijken totdat het gevoel wegtrok.

'Goed dan. Les Salants.'

De taxi rook muf en de vering was stuk. Terwijl we over de bekende weg La Houssinière uit reden, trok mijn maag samen van de zenuwen. Ik herinnerde me alles nu maar al te goed: een gedeelte begroeid met tamarisken, een rots, een glimp van een golfplaten dak boven een duinrand – al die dingen maakten herinneringen bij me los.

'Je weet waar je zijn moet?' De weg was slecht; toen we

een hoek om sloegen, bleven de achterwielen van de taxi even in een zanderig gedeelte steken. De chauffeur vloekte en gaf verwoed gas om ze vrij te krijgen.

'Ja. Rue de l'Océan. Aan het eind.'

'Weet je het zeker? Daar zijn alleen maar duinen.'

'Ja, ik weet het zeker.'

Instinctief besloot ik een eindje buiten het dorp uit te stappen. Ik wilde te voet arriveren, als een Salannaise. De chauffeur pakte mijn geld aan en liet me achter zonder me nog één blik waardig te keuren; het zand spoot onder zijn wielen vandaan en zijn uitlaat knetterde. Toen de stilte om me heen teruggekeerd was, bekroop me een verontrustend gevoel. Ik kreeg een schuldgevoel toen ik het herkende als vreugde.

Ik had mijn moeder beloofd dat ik nooit terug zou gaan.

Daar kwam mijn schuldgevoel vandaan; even maakte het me nietig, een stofje onder het enorme uitspansel. Dat ik hier was betekende dat ik haar verried, dat ik onze goede jaren samen, het leven dat we ver van Le Devin hadden opgebouwd, verloochende.

Niemand had ons geschreven nadat we waren vertrokken. Toen we eenmaal de grenzen van La Jetée waren gepasseerd, waren we drijfhout geworden, genegeerd en vergeten. Mijn moeder had me dat vaak genoeg verteld, op koude avonden in onze kleine woning in Parijs, met de niet-vertrouwde geluiden van het verkeer op de achtergrond en de lichten van de *brasserie* rood en blauw flikkerend door de kapotte blinden. We waren Le Devin niets verschuldigd. Adrienne had gedaan wat ze doen moest: een goed huwelijk gesloten, kinderen gekregen en met haar man Marin, die in antiek handelde, naar Tanger verhuisd. Ze had twee zoontjes, die we alleen op foto's hadden gezien. Ze nam zelden contact met ons op. Moeder zag dit als het bewijs dat Adrienne haar familie toegewijd was en stelde haar als voorbeeld. Mijn zus had goed geboerd: ik moest trots op haar zijn, niet jaloers.

Maar ik was koppig; Ik mocht dan ontsnapt zijn, maar ik wist niet goed vat te krijgen op de veelbelovende kansen die de wereld voorbij de eilanden bood. Ik had alles kunnen krijgen wat ik had gewild: een goede baan, een rijke echtgenoot, stabiliteit. In plaats daarvan was ik twee jaar naar de academie geweest, had ik nog eens twee jaar doelloos rondgereisd en daarna in een bar gewerkt, schoongemaakt, allerlei baantjes genomen en op straathoeken mijn schilderijen verkocht om geen galerietarieven te hoeven betalen. De hele tijd droeg ik Le Devin met me mee, als de herinnering aan een misdaad; mijn schuldgevoel werd nog gecompliceerd door mijn beloften en de hele tijd wist ik diep in mijn hart dat ik loog.

'Alles keert terug.'

Dat is het motto van de strandjutter. Ik zei het hardop, alsof ik antwoord gaf op een onuitgesproken beschuldiging. Ik was trouwens niet van plan te blijven. Ik had de huur voor de etage een maand vooruitbetaald; het weinige dat ik bezat bleef zoals ik het had achtergelaten, wachtend op mijn terugkeer. Maar nu was de fantasie even te aanlokkelijk om te negeren: Les Salants, onveranderd, uitnodigend, en mijn vader...

Ik begon, onhandig, over de kapotte weg naar de huizen te rennen – naar huis.

3

Het dorp was verlaten; van de meeste huizen waren de luiken gesloten – uit voorzorg tegen de warmte – en ze zagen er opgelapt en verlaten uit, als strandhutten buiten het seizoen. Sommige zagen eruit alsof ze, sinds ik was vertrokken, nooit meer geverfd waren; muren die ooit ieder voorjaar waren gewit, waren nu door het zand kleurloos geschuurd. Uit een verdroogde bloembak voor een raam stak één geranium. Een aantal huizen was niet meer dan houten hutten met golfplaatdaken. Ik herinnerde me ze nu weer, hoewel ze op geen enkel schilderij van mij waren voorgekomen. Een paar boten met platte bodem of *platts* waren de *étier*, de zoutwaterkreek die vanuit La Goulue het dorp in stroomde, in gesleept, en lagen op de bruine modderige grond die bij eb droogviel. Een paar vissersboten lagen in het diepere water aangemeerd. Ik herkende ze meteen: de *Eleanore* van de Guénolés, die mijn vader en zijn broer jaren voor mijn geboorte hadden gebouwd, en aan de overkant de *Cécilia*, die eigendom was van hun rivalen op visgebied, de Bastonnets. Hoog in de mast van een van de boten tikte er in de wind monotoon iets tegen metaal – ting-ting-ting-ting.

Er was bijna niemand te zien. Even ving ik een glimp van een gezicht op dat tussen de luiken door naar buiten gluurde, hoorde ik stemmen en daarna een deur dichtslaan. Een oude man zat voor Angélo's bar onder een parasol *devinnoise* te drinken, de kruidenbitter van het eiland. Ik herkende hem meteen: het was Matthias Guénolé – het gezicht verweerd als wrakhout, de ogen scherp en blauw – maar ik zag geen nieuwsgierigheid op zijn gezicht toen ik hem groette. Even gaf hij aan dat hij het gehoord had met de korte knik die in Les Salants voor beleefdheid doorgaat, en daarna onverschilligheid.

Er zat zand in mijn schoenen. Het zand lag ook opgehoopt tegen de muren van een aantal huizen, alsof de duinen een aanval op het dorp hadden gepleegd. De zomerstormen hadden duidelijk hun tol geëist. Bij het oude huis van Jean Grossel was een muur ingestort, van een aantal daken waren dakpannen weg en achter de Rue de l'Océan, waar zich de boerderij en het winkeltje van Omer Prossage en zijn vrouw Charlotte bevonden, zag het land er doorweekt uit, met grote waterplassen waarin de lucht zich weerspiegelde. Uit een reeks buizen naast de weg gutste water in een sloot, die dat weer op de kreek loosde. Ik zag naast het huis een soort pomp werken, waarschijnlijk om het proces te versnellen, en ik hoorde een generator draaien. Achter de boerderij zag ik een kleine windmolen met bedrijvig draaiende wieken.

Aan het eind van de hoofdstraat bleef ik staan, naast de bron bij de schrijn van Marine-de-la-Mer. Er was daar een handpomp, verroest maar nog steeds te gebruiken, en ik pompte een beetje water op om mijn gezicht te wassen. Met een bijna vergeten ritueel gebaar plensde ik wat water in de stenen kom naast de schrijn. Terwijl ik dat deed, viel het me op dat de kleine nis van de heilige pas geverfd was en dat er kaarsen, linten, kralen en bloemen op de stenen waren neergelegd. De heilige zelf stond massief en ondoorgrondelijk tussen de offerandes.

'Ze zeggen dat als je haar voeten kust en driemaal spuugt, je iets terugkrijgt dat je bent kwijtgeraakt.'

Ik keerde me zo abrupt om dat ik bijna mijn evenwicht verloor. Achter me stond een grote, blozende, opgewekte vrouw, met haar handen op haar heupen en haar hoofd een beetje scheef. Aan haar oorlellen hingen vergulde oorringen; haar haar had dezelfde uitbundige teint.

'Capucine!' Ze zag er wat ouder uit (ze was tegen de veertig geweest toen ik wegging), maar ik herkende haar meteen. Haar bijnaam was La Puce en ze woonde met haar onhandelbare kroost in een gammele, roze caravan aan de rand van de duin. Ze was nooit getrouwd geweest – 'mannen zijn veel te lastig om mee te leven, liefje' – maar ik herinnerde me muziek 's avonds laat in de duinen en steelse mannen die opvallend hun best deden niet te letten op de kleine caravan met zijn kanten gordijntjes en uitnodigende licht bij de deur. Mijn moeder had haar niet gemogen, maar Capucine was voor mij altijd aardig geweest en had me met chocola overtrokken kersen gevoerd en me allerlei roddelpraatjes verteld. Ze had de sensueelste lach van het eiland; ze was zelfs de enige volwassen eilandbewoner die voorzover ik wist ooit hardop lachte.

'Mijn Lolo heeft je in La Houssinière gezien. Hij zei dat je hierheen kwam!' Ze grijnsde. 'Ik moet de heilige vaker kussen als dit soort dingen het gevolg is!'

'Fijn je te zien, Capucine,' zei ik glimlachend. 'Ik begon al te denken dat het dorp verlaten was.'

'Ach, ja.' Ze haalde haar schouders op. 'Het is een slecht seizoen geweest. Niet dat er tegenwoordig nog andere seizoenen zijn.' Haar gezicht werd eventjes somber. 'Ik vind het naar voor je dat je moeder overleden is, Mado.'

'Hoe wist je dat?'

'Ach, dit is een eiland. Nieuws en roddel is alles wat we hebben.'

Ik aarzelde, me bewust van het bonken van mijn hart. 'En – en mijn vader?'

Even werd haar lach onzeker. 'Zoals altijd,' zei ze luchtig. Toen hervond ze haar vrolijkheid en ze legde haar arm om mijn schouders. 'Kom een *devinnoise* bij me drinken, Mado. Je kunt bij mij logeren. Ik heb sinds het vertrek van de Engelsman een bed over.'

Ik moet verbaasd gekeken hebben, want Capucine liet haar gulle, sensuele lach horen.

'Haal je geen ideeën in je hoofd. Ik ben tegenwoordig een fatsoenlijke vrouw – nou ja, bijna.' In haar donkere ogen blonken pretlichtjes. 'Maar je zult Rouget aardig vinden. Hij is in mei bij ons gekomen en hij heeft heel wat stof doen opwaaien! Sinds die keer dat Aristide Bastonnet een vis met een kop aan beide kanten ving, hadden we zoiets niet meer meegemaakt. Die Engelsman!' Ze grinnikte zachtjes en schudde haar hoofd.

'In mei?' Dat betekende dat hij hier pas drie maanden was. Al na drie maanden hadden ze hem een naam gegeven.

'Mmm.' Capucine stak een Gitane op en inhaleerde genietend de rook. 'Kwam op een dag aanzetten zonder een cent op zak, maar was meteen al aan het sjacheren. Wist een baantje los te praten bij Omer en Charlotte, totdat die meid van hen met hem begon te flirten. Ik heb hem onderdak geboden in mijn caravan totdat hij een eigen stek had. Hij schijnt in La Houssinière onder andere een aanvaring met

die ouwe Brismand te hebben gehad.' Ze keek me nieuwsgierig aan. 'Adrienne is toch met zijn neef getrouwd? Hoe
maken ze het?'

'Ze wonen in Tanger. Ik hoor niet zo vaak iets van hen.'

'Zo, Tanger? Ach, ze zei altijd al...'

'Je had het over je vriend,' onderbrak ik haar. De gedachte aan mijn zus maakte me kil en bot. 'Wat doet hij?'

'Hij heeft ideeën. Hij maakt van alles.' Capucine gebaarde vaag over haar schouder naar de Rue de l'Océan. 'Omers
windmolen, bijvoorbeeld. Dat is zijn werk.'

We waren nu voorbij de ronding van het duin en ik kon
de roze caravan zien zoals ik me hem herinnerde, maar dan
nog wat havelozer en dieper in het zand gezakt. Verderop, zo
wist ik, stond het huis van mijn vader – een dikke tamariskhaag onttrok het aan het zicht. Capucine zag me kijken.

'Daar komt niets van in,' zei ze ferm, terwijl ze me bij de
arm nam en de duinpan mee in trok, richting caravan. 'We
moeten heel wat roddel inhalen. Gun je vader wat tijd. Laat
het roddelcircuit zijn werk doen.'

Op Le Devin is roddel een soort harde valuta. Het eiland
drijft erop: vetes tussen concurrerende vissers, onwettige
kinderen, sterke verhalen, geruchten en onthullingen. Ik zag
in Capucines ogen hoeveel ik waard was; ik was heel even
een rijk bezit voor haar.

'Waarom?' Ik staarde nog steeds naar de tamariskhaag.
'Waarom zou ik hem niet nu opzoeken?'

Capucine ontweek mijn blik. 'Het is een lange tijd geleden. Hij is eraan gewend geraakt alleen te zijn.' Ze duwde
de deur van de caravan open, die niet op slot was. 'Kom binnen, liefje, dan zal ik het je allemaal vertellen.'

Haar caravan was wonderlijk gezellig, met zijn krappe,

roze interieur, de kleren die overal rondslingerden en de geur van rook en goedkope parfum. Hoewel het er duidelijke slonzig was, nodigde hij uit tot vertrouwelijkheden.

De mensen schijnen Capucine meer in vertrouwen te nemen dan ze père Alban, de enige priester van het eiland, ooit zullen doen. Het boudoir, zo schijnt het, zelfs een oud boudoir als dit, trekt de mensen meer dan de biechtstoel. Met het klimmen der jaren is Capucines respectabiliteit niet toegenomen, maar desondanks heerst er in het dorp een gezonde eerbied voor haar. Net als de nonnen kent ze te veel geheimen.

We praatten bij een kopje koffie met wat lekkers erbij. Capucine kon blijkbaar een ongelimiteerde hoeveelheid van de kleine suikergebakjes die *devinnoiseries* heten, tot zich nemen, aangevuld met Gitanes, koffie en chocoladekersen, die ze uit een enorme, hartvormige doos nam.

'Ik ben er eerst een paar keer per week heen gegaan,' vertelde ze me, terwijl ze nog wat koffie in de popperige kopjes schonk. 'Soms nam ik gebak mee, of ik stopte wat kleren in de wasmachine.'

Ze lette op mijn reactie en keek blij toen ik haar bedankte. 'De mensen praten, weet je,' zei ze. 'Maar dat is alles. Die tijd is al heel lang voorbij.'

'Het gaat toch wel goed met hem?'

'Ach, je weet hoe hij is. Hij laat niet zoveel los.'

'Dat heeft hij nooit gedaan.'

'Klopt. De mensen die hem kennen begrijpen hem. Maar met vreemden kan hij niet goed overweg. Niet dat jíj...' corrigeerde ze zichzelf meteen. 'Hij houdt gewoon niet van verandering, dat is alles. Hij heeft zo zijn gewoonten. Hij gaat elke vrijdagavond naar Angélo, drinkt zijn *devinnoise* met Omer – vaste prik. Hij zegt natuurlijk niet veel, maar met zijn hoofd is niks mis.'

Op de eilanden heerst een grote angst voor waanzin. Sommige families geven het door als een slecht gen, zoals polydactylie en hemofilie, die in deze gesloten gemeenschappen veel vaker voorkomen. Te veel vrijage onder neven en nichten, zeggen de Houssins. Mijn moeder zei altijd dat GrosJean daarom een meisje van het vasteland had gekozen.

Capucine schudde haar hoofd. 'En rond deze tijd van het jaar heeft hij het niet gemakkelijk. Geef hem de ruimte.'

Natuurlijk! De dag van de heilige. Toen ik nog klein was hielpen mijn vader en ik vaak met het opschilderen van de nis van de heilige – koraalrood met het traditionele sterrenpatroon – als voorbereiding op de jaarlijkse ceremonie. De Salannais zijn heel bijgelovig; dat moet ook wel, maar in La Houssinière vindt men al dat bijgeloof en die tradities een beetje belachelijk. Natuurlijk heeft La Houssinière nog wel een kerk. La Houssinière wordt beschut door La Jetée. La Houssinière is geen speelbal van het tij. Hier in Les Salants is de zee dichter bij huis en moet hij te vriend worden gehouden.

'Natuurlijk heeft GrosJean,' zei Capucine, mijn gedachtegang onderbrekend, 'meer aan de zee moeten afstaan dan menig ander. En op de dag van de heilige, zo dicht bij de dag waarop het allemaal gebeurde – ach. Je moet daar toch een beetje rekening mee houden, Mado.'

Ik knikte. Ik kende het verhaal, hoewel het een oud verhaal was, dat stamde uit de tijd voordat mijn ouders getrouwd waren. Twee broers die zo'n nauwe band hadden dat ze wel tweelingen leken; zoals gebruikelijk is op de eilanden hadden ze zelfs hun naam gemeen. Maar P'titJean had zich op drieëntwintigjarige leeftijd – onnodig – verdronken, vanwege een meisje, hoewel ze père Alban er kennelijk van hadden weten te overtuigen dat het om een ongeluk tijdens het vissen ging. Nu, dertig jaar later, gaf GrosJean zichzelf nog steeds de schuld.

'Dat is dus niet veranderd.' Het was geen vraag.

'Meisje, dat zal nooit veranderen.'

Ik had de grafzerk gezien, één brok eilandgraniet, in La Bouche, het kerkhof van Les Salants voorbij La Goulue.

Jean-Marin Prasteau
1949-1972
Beminde broer

Mijn vader had de inscriptie zelf ingekerfd, een vingerbreedte diep in de massieve steen. Hij had er een halfjaar over gedaan.

'Maar goed, Mado,' zei Capucine, terwijl ze haar tanden in het volgende gebakje zette. 'Blijf jij nou maar een poosje bij mij, totdat Sainte-Marine voorbij is. Je hoeft toch niet meteen terug te rennen? Je kunt toch wel een dag of twee missen?'

Ik knikte, omdat ik haar niet meer wilde vertellen.

'Er is hier meer ruimte dan je denkt,' zei La Puce optimistisch, terwijl ze wees naar een gordijn dat het slaapgedeelte afscheidde van de woonruimte. 'Het is er heel comfortabel en mijn Lolo is een goeie knul; hij zal niet om de paar minuten zijn hoofd om het gordijn steken.' Capucine nam een chocoladekers uit haar schijnbaar eindeloze voorraad. 'Hij zou nu zo'n beetje terug moeten zijn. Ik snap niet wat hij de hele dag doet. Rondhangen met die jongen van Guénolé.' Lolo was Capucines kleinzoon, begreep ik; haar dochter Clothilde had hem aan haar zorgen toevertrouwd terwijl zij op het vasteland naar werk zocht.

'Alles keert terug, zeggen ze. Huh! Mijn Clo lijkt niet zoveel haast te hebben om terug te komen. Ze heeft het te veel naar haar zin.' Capucines gezicht betrok een beetje. 'Nee, voor haar hoef ik de heilige niet te kussen. Ze belooft me altijd dat ze met de vakantie terugkomt, maar ze heeft altijd wel een excuus. Misschien over tien jaar...' Ze hield op toen ze mijn uitdrukking zag. 'Het spijt me, Mado, ik had het niet over jóú.'

'Het geeft niet.' Ik dronk mijn koffie op en kwam overeind. 'Bedankt voor je aanbod.'

'Je gaat er toch niet nu heen? Toch niet vandaag?'

'Waarom niet?'

'Het zal je niet aanstaan,' waarschuwde ze. 'Het huis ziet er niet uit.'

'Ik red me wel.'

'Ik zal met je meegaan. Of weet je wat? Ik zal Rouget halen.'

'Waarom?' Ik voelde een steek van ergernis. 'Wat heeft hij ermee te maken?'

Capucine ontweek mijn blik. 'Hij is een vriend, dat is alles. Je vader is eraan gewend geraakt hem om zich heen te hebben.'

'Nee, dat hoeft echt niet. Bedankt. Ik ga liever alleen.'

Capucine keek me even fronsend aan; haar handen rustten op haar heupen, haar roze omslagdoek was half van haar schouders gegleden. 'Verwacht niet te veel,' waarschuwde ze me. 'De dingen blijven niet altijd hetzelfde. Je hebt daar op het vasteland een thuis gevonden.'

'Wees maar niet bang. Ik red me wel.'

'Ik meen het.' Ze keek me dwingend aan. 'Haal je alsjeblieft niet van alles in je hoofd, meisje. Denk niet dat je alles kunt ontvluchten door je hier te verstoppen.'

'Je begint als mijn moeder te klinken.'

Capucine trok een gezicht. 'Nu voel ik me heel oud.'

Ik wist wat ze dacht. Dat ik veiligheid zocht. Dat ik een beetje bang voor het leven was, daar op het vasteland. Maar dat was niet zo. Op een eiland wonen heeft niets veiligs. Alles is voortdurend in beweging. Niets is verankerd. Maar dat deed er nu allemaal niet toe. Ik was thuisgekomen. Thuis, de plek waarheen alles terugkeert: flessenpost, speelgoedscheepjes, wat ook maar. Alles spoelde uiteindelijk aan op die grauwe, kale kust, viel uiteen en raakte bedolven onder de langzaam wandelende duinen, vergeten en veronachtzaamd.

Tot vandaag.

4

Mijn moeder kwam van het vasteland. daardoor ben ik maar voor de helft een eilander. Ze kwam uit Nantes, een romantica wier liefde voor Le Devin bijna even snel bekoelde als die voor mijn vaders sobere, knappe uiterlijk. Ze was niet goed toegerust voor een leven in Les Salants. Ze praatte graag, zong graag, het was een vrouw die huilde, raasde, lachte, niets binnenhield. Mijn vader had van meet af aan weinig te melden gehad. Praatjes voor de vaak, dat lag hem niet. Hij sprak voornamelijk in korte bewoordingen; hij groette met een knik. De genegenheid díé hij toonde, was bestemd voor de vissersboten die hij bouwde en verkocht in de werf achter ons huis. 's Zomers werkte hij buiten, voor de winter bracht hij zijn gereedschap naar de loods, en ik zat graag bij hem in de buurt te kijken hoe hij het hout vorm gaf, de huiddelen te weken legde om ze buigzaam te maken, de gracieuze lijnen van boeg en kiel vormde en de zeilen naaide. Die waren altijd wit of rood, de eilandkleuren. Een bloedkoralen kraal sierde de punt van de boeg. Elke boot werd gepolijst en geschuurd, nooit geschilderd, behalve de naam, die met zwarte en witte letters de boeg sierde. Mijn vader gaf de voorkeur aan romantische namen: *Belle Ysolde*, *Sage Héloïse* of *Blanche de Coëtquen*, namen uit oude boeken, hoewel hij voorzover ik wist nooit las. Zijn werk was zijn conversatie: hij bracht meer tijd door bij zijn 'dames' dan

41

bij wie dan ook; zijn handen lagen even zeker op hun gladde, warme kiel als die van een minnaar, maar hij vernoemde nooit een boot naar ons, zelfs niet naar mijn moeder, hoewel ik weet dat ze dat leuk gevonden had. Als hij dat had gedaan, was ze misschien gebleven.

Toen ik om het duin heen gelopen was, zag ik dat de werf verlaten was. De deuren van de loods waren dicht en te oordelen naar de hoogte van het verbleekte gras dat ertegen was opgeschoten, waren ze blijkbaar maanden niet open geweest. Bij de ingang lagen, half in het zand, een paar kielen. De tractor en de oplegger waren onder een afdak van plastic golfplaat gestald en leken nog bruikbaar, maar de hijsinstallatie die mijn vader ooit had gebruikt om boten op de oplegger te tillen, leek roestig en ongebruikt.

Het huis was in niet veel betere staat. Het was vroeger al rommelig geweest: overal hadden de resten van projecten rondgeslingerd waaraan mijn vader vol hoop was begonnen, maar die hij nooit had afgemaakt. Nu zag het er verlaten uit. De pleisterlaag was grauw geworden, voor een raam zonder glas waren planken gespijkerd en de verf op deuren en luiken was gebarsten en bladderde af. Ik zag een kabel over het zand naar de bijkeuken lopen, waar een generator zoemde. Het was het enige teken van leven.

De brievenbus was niet geleegd. Ik verwijderde het dikke pak brieven en brochures dat eruitstak en nam het mee de verlaten keuken in. De deur zat niet op slot. Er stond een stapel afwas naast de gootsteen. Een pot koude koffie op het fornuis. De geur van een ziekenkamer. Mijn moeders spullen – een dressoir, een kist, een stuk tapijt – waren er nog, maar er lag nu overal stof op en op de betonnen vloer lag zand.

En toch waren er tekenen dat er iemand aan het werk was geweest. Er lagen stukken buis, draad en hout in een gereedschapskist in de hoek van het vertrek en ik zag dat de boiler die GrosJean altijd van plan was geweest te repareren, was vervangen was door een rond, roodkoperen geval dat aangesloten was op een butagasfles. Losse draden waren netjes achter een paneel weggewerkt; er was kennelijk aan de haard en de schoorsteen gewerkt, waardoorheen altijd rook de kamer was binnengekomen. Deze tekenen van activiteit vormden een wonderlijk contrast met de verlaten toestand van de rest van het huis, alsof GrosJean zo was opgegaan in zijn andere werk dat hij geen tijd had gehad om stof af te nemen of kleren te wassen. Dat was echt iets voor hem, peinsde ik. Het enige wat me verbaasde was dat het de eerste keer was dat hij die projecten ook werkelijk leek te hebben afgemaakt.

Ik liet de brieven op de keukentafel vallen. Tot mijn ergernis merkte ik dat ik beefde. Er waren te veel emoties die om voorrang streden. Ik dwong mezelf kalm te blijven. Ik keek de post door – er was een hoeveelheid van misschien wel een halfjaar, of een jaar – en ik trof mijn laatste brief aan hem ongeopend aan in de stapel. Ik keek er lang naar; het adres in Parijs aan de achterkant maakte herinneringen los. Ik had er weken mee rondgelopen voordat ik hem eindelijk postte; ik had me verdoofd gevoeld, maar wonderlijk vrij. Mijn vriend Luc van het café had me gevraagd wat me nu toch tegenhield. 'Wat is het probleem? Je wilt hem toch zien? Je wilt toch helpen?'

Zo simpel was het nu ook weer niet. Ik had mijn hoop opgebouwd zoals een oester een parel opbouwt, de ene glanzende laag na de andere, totdat het bescheiden korreltje zand tot iets moois is uitgegroeid. In al die tien jaar had GrosJean me niet één keer geschreven. Ik had hem tekeningen gestuurd, foto's, schoolrapporten en brieven, maar ik kreeg niet één keer antwoord. En toch was ik ze blijven sturen, jarenlang, als flessen met een briefje erin. Natuurlijk had ik het nooit aan mijn moeder verteld. Ik weet precies wat ze gezegd zou hebben.

Ik legde de brief met enigszins trillende hand neer. Daarna stopte ik hem in mijn zak. Misschien was het zo maar beter ook. Het gaf me tijd om nog eens na te denken. Om over de opties na te denken.

Zoals ik al had gedacht was er niemand thuis. Ik probeerde me geen indringer te voelen toen ik de deur naar mijn oude kamer opende en daarna die van Adriennes kamer. Bijna alles stond nog op zijn plaats. Onze spullen waren er nog: mijn modelbootjes, de filmposters van mijn zus en de potjes met schoonheidsmiddeltjes. Adriennes kamer was het grootst, het zonnigst. De mijne lag op het noorden en had 's winters een vochtplek. Daarachter lag de kamer van mijn ouders.

In het halfdonker duwde ik de deur open; de luiken waren dicht. De geur van verwaarlozing omhulde me. Het bed was niet opgemaakt en vanonder een verkreukeld laken kwam gestreept beddentijk tevoorschijn. Aan één kant stond een overvolle asbak; vuile kleren lagen in een hoop op de grond; naast de deur was een nisje met een gipsen beeld van Sainte-Marine en er stond een kartonnen doos met losse spullen. In die doos zag ik een foto. Ik herkende hem meteen, hoewel het lijstje eraf was. Mijn moeder had hem op mijn zevende verjaardag genomen en we hadden er met zijn drieën op gestaan: GrosJean, Adrienne en ik, grijnzend boven een grote taart in de vorm van een vis.

Mijn gezicht was uit de foto geknipt – onhandig, met een schaar – zodat alleen GrosJean en Adrienne waren overgebleven, haar arm losjes rustend op de zijne. Mijn vader lachte haar toe over het gat heen waarin ik had gezeten.

Plotseling hoorde ik buiten een geluid. Ik stopte de foto snel in mijn zak en bleef met dichtgesnoerde keel staan luisteren. Iemand liep zachtjes voor het slaapkamerraam langs, met zulke lichte stappen dat ik het door het bonzen van mijn hart bijna niet hoorde. Iemand met blote voeten, of met espadrilles aan.

Ik verspilde geen tijd en rende de keuken in. Nerveus duwde ik mijn haar naar achteren, me afvragend wat hij zou zeggen, wat ik zou zeggen, of hij me nog zou herkennen. Ik was veranderd in die tien jaar, mijn kinderlijfje was verdwenen, mijn korte haar was nu halflang. Ik ben niet zo'n schoonheid als mijn moeder, hoewel de mensen wel eens zeiden dat we op elkaar leken. Ik ben te lang, heb niet haar elegante manier van bewegen, en mijn haar is onopvallend bruin. Maar ik heb wel haar ogen, met zware wenkbrauwen en een wonderlijke, kille grijsgroene tint die sommige mensen lelijk vinden. Plotseling wilde ik dat ik meer werk van mijn uiterlijk had gemaakt. Ik had minstens een jurk aan kunnen trekken.

De deur ging open. Er stond iemand op de drempel met een zwaar vissersjack aan en een papieren tas in zijn armen. Ik wist meteen wie het was, zelfs nu zijn haar schuilging onder een gebreide muts; zijn snelle, precieze bewegingen leken totaal niet op mijn vaders beerachtige geschuifel. Voor ik het wist was hij al langs me heen gelopen de kamer in en had hij de deur achter zich dichtgedaan.

De Engelsman. Rouget. Flynn.

'Ik dacht dat je misschien het een en ander nodig zou hebben,' zei hij, terwijl hij de papieren tas op de keukentafel zette. Toen hij mijn uitdrukking zag, vroeg hij: 'Is er iets?'

'Ik verwachtte je niet,' wist ik eindelijk uit te brengen. 'Je overviel me.' Mijn hart liep nog steeds uit de pas. Ik omklemde de foto in mijn zak, voelde me warm en koud worden en wist niet hoeveel er op mijn gezicht te lezen stond.

'Zenuwachtig?' Flynn opende de tas op tafel en begon de inhoud eruit te halen. 'Ik heb brood, melk, kaas, eieren, koffie en ontbijtspullen. Maak je niet druk om het geld; dit is allemaal voor zijn rekening.' Hij stopte het brood in de linnen broodzak die achter de deur hing.

'Bedankt.' Ik merkte onwillekeurig hoezeer hij in mijn vaders huis thuis leek te zijn; hij opende met zekere hand kasten en borg de etenswaren op. 'Ik hoop dat het niet te veel werk was.'

'Nee hoor.' Hij grijnsde. 'Ik woon hier twee minuten vandaan, in de oude bunker. Soms wip ik even langs.'

De bunker stond op de duinen bij La Goulue. Net als de strook land waarop hij stond, was hij officieel van mijn vader. Ik herinnerde me hem nog wel: een Duitse bunker, een overblijfsel van de oorlog, een lelijk, vierkant, roestig-betonnen blok, half opgeslokt door het zand. Jarenlang had ik geloofd dat het er spookte.

'Ik dacht dat je daar niet kon wonen,' zei ik.

'Ik heb hem opgeknapt,' zei Flynn vrolijk, terwijl hij de melk in de ijskast zette. 'Het moeilijkste was nog al dat zand wegkrijgen. Het is natuurlijk nog niet af; ik moet nog een put graven en behoorlijke leidingen aanleggen, maar het is er comfortabel en het is een stevig ding. Ik heb er alleen maar tijd in hoeven investeren, en een paar dingen die ik niet kon vinden of zelf maken.'

Ik dacht aan GrosJean, met zijn eeuwig onafgemaakte klussen. Het was logisch dat hij deze man graag mocht. 'Hij maakt van alles,' had Capucine gezegd. Iemand die dingen repareert. Ik begreep nu wie de reparaties in mijn vaders huis had uitgevoerd. Ik voelde plotseling een steek in mijn hart.

'Weet je, je zult hem vanavond waarschijnlijk niet zien,' vertelde Flynn. 'Hij is al een paar dagen rusteloos. Haast niemand heeft hem gezien.'

'Bedankt.' Ik wendde mijn hoofd af om hem niet in de ogen te hoeven kijken. 'Ik ken mijn vader.'

Dat was zeker waar. Na de processie op de avond van het feest van Sainte-Marine verdween GrosJean altijd richting La Bouche, waar hij kaarsen brandde naast het graf van P'titJean. Het jaarlijkse ritueel was heilig; niets mocht het verstoren.

'Hij zal niet eens weten dat je terug bent,' vervolgde Flynn. 'Wanneer hij erachterkomt, zal hij denken dat de heilige al zijn gebeden in één keer verhoord heeft.'

'Niet zo invullen, alsjeblieft,' zei ik. 'GrosJean heeft nog nooit de heilige voor iemand gekust.'

Er viel een lange, onaangename stilte. Ik vroeg me af hoeveel de Engelsman over mijn vader wist, hoeveel hij hem verteld had, en ik voelde dat mijn ogen vervaarlijk begonnen te prikken. Echt iets voor GrosJean, dacht ik, om in een opwelling bevriend te raken met zo'n buitenlander, terwijl...

'Luister. Ik weet dat ik er niets mee te maken heb,' zei Flynn ten slotte, 'maar als ik jou was, zou ik me vanavond op het feest niet laten zien. Er hangen te veel spanningen in de lucht.' Hij glimlachte. Even zag ik zijn ongedwongen charme, en ik benijdde hem erom. 'Je maakt de indruk alsof je wel wat rust kunt gebruiken. Pak je spullen uit, slaap wat en kijk hoe alles er morgenochtend uitziet.'

Hij bedoelde het vriendelijk. Dat wist ik. Even was ik zelfs in de verleiding hem in vertrouwen te nemen, maar dat lag niet in mijn aard. Ik ben stug, zei mijn moeder altijd, net als mijn vader, en ik ben geen gemakkelijke prater. Voor de eerste keer vroeg ik me af of ik niet een afschuwelijke fout had gemaakt door thuis te komen. Ik raakte opnieuw de foto in mijn zak aan, als een talisman.

'Ik red me wel,' zei ik.

5

HET FEEST VAN SAINTE-MARINE-DE-LA-MER WORDT EENS PER jaar gevierd, op de avond in augustus waarop het volle maan is. Die avond wordt de heilige van haar plek in het dorp naar de resten van haar kerk bij Pointe Griznoz gedragen. Het is een zware taak: de heilige is negentig centimeter groot en nogal zwaar, want ze is van massief basalt gemaakt: er zijn vier mannen nodig om haar op een plateau naar de waterkant te dragen. Daar lopen de dorpelingen één voor één langs haar beeltenis; sommigen kussen haar voeten in een oud ritueel gebaar, in de hoop dat iets dat ze zijn kwijtgeraakt, of eerder: iemand die ze zijn kwijtgeraakt, terug zal komen. Kinderen versieren haar met bloemen. Kleine gaven, zoals eten, bloemen, met een lintje dichtgebonden zakjes steenzout en zelfs geld, worden in het wassende water gegooid. Aan weerskanten worden in vuurkorven spaanders cederhout en vurenhout gebrand. Soms is er vuurwerk, dat uitdagend boven de onverschillige zee uiteenspat.

Ik wachtte tot het donker was en verliet toen het huis. De wind, die op dit deel van het eiland altijd het sterkst is, was naar het zuiden gedraaid en rammelde in een *danse macabre* aan deuren en ramen. Ik vroeg me af of het zou gaan stormen. Zuidenwind is ongunstige wind, zeggen de eilanders. Op de avond van Sainte-Marine is dat geen goed teken.

Toen ik met mijn jas stevig om me heen getrokken wegging, kon ik de gloed van de vuurkorven aan de rand van de Pointe al zien. Ooit stond daar een kerk. Hij is al bijna een eeuw lang slechts een ruïne: de zee heeft er net zo lang aan geknabbeld tot er nog maar één gedeelte van over was: een stuk van de noordmuur met de nis waar Sainte-Marine ooit stond, nog steeds zichtbaar tegen de verweerde steen. In het torentje boven de nis hing ooit een klok – La Marinette, de klok van Sainte-Marine – maar die is allang verdwenen. Er is een legende die zegt dat hij in zee viel; anderen vertellen dat La Marinette ooit gestolen is en door een gewetenloze Houssin omgesmolten tot oud ijzer, en dat deze toen door Sainte-Marine werd vervloekt en tot waanzin werd gedreven door het spookachtige gelui. Soms kan je de klok nog horen, altijd op winderige avonden, altijd als voorbode van onheil. Cynici schrijven het dreunende geluid toe aan de zuidenwind, die door de rotsen en spleten van Pointe Griznoz jaagt, maar de Salannais weten wel beter: het is La Marinette, die nog steeds haar waarschuwende geluid laat horen en vanuit de diepte nog steeds over Les Salants waakt.

Toen ik de Pointe naderde, zag ik figuren afgetekend tegen de muur van de oude kerk die door het vuur beschenen werd. Het waren er veel – minstens dertig, meer dan de helft van het dorp. Père Alban, de priester van het eiland, stond bij het water met zijn miskelk en staf in zijn handen; hij zag er bij het licht van het vuur grijs en getekend uit. Toen ik langsliep, groette hij me kort en zonder verbazing. Ik merkte dat hij vaag naar vis rook en dat zijn soutane netjes in zijn waadbroek gestopt was.

De oude ceremonie is een wonderlijk ontroerend gezicht, hoewel de dorpelingen van Les Salants zich van de schilderachtigheid van het geheel totaal niet bewust zijn. Ze zijn van een ander slag dan mijn moeder en ik: veelal kort en gedrongen, met fijne gelaatstrekken, Keltisch, zwart haar en blauwe ogen. Deze opvallende gelaatstrekken vervagen echter snel. Wanneer ze oud worden, veranderen ze in waterspuwerachtige wezens met hun zwarte, traditionele kleding en, in het geval van de vrouwen, hun witte kap. Driekwart van de bevolking lijkt altijd ouder dan vijfenzestig.

Ik nam de gezichten snel, hoopvol op. Oude vrouwen, gestoken in hun eeuwige rouwkleding, langharige oude mannen met vissersbroeken en zwarte zeildoek jassen of *vareuses* en laarzen aan, een stel jongemannen, het visserstenue opgevrolijkt door de inbreng van een felgekleurd hemd. Mijn vader was er niet bij.

De feeststemming die ik me herinnerde uit mijn jeugd leek dit jaar te ontbreken; er waren minder bloemen rond de schrijn en er waren maar weinig gaven. De dorpelingen hadden zelfs iets verbetens, alsof ze belegerd werden. Er heerste een sfeer van gespannen verwachting.

Eindelijk was het zover: een lichtgloed uit de duinen voorbij Pointe Griznoz en het jammerende geluid van de *biniou*, toen de processie van Sainte-Marine begon. De *biniou* is een traditioneel instrument; wanneer hij goed bespeeld wordt, lijkt hij een beetje op een doedelzak. In dit geval had de klank iets katachtigs, een scherpe klank die door het eentonige geluid van de wind heen sneed.

Ik zag het plateau met de heilige erop; vier mannen, een op elke hoek, droegen het beeld met grote inspanning over het ruige terrein. Toen de stoet dichterbij kwam, kon ik meer details zien: de hoop rode en witte bloemen aan de zoom van Sainte-Marines ceremoniële gewaden, de papieren lantaarns, het pas overgeschilderde verguldsel. Ook nu waren de Salannais net kinderen: de gezichten waren roze geschuurd door de wind, de stemmen waren schril van vermoeidheid en de zenuwen. Ik herkende Capucines kleinzoon, Lolo met zijn ronde gezicht, en zijn vriend Damien, die allebei een papieren lantaarn in hun hand hadden, een groene en een rode, en die moeiteloos door het zand renden.

De processie rondde de laatste duin. Terwijl dat gebeurde, kreeg de wind vat op een van de lantaarns, waardoor hij in brand vloog, en bij het plotselinge licht herkende ik mijn vader.

Hij was een van de dragers. Even kon ik hem duidelijk zien zonder dat men mij in de gaten had. De vuurgloed was vriendelijk; zijn gezicht leek nauwelijks veranderd en het schijnsel gaf zijn gelaatstrekken een niet-karakteristieke, geanimeerde uitdrukking. Hij was zwaarder dan ik me herinnerde, dikker geworden door de jaren, en zijn stevige armen spanden zich om het plateau recht te houden. Op zijn gezicht lag een blik van opperste concentratie. De andere dragers van de heilige waren allemaal jongere mannen. Ik zag Alain Guénolé en zijn zoon Ghislain, beiden vissers en gewend aan zwaar werk. Toen de stoet tot stilstand kwam vóór de groep verwachtingsvolle dorpelingen, zag ik tot mijn verbazing dat de laatste drager Flynn was.

'Santa Marina.' Een vrouw uit de menigte voor me deed een pas naar voren en drukte haar lippen kort op de voeten van de heilige. Ik herkende haar: het was Charlotte Prossage, die de kruidenierszaak runde, een plompe, vógelachtige vrouw met een eeuwig angstige uitdrukking op haar gezicht. De anderen bleven eerbiedig op afstand. Sommigen hadden een amulet of foto in hun hand.

'Santa Marina, geef ons onze handel terug. Tijdens de

winter lopen onze velden altijd onder. Ik heb er vorige keer drie maanden over gedaan om het weg te krijgen. U bent onze heilige. Zorg voor ons.' Haar stem klonk zowel nederig als enigszins verwijtend. Haar ogen schoten rusteloos heen en weer.

Zodra Charlotte uitgebeden was, namen anderen haar plaats in: haar echtgenoot, Omer, bijgenaamd 'La Patate' vanwege zijn grappige, vormloze gezicht, Hilaire, de dierenarts van Les Salants, met zijn kale hoofd en ronde bril, vissers, weduwen en een tienermeisje met rusteloze ogen... allemaal spraken ze met hetzelfde snelle en enigszins beschuldigende gemompel. Ik kon me niet naar voren dringen zonder aanstoot te geven. Het gezicht van GrosJean werd opnieuw aan het zicht onttrokken door de bewegende hoofden.

'Marine-de-la-Mer. Houd de zee van mijn deur. Breng de makreel in mijn netten. Houd die stroper Guénolé weg bij mijn oesterbedden.'

'Sainte-Marine, geef ons een goede vangst. Behoed mijn zoon wanneer hij de zee op gaat.'

'Sainte-Marine, ik wil een rode bikini en een Ray Ban-zonnebril. Ik wil op een luie stoel bij een zwembad liggen. Ik wil naar de Côte d'Azur en het strand van Cannes. Ik wil margarita's en ijs en Amerikaanse friet. Alles, zolang het maar geen vis is. Alstublieft. Het maakt me niet uit waar.'

Het meisje dat om de Ray Ban-zonnebril had gebeden keek me even kort aan en liep toen achteruit. Ik herkende haar nu: het was Mercédès, de dochter van Charlotte en Omer, die zeven of acht was geweest toen ik het eiland had verlaten, en die nu lange benen had, loshangend haar en een norse, mooie mond. Onze blikken kruisten elkaar; ik lachte naar haar, maar het meisje gaf me slechts een blik vol afkeer en baande zich langs me heen een weg door de menigte. Iemand anders nam haar plaats in, een oude vrouw met een sjaal om; haar gezicht boog zich smekend over een gehavende foto.

De processie ging verder, naar beneden richting zee, waar de voeten van de heilige in gedompeld zouden worden om ze te zegenen. Ik bereikte de rand van de menigte toen GrosJean zich afkeerde. Ik zag zijn profiel, nu met zweetdruppels erop, ving even de schittering van een hanger om zijn nek op, en wist weer niet zijn blik te vangen. Even later zou het te laat zijn; de dragers waren al de rotshelling naar de waterkant aan het aflopen. Père Alban stak zijn hand uit om te voorkomen dat de heilige voorover zou vallen. De *biniou* jammerde iel; een tweede lantaarn vatte vlam, daarna een derde, waarna zwarte vlinders alle kanten op dwarrelden in de wind.

. Eindelijk waren ze bij de zee. Père Alban stond terzijde en de vier dragers droegen Sainte-Marine het water in. Er is bij de Pointe geen zand, alleen maar een rotsige bodem. Daar lopen was ondanks het licht dat van het water af kaatste, verraderlijk. Het was bijna vloed. Door het gejank van de *biniou* heen meende ik de eerste geluiden van de wind door de spleten te horen, het holle, eentonige geluid van de zuidenwind, dat spoedig zou uitgroeien tot een gedreun als dat van een verdronken klok...

'La Marinette!' Het was de oude vrouw met de sjaal om het hoofd, Désirée Bastonnet; in haar donkere ogen blonk vrees. Haar smalle, nerveuze handen speelden nog met de foto. Het lachende gezicht van een jongen ving het lamplicht.

'Nee, dat is niet zo.' Dat was Aristide, haar man, het hoofd van de vissersfamilie met dezelfde naam; een oude man van zeventig of ouder, met een grote leiderssnor en lang, grijs haar onder een platte eilandhoed. Hij had jaren voordat ik geboren werd een been verloren, bij hetzelfde ongeluk dat zijn oudste zoon het leven had gekost. Hij keek me scherp aan toen ik hem passeerde. 'Hou op met die onheilspraat, Désirée,' zei hij zacht tegen zijn vrouw. 'En stop dat ding weg.'

Désirée wendde haar ogen af en vouwde haar vingers om de foto. Achter hen wierp een jongeman van negentien of twintig me vanachter een metalen brilletje een verlegen, nieuwsgierige blik toe. Hij leek iets te willen gaan zeggen, maar op dat moment keerde Aristide zich om; de jongeman voegde zich haastig bij hem. Zijn blote voeten bewogen geruisloos over de rotsen.

De dragers stonden nu tot hun borst in het water, met hun gezicht naar de kust. Ze hielden de heilige met haar voeten in de zee. De golven klotsten tegen de onderkant van het plateau en spoelden de bloemen de stroming in. Alain en Ghislain Guénolé stonden vooraan, Flynn en mijn vader achteraan. Ze zetten zich schrap tegen de branding. Zelfs voor augustus moet het een koud karweitje zijn geweest; de kilte van het opspattende water verdoofde mijn gezicht en de wind sneed door mijn wollen jas, zodat ik huiverde. En dan stond ik nog droog.

Toen alle dorpelingen hun plaats hadden ingenomen, hief père Alban zijn staf voor de laatste zegening. Op dat moment tilde GrosJean zijn hoofd op om naar de priester te kijken, en ontmoetten zijn ogen de mijne.

Even bevonden mijn vader en ik ons in een cocon van stilte. Hij staarde me tussen de voeten van de heilige door aan, zijn mond een beetje open, een rimpel van concentratie tussen zijn ogen. Het hangertje om zijn nek gloeide rood.

Er zat iets in mijn keel, een soort obstructie, waardoor ik moeite had met ademen. Het was net of mijn handen van iemand anders waren. Ik zette een stap in zijn richting.

'Vader? Ik ben het, Mado.'

Over alles daalde een stilte neer, als as.

Naast hem meende ik Flynn een gebaar te zien maken. Daarna sloeg er van achteren een golf tegen hen aan en GrosJean, die me nog steeds aankeek, struikelde door de deining, raakte zijn houvast kwijt, stak zijn hand uit om zich staande te houden... en liet Sainte-Marine van het plateau het diepe water van Pointe Griznoz in glijden.

Eén bevroren seconde lang leek ze op wonderbaarlijke wijze in de verlichte zee te blijven drijven, waarbij de vuurrode zijden rok om haar heen opbolde. Daarna was ze verdwenen.

GrosJean stond er hulpeloos bij, starend naar niets. Père Alban trachtte vergeefs de gevallen heilige beet te pakken. Aristide liet een verbaasde lach horen. Achter hem zette de jongeman met bril een stap in de richting van het water, maar bleef toen staan. Even bewoog niemand. Toen hieven de Salannais een gejammer aan, dat zich voegde bij het gejammer van de wind. Mijn vader bleef nog even staan; het licht van de lantaarns scheen absurd feestelijk op gelaatstrekken die iedere uitdrukking hadden verloren; daarna hees hij zich uit het water en vluchtte weg. Hij gleed uit op de rotsen, maar dwong zich weer overeind, worstelend in zijn zware, druipnatte kleding. Niemand maakte aanstalten om hem te helpen. Niemand sprak. De mensen gingen onopvallend opzij om hem door te laten, met afgewende blik.

'Vader!' riep ik toen hij bij me was, maar hij was al weggelopen zonder achterom te kijken. Toen hij bij het uiteinde van Pointe Griznoz was, meende ik hem een geluid te horen maken, een lang, verscheurd, klaaglijk geluid, maar dat kan ook de wind zijn geweest.

6

VAN OUDSHER GAAT IEDEREEN NA DE CEREMONIE OP DE ROTS naar Angélo om iets te drinken op de heilige. Dit jaar deed nog niet de helft van de gelovigen dat. Père Alban ging meteen naar zijn huis in La Houssinière, zonder zelfs maar de wijn gezegend te hebben. De kinderen en de meeste moeders gingen naar bed; de gebruikelijke uitbundigheid was ver te zoeken.

Natuurlijk was de voornaamste reden dat Sainte-Marine verloren was gegaan. Zonder haar zouden de gebeden niet verhoord worden en het water niet ingetoomd worden. Omer La Patate had voorgesteld onmiddellijk te gaan zoeken, maar het water stond te hoog en de rotsen waren te ongelijk, dus werd het zoeken uitgesteld tot de ochtend.

Ikzelf ging meteen naar huis om te wachten tot GrosJean thuiskwam. Hij kwam niet. Ten slotte ging ik om middernacht terug naar Angélo, waar ik Capucine aantrof, die met koffie en *devinnoiseries* haar zenuwen kalmeerde.

Toen ze me zag, kwam ze met een bezorgde uitdrukking op haar gezicht overeind.

'Hij is er niet,' zei ik, terwijl ik naast haar ging zitten. 'Hij is niet thuisgekomen.'

'Dat zal hij ook niet. Niet nu,' zei Capucine. 'Niet na wat er gebeurd is, niet nadat hij jou gezien heeft, uitgerekend vanavond...' Ze hield op en schudde haar hoofd. 'Ik heb je gewaarschuwd, Mado. Je had geen slechter moment kunnen kiezen.'

De mensen keken naar me; ik voelde nieuwsgierigheid, maar ook een koelheid waardoor ik me stijf en vreemd voelde. 'Ik dacht dat iedereen welkom was bij de ceremonie. Dat is toch de bedoeling?'

Capucine keek me aan. 'Klets niet zo'n onzin, meisje,' zei ze streng. 'Ik weet waarom je vandaag uitkoos.' Ze stak een sigaret op en blies rook door haar neusgaten naar buiten. 'Je bent altijd koppig geweest. Je hebt altijd al moeilijk gedaan. Altijd je overal halsoverkop in storten, altijd alles meteen willen veranderen.' Ze glimlachte vermoeid naar me. 'Geef je vader een kans, Mado.'

'Een kans?' Dat was Aristide Bastonnet, met Désirée aan zijn arm. 'Na vanavond, na wat er gebeurd is bij de Pointe? Hebben we nog een kans?'

Ik keek op. De oude man stond achter ons. Hij leunde zwaar op zijn stok en zijn ogen waren net vuurstenen. De jongeman met de bril stond een beetje terzijde. Zijn haar viel over zijn ogen en hij leek zich opgelaten te voelen. Ik wist ineens wie hij was: het was Xavier, Aristides kleinzoon. Hij was vroeger altijd een eenling geweest, die liever boeken las dan spelletjes speelde. Hoewel we maar een paar jaar scheelden, hadden we zelden een woord gewisseld.

Aristide keek me nog steeds kwaad aan. 'Waarom moest jij zonodig terugkomen?' wilde hij weten. 'Je hebt hier niets meer te zoeken. Ben je teruggekomen om die arme GrosJean het graf in te jagen? Zijn huis over te nemen? Zijn geld?'

'Niets zeggen,' zei Capucine. 'Hij is dronken.'

Aristide leek haar niet gehoord te hebben. 'Jullie zijn allemaal hetzelfde, allemaal!' zei hij. 'Jullie komen alleen maar terug wanneer jullie iets willen!'

'Opa,' protesteerde Xavier, terwijl hij zijn hand op de schouder van de oude man legde. Maar Aristide schudde hem af. Hoewel de oude man een kop kleiner was, maakte zijn woede hem tot een reus; zijn ogen brandden als die van een profeet.

Zijn vrouw naast hem keek me nerveus aan. 'Het spijt me,' zei ze zacht. 'Sainte-Marine – onze zoon...'

'Stil jij!' beet Aristide haar toe. Hij keerde zich, leunend op zijn stok, zo snel om dat hij misschien zou zijn omgevallen als Désirée niet naast hem had gestaan. 'Dacht je dat háár dat wat kon schelen? Dacht je dat het íémand wat kon schelen?'

Zonder iemand nog een blik waardig te keuren liep hij weg, met zijn familie achter zich aan. Zijn houten been schraapte over de betonnen vloer. Er viel een stilte.

Capucine haalde haar schouders op. 'Let maar niet op hem, Mado. Hij heeft een *devinnoise* te veel op. Het komt gewoon door al dat water, en nu komt daar nog de heilige bij, en jouw terugkeer.'

'Ik begrijp het niet.'

'Er valt niets te begrijpen,' zei Matthias Guénolé. 'Hij is een Bastonnet. Een kop vol stenen.' Dat was minder bemoedigend dan het misschien leek; de Guénolés haten de Bastonnets al generaties lang.

'Arme Aristide. Hij ziet altijd overal samenzweringen.' Ik keerde me om en zag een kleine, oude vrouw, gestoken in zwart weduwenkleed, op de kruk naast me zitten: Toinette Prossage, Omers moeder, de oudste inwoonster van het dorp. 'Wat Aristide betreft zijn de mensen altijd bezig hem uit de weg te ruimen of zit iedereen altijd achter zijn spaargeld aan!' Ze kraaide van het lachen. 'Alsof niet iedereen weet dat hij alles aan reparaties aan zijn huis heeft verkwist! *Bonne Marine*, al zou zijn zoon na al die jaren terugkomen, dan nog zou hij niet meer vinden dan een oude boot en een stuk doorweekt land dat zelfs Brismand niet zou willen.'

Matthias snufte. 'De aasgier.'

Ik betastte de brief, die nog steeds in mijn zak zat. 'Brismand?'

'Tuurlijk,' zei Toinette. 'Hij is de enige die zich kan veroorloven iets met dit dorp te doen.'

Volgens Toinette had Brismand plannen met Les Salants, plannen die even onheilspellend als duister waren. Ik hoorde er de traditionele afkeer van de Salannais van een succesvolle Houssin in.

'Hij zou Les Salants zó – ffjt! – uit de puree kunnen helpen,' zei de oude vrouw, met een veelzeggend gebaar. 'Hij heeft het geld en de machines. De moerassen droogleggen, het water tegenhouden bij La Goulue. Hij zou het in een halfjaar kunnen. Geen overstromingen meer. Maar dat doet hij niet zómaar. Hij heeft zijn geld niet verdiend met gunsten uitdelen.'

'Misschien moeten jullie afwachten wat hij voorstelt.'

Matthias keek me zuur aan. 'Onze ziel en zaligheid verkopen aan een Houssin?'

'Laat haar met rust,' zei Capucine. 'Het kind bedoelt het goed.'

'Ja, maar als hij het water zou kunnen tegenhouden...'

Matthias schudde met een definitief gebaar zijn hoofd. 'Je kunt de zee niet naar je hand zetten,' zei hij. 'De zee doet wat hij wil. Als de heilige ons wil laten verdrinken, doet ze dat.'

Het was een opeenvolging van slechte jaren geweest, vernam ik. Ondanks de bescherming van Sainte-Marine was het water elke winter hoger gekomen. Dit jaar was zelfs de Rue de l'Océan overstroomd geweest, voor het eerst sinds de oorlog. Ook in de zomer was er ongewoon veel overlast geweest. Het water in de kreek was gestegen en had het halve dorp bijna een meter onder water gezet. Die schade was nog niet helemaal hersteld.

'Als het zo doorgaat, loopt het net zo met ons af als met het oude dorp,' zei Matthias Guénolé. 'Alles onder water, zelfs de kerk.' Hij stopte zijn pijp en stampte met een vuile duim de tabak aan. 'De kerk. Nou vraag ik je. Als de heilige niet kan helpen, kan niemand het.'

'Ja, dát was een zwart jaar,' verklaarde Toinette Prossage. 'Dat was in negentienhonderdacht. Mijn zuster Marie-Laure stierf in dat jaar, aan de griep, in de winter waarin ik werd geboren.' Ze stak een kromme vinger in de lucht. 'Ik werd in het zwarte jaar geboren! Niemand verwachtte dat ik in leven zou blijven. Maar dat deed ik wel! En als we dit jaar willen doorkomen, moeten we iets meer doen dan als jan-van-genten naar elkaar pikken.' Ze keek Matthias streng aan.

'Jij hebt gemakkelijk praten, Toinette, maar als we de heilige niet achter ons hebben...'

'Dat bedoelde ik niet, Matthias Guénolé, en dat weet je best.'

Matthias haalde zijn schouders op. 'Ik ben er niet mee begonnen,' zei hij. 'Als Aristide Bastonnet nu eens een keer toegaf dat hij fout zat...'

Toinette wendde zich tot mij. Haar ogen stonden boos. 'Zie je hoe dat hier gaat? Volwassen mannen – óúde mannen – die zich gedragen als kleine kinderen. Dan is het niet zo gek dat de heilige misnoegd is.'

Matthias zette zijn stekels op. 'Míjn jongens hebben de heilige niet laten vallen.' Capucine keek hem boos aan. Hij leek in te binden. 'Sorry,' zei hij tegen me. 'Niemand neemt het GrosJean kwalijk. Als het iemands schuld is, is het die van Aristide. Hij wilde niet dat zijn kleinzoon de heilige droeg, omdat er dan twee Guénolés zouden zijn en maar één Bastonnet. Natuurlijk kon hij niet helpen. Met zijn houten been.' Hij zuchtte. 'Ik heb het je al gezegd: het wordt een zwart jaar. Je hebt La Marinette toch horen luiden?'

'Dat was La Marinette niet,' zei Capucine. Automatisch maakte haar linkerhand een teken dat moest beschermen tegen ongeluk. Ik zag Matthias hetzelfde doen.

'Ik zeg je: het komt eraan, het is nu al dertig jaar geleden...'

Matthias maakte weer het teken. 'Tweeënzeventig. Dat was een slecht jaar.'

Ik wist het. In dat jaar hadden drie dorpelingen de dood gevonden, onder wie de broer van mijn vader.

Matthias nam een slok van zijn *devinnoise*. 'Op een keer dacht Aristide dat hij La Marinette gevonden had. In het begin van dat voorjaar, het jaar waarin hij zijn been verloor. Het bleek een oude mijn uit de eerste wereldoorlog te zijn. Ironisch, vind je niet?'

Ik was het met hem eens. Ik luisterde zo beleefd mogelijk, hoewel ik als kind dit verhaal al vele malen gehoord had. Er was niets veranderd, zei ik met een soort wanhoop tegen mezelf. Zelfs de verhalen waren even oud en vermoeid als de inwoners, telkens opnieuw uit de kast gehaald. Er welden medelijden en ongeduld in me op en ik zuchtte diep. Matthias ging verder, onverstoorbaar, alsof het incident gisteren had plaatsgevonden.

'Het ding lag half begraven in een zandbank. Hij galmde wanneer je er met een steen op sloeg. Alle kinderen kwamen toen met stokken en stukken steen erop af, om te proberen er geluid uit te halen. Uren later, toen hij door het getij werd meegenomen, spatte hij uit elkaar, helemaal vanzelf, zo'n honderd meter van de plek waar nu La Jetée is. Heeft zo'n beetje iedere vis tot aan Les Salants gedood.' Matthias zoog met treurige animo aan zijn pijp. 'Désirée heeft een emmer bouillabaisse gemaakt, omdat ze er niet tegen kon dat al die vis verloren ging. Vergiftigde het halve dorp.' Hij keek me met roodomrande ogen aan. 'Ik ben er nooit uitgekomen of het nou een wonder was of niet.'

Toinette knikte instemmend. 'Wat het ook was: het heeft ons geen geluk gebracht. Aristides zoon Olivier stierf dat jaar en – ach, je weet wel.' Ze keek me aan terwijl ze dat zei.

'P'titJean.'

Toinette knikte weer. 'Och, die broers! Je had ze vroeger moeten horen,' zei ze. 'Het waren toch zulke eksters, allebei. Hun mond stond geen moment stil.'

Matthias nam een flinke slok *devinnoise*. 'Het Zwarte Jaar heeft GrosJeans hart weggenomen, evengoed als het de huizen bij La Goulue wegnam. Het water heeft dat jaar misschíén hoger gestaan, maar het zal niet veel gescheeld hebben.' Hij liet een zucht van sombere voldoening ontsnappen en gebaarde naar me met de steel van zijn pijp. 'Ik waarschuw je, meisje. Ga niet wennen hier, want nóg zo'n jaar...'

Toinette stond op en tuurde uit het raam naar de lucht. Voorbij de Pointe hing broeierig de wazige oranje horizon, die nu doorkliefd werd door verre bliksemstralen.

'Slecht weer op komst,' merkte ze op, schijnbaar onaangedaan. 'Net als in tweeënzeventig.'

7

Ik slIEP In mIjN oudE kamEr mEt hEt gEluId vaN dE zEE in mijn oren. Toen ik wakker werd was het al licht, maar mijn vader was nog steeds nergens te bekennen. Ik zette koffie en nam de tijd om hem op te drinken, terwijl ik me absurd somber voelde. Wat had ik dan verwacht? Onthaald te worden als de verloren zoon? Maar de zure sfeer van het feest hing nog om me heen en de toestand waarin het huis verkeerde, maakte het er alleen maar erger op. Ik besloot weg te gaan.

Het was bewolkt en ik hoorde bij La Goulue meeuwen krijsen. Naar mijn inschatting was het eb aan het worden. Ik trok mijn jas aan en ging een kijkje nemen.

Je kunt La Goulue ruiken voordat je het ziet. De geur is bij eb altijd sterker: een zeewierachtige, vissige lucht die een buitenstaander misschien onaangenaam zou vinden, maar die voor mij complexe, nostalgische associaties heeft. Toen ik van de eilandkant aan kwam lopen, zag ik de verlaten vlakte glanzen in het zilveren licht. De oude Duitse bunker, half begraven in het duin, tekende zich tegen de lucht af als een achtergelaten bouwelement. Uit de rook die uit het torentje kwam, maakte ik op dat Flynn ontbijt aan het maken was.

Van heel Les Salants had La Goulue in de loop der jaren het meest geleden. De buik van het eiland was sterk geërodeerd en het pad dat ik me uit mijn jeugd herinnerde, was in zee gevallen; rommelige steenhopen gaven aan waar het gelegen had. Een rij oude strandhutten die ik me herinnerde, was weggespoeld. Er stond er nog maar één, die zich als een langpotig insect boven de stenen verhief. De monding van de kreek was breder geworden, hoewel het duidelijk was dat er pogingen waren ondernomen om hem te beschutten: een ruwe, van stenen gemetselde muur stond nog dronken aan de westkant, maar ook deze was mettertijd in verval geraakt, zodat de kreek was overgeleverd aan de getijden. Ik begon het pessimisme van Matthias Guénolé te begrijpen: wanneer het hoog tij was en de wind aanlandig, moest het water wel de kreek in gejaagd worden, over de dijk stromen die erlangs liep en op de weg terechtkomen. Maar het voornaamste verschil bij La Goulue was iets dat veel meer zei. De opeenhopingen van zeewier die zelfs 's zomers altijd aanwezig waren geweest, waren er niet meer, zodat er alleen nog maar een kaal stuk met stenen was, die niet eens met een laag modder bedekt waren. Dat vond ik vreemd. Waren de winden veranderd? Van oudsher was alles altijd teruggekeerd naar La Goulue. Nu was er niets meer: geen zeewier, geen aangespoelde zaken, nog geen stukje drijfhout. De meeuwen leken het ook te beseffen: ze riepen kwaad naar elkaar terwijl ze door de lucht kriskrasten, maar streken nooit lang genoeg neer om te eten. In de verte was de ring van La Jetée omgeven door bleke schuimranden die afstaken tegen het donkere water. Aan de waterkant was nergens mijn vader te zien. Misschien was hij naar La Bouche gegaan, bedacht ik; het kerkhof lag vanaf het dorp een eindje meer naar boven langs de kreek. Ik was er een paar keer geweest, maar niet vaak. Op Le Devin zijn de doden een zaak van de mannen.

Geleidelijk werd ik me bewust van iemands aanwezigheid. Misschien zag ik het aan de bewegingen van de meeuwen; hij maakte beslist geen geluid. Ik keerde me om en zag Flynn een paar meter achter me staan, uitkijkend over hetzelfde stuk zee. Hij had twee kreeftenfuiken bij zich en er hing een plunjezak over zijn schouder. De fuiken zaten vol; op beide was een rode 'B' geschilderd, van 'Bastonnet'.

Stropen is de enige misdaad die op Le Devin serieus wordt genomen. Iets uit de fuiken van een ander halen is even erg als met diens vrouw slapen.

Flynn lachte naar me zonder enig berouw. 'Het is een wonder wat de zee allemaal oplevert,' merkte hij vrolijk op, terwijl hij met een van de fuiken naar de Pointe gebaarde. 'Het leek me een goed idee om vroeg te gaan kijken, voordat het halve dorp ging zoeken naar de heilige.'

'De heilige?'

Hij schudde zijn hoofd. 'Helaas nog geen spoor van haar te bekennen bij de Pointe. Ze moet met het tij zijn meegerold. De stromingen zijn hier zo sterk dat ze nu al halverwege de Pointe en La Goulue kan zijn.'

Ik zei niets. Er is meer dan een zware zee voor nodig om een kreeftenfuik aan te spoelen. Toen ik nog klein was, lagen de Guénolés en de Bastonnets elkaar vaak op te wachten in de duinen, gewapend met een jachtgeweer dat geladen was met steenzout, in de hoop de ander op heterdaad te betrappen.

'Je boft,' zei ik.

Zijn ogen glansden. 'Ik red me.'

Even later werd zijn aandacht alweer door iets anders getrokken; met zijn blote voeten keerde hij de kleine pareltjes wilde knoflook los die in het zand groeiden. Toen hij er een paar had, bukte hij zich en stopte ze in zijn zak. Ik ving even in de zilte lucht de sterke geur op. Ik herinnerde me dat ik ze vroeger verzamelde wanneer mijn moeder gestoofde vis maakte.

'Er was hier vroeger een pad,' zei ik, terwijl ik uitkeek over de baai. 'Ik liep er altijd over naar de vlakte. Maar het is er niet meer.'

Flynn knikte. 'Toinette Prossage weet nog dat hier een hele straat met huizen was, met een steiger en een strandje en zo. Dat is allemaal jaren geleden in zee gevallen.'

'Een strand?' Het klonk niet onaannemelijk. De zandbanken van La Jetée waren ooit vanaf La Goulue lopend bereikbaar geweest; in de loop der jaren hadden ze zich als gele walvissen met de veranderende stromingen verplaatst. Ik keek naar de ene overgebleven strandhut, nu nutteloos geworden, die hoog boven de rotsen uitstak.

'Op een eiland is niets veilig.'

Ik wierp weer een blik op de twee fuiken. Hij had de scharen van de kreeften dichtgebonden, zodat ze niet konden vechten.

'De *Eleanore* van de Guénolés is vannacht op drift geraakt,' vervolgde Flynn. 'Ze denken dat de Bastonnets het hebben gedaan. Maar het moet door de wind gekomen zijn.'

Kennelijk waren Alain Guénolé, zijn zoon Ghislain en zijn vader Matthias al sinds de dageraad op om naar sporen van de vermiste *Eleanore* te zoeken. Omdat het een stevige vissersboot met platte bodem was, kon ze door de branding meegenomen zijn en intact ergens op de moddervlakte liggen. Het was optimistisch gedacht, maar het was de moeite van het proberen waard.

'Weet mijn vader het?' vroeg ik.

Flynn haalde zijn schouders op. Ik zag aan zijn gezicht dat

hij de *Eleanore* al als verloren beschouwde. 'Misschien heeft hij het nog niet gehoord. Hij is vannacht niet thuisgekomen, hè?' Mijn verbazing moet op mijn gezicht te lezen zijn geweest, want hij glimlachte. 'Ik slaap licht,' zei hij. 'Ik heb hem naar La Bouche horen gaan.'

La Bouche. Dus ik had gelijk.

Stilte, alleen verbroken door het gekrijs van de meeuwen. Ik voelde dat hij wachtte tot ik iets zeggen zou; ik vroeg me weer af hoeveel GrosJean hem had verteld. Ik dacht aan de brievenbus met de ongeopende post en aan de verminkte verjaardagsfoto.

'Het is een gecompliceerde man,' zei ik ten slotte. 'Je moet de dingen door zijn ogen leren zien. Daar moet je je best voor doen.'

'Je bent lang weggeweest.'

'Ik ken mijn vader.'

Een korte stilte, waarin Flynn met de koralen kraal om zijn nek speelde. 'Je bent er niet geweest, hè?'

'Nee. Het is niet een van mijn favoriete plekken. Hoezo?'

'Kom mee,' zei hij, terwijl hij de kreeftenfuiken liet vallen en zijn hand naar me uitstak. 'Ik moet je iets laten zien.'

La Bouche heeft voor iemand die er voor het eerst komt, altijd iets verrassends. Misschien zijn het de afmetingen, de gangetjes en weggetjes met grafzerken, allemaal beschreven met Salannaise namen, de honderden, misschien wel duizenden Bastonnets, Guénolés, Prossages en zelfs onze eigen Prasteaus, die als vermoeide zonnebaders zij aan zij liggen, hun meningsverschillen vergeten.

De tweede verrassing is de grootte van deze stenen, gehavende en door de wind gepolijste kolossen van eilandgraniet;

ze verheffen zich als monolieten en blijven louter door hun eigen gewicht verankerd in de rusteloze grond. In tegenstelling tot de levenden zijn de dode Salannais heel sociaal: ze willen zich nog wel eens van graf naar graf verplaatsen, met het zand mee, en laten zich daarbij niet tegenhouden door familievetes. Om hen in bedwang te houden gebruiken we de zwaarst mogelijke stenen. P'titJeans steen is een massief blok grijsroze eilandgraniet dat het graf volledig bedekt, alsof P'titJean niet diep genoeg begraven kan worden.

Flynn weigerde mijn vragen te beantwoorden terwijl we op weg waren naar het oude kerkhof. Ik volgde hem met tegenzin en zocht me een weg over de stenige grond. Ik zag nu de eerste zerken; ze staken boven de rand van het duin uit die ze beschutte. La Bouche was altijd mijn vaders privé-plek geweest. Ik voelde me ook nu nog vaag schuldig, alsof ik hem geheimen ontfutselde.

'Kom eens naar de top van het duin,' zei Flynn, toen hij me zag aarzelen. 'Vandaaraf kun je alles zien.'

Lange tijd stond ik alleen maar vanaf de kop van de duin neer te kijken op La Bouche. 'Hoe lang is het al zo?' vroeg ik ten slotte.

'Sinds de voorjaarsstormen.'

Er was een poging gedaan om de graven te beschermen. Er waren zandzakken op het voetpad gelegd dat het dichtst bij de kreek lag, en om een paar stenen heen was losse aarde weggegraven, maar het was duidelijk dat de schade zo grootschalig was dat zulke eenvoudige reparaties niets uithaalden. De grafstenen staken als rotte tanden uit hun kassen; sommige stonden nog rechtop, maar andere helden vervaarlijk voorover in het ondiepe water waar de kreek de lage oever had overstroomd. Hier en daar stak er een vaas met dode bloemen boven het oppervlak uit; verder was er zo'n vijftig meter niets anders te zien dan stenen en de gladde, bleke weerspiegeling van de lucht.

Ik bleef lang zwijgend staan kijken.

'Hij komt hier al wekenlang iedere dag,' legde Flynn uit. 'Ik heb tegen hem gezegd dat het zinloos is. Maar hij gelooft me niet.'

Ik zag nu P'titJeans graf, niet ver van het overstroomde pad. Mijn vader had het met rode bloemen en bloedkoralen kralen versierd, ter ere van Sainte-Marine. De kleine offergaven zagen er op hun stenen eiland vreemd aandoenlijk uit.

Mijn vader had er kennelijk veel last van. Diep bijgelovig als hij was, moest zelfs het luiden van La Marinette hem niet zoveel gedaan hebben als dit.

Ik zette een stap in de richting van het pad.

'Niet doen,' waarschuwde Flynn.

Ik negeerde het. Mijn vader had zijn rug naar me toegekeerd. Hij ging helemaal op in wat hij deed en hoorde me pas toen ik zo dicht bij hem was dat we elkaar bijna konden aanraken. Flynn bleef waar hij was en verroerde zich niet; tussen de met gras begroeide duinen was hij bijna onzichtbaar, je zag alleen de doffe glans van zijn roestbruine haar.

'Vader?' zei ik, en hij keerde zich naar me toe.

Nu, bij daglicht, zag ik hoezeer GrosJean verouderd was. Hij leek kleiner dan de avond ervoor, gekrompen in zijn kleding, zijn grote gezicht ruig door de grijzige oudemannenstoppels. Zijn mouwen zaten onder de modderspatten, alsof hij gegraven had, en zijn vislaarzen zaten tot aan de omslag vol modder. Aan zijn lip hing een Gitane.

Ik deed een pas naar voren. Mijn vader keek me zwijgend aan; zijn blauwe ogen, die door de zon altijd gerimpeld waren, glansden. Hij reageerde niet op mijn aanwezigheid; hij had net zo goed naar een dobber kunnen zitten kijken die het water in zwierde, of de afstand tussen een boot en de steiger kunnen hebben berekend, om te voorkomen dat hij zou omvallen.

'Vader,' zei ik weer, maar mijn glimlach voelde vreemd en stijf op mijn gezicht. Ik deed mijn haar naar achteren om hem mijn gezicht te laten zien. 'Ik ben het.'

Nog steeds gaf GrosJean niet te kennen dat hij me zelfs maar gehoord had. Ik zag zijn vingers naar zijn keel gaan, naar het hangertje dat daar hing. Nee, niet een hangertje. Een medaillon. Zo een waarin je een aandenken bewaart.

'Ik heb je geschreven. Ik dacht dat je misschien – als je iemand nodig...' Ook mijn stem leek niet van mij. GrosJean sloeg me uitdrukkingloos gade. Over alles hing een stilte, als zwarte vlinders.

'Je zou misschien iets kunnen zeggen,' opperde ik.

Stilte. Een vleugelslag.

'Nou?'

Stilte. Achter hem, op de duin, keek Flynn roerloos toe.

'Nou?' herhaalde ik. De vlinders zaten nu in mijn stem en deden hem trillen. Ik kon nauwelijks ademhalen. 'Ik ben teruggekomen. Zeg je helemaal niets?'

Even dacht ik in zijn ogen iets te zien opleven. Misschien verbeeldde ik het me. Hoe dan ook, het was snel weer verdwenen en voordat ik het wist, had mijn vader zich omgedraaid. Zonder een woord te zeggen liep hij naar de duinen.

8

Ik had het kunnen weten. In zekere zin had ik het geweten, had ik jaren geleden deze afwijzing ook al meegemaakt. Toch kwetste het me; nu moeder dood was en Adrienne verdwenen, had ik toch zeker recht op enige respons.

Alles had anders kunnen zijn als ik een jongen was geweest. GrosJean had, zoals de meeste mannen op het eiland, zoons gewild, zoons om op de werf te werken en het familiegraf te verzorgen. Dochters, met alle kosten die ze meebrachten, waren voor GrosJean Prasteau van geen belang. Een eerste dochter was al erg geweest, maar een tweede, vier jaar later, had ten slotte het beetje intimiteit dat er nog tussen mijn ouders bestond, gedood. Ik groeide op met het gevoel dat ik de teleurstelling die ik teweeg had gebracht, moest goedmaken; ik hield mijn haar kort om hem een plezier te doen en meed het gezelschap van andere meisjes om zijn goedkeuring te winnen. Tot op zekere hoogte werkte het. Soms nam hij me mee wanneer hij op zeebaars ging vissen in de branding, of gingen we met hooivorken en manden samen naar de oesterbedden. Dat waren voor mij kostbare momenten, die me ten deel vielen wanneer Adrienne en mijn moeder samen naar La Houssinière gingen en die ik heimelijk koesterde en levend hield.

Hij sprak dan met me, ook al richtte hij het woord niet

tot mijn moeder. Hij liet me de nesten van de meeuwen zien en de zandplaten bij La Jetée, waarheen de zeehonden elk jaar terugkeerden. Soms vonden we op het strand aangespoelde dingen, die we meenamen naar huis. Heel af en toe vertelde hij me verhalen en oude gezegden van de eilanden. *Alles keert terug.* Dat was zijn lievelingsgezegde.

'Ik vind het heel vervelend voor je.' Dat was Flynn. Hij was zeker zachtjes van achteren op me toe komen lopen toen ik bij P'titJeans graf stond.

Ik knikte. Mijn keel deed pijn, alsof ik net had staan schreeuwen.

'Hij praat eigenlijk met niemand,' zei Flynn. 'Hij redt zich voornamelijk met gebarentaal. Ik heb hem geloof ik sinds ik hier ben, niet meer dan een keer of tien horen spreken, en zelfs dan was het meestal niet meer dan "Hm" of "Nee".'

Er dreef een rode bloem in het water vlak naast het pad. Ik keek ernaar met een misselijk gevoel. 'Dus tegen jou praat hij,' zei ik.

'Soms.'

Ik voelde hem naast me, verontrust, wachtend om troost te mogen bieden, en even wilde ik die maar al te graag aanvaarden. Ik kon me naar hem toe wenden, dat wist ik – hij was zo lang dat mijn hoofd precies op zijn schouder kon rusten – en hij zou naar ozon en de zee ruiken, en naar de onbehandelde wol van zijn trui. Daaronder, wist ik, zou hij warm zijn.

'Mado, ik vind het naar voor je...'

Ik keek recht langs hem heen, uitdrukkingloos. Ik haatte zijn medelijden, maar ik haatte mijn eigen zwakheid nog meer. 'De ouwe rotzak,' zei ik. 'Speelt nog altijd zijn spelletjes.' Ik haalde diep en beverig adem. 'Er verandert ook nooit iets.'

Flynn keek me onderzoekend aan. 'Gaat het?'

'Ja, best.'

Hij liep met me mee naar huis en haalde onderweg zijn kreeftenfuiken en tas op. Ik zei weinig; hij babbelde over van alles en nog wat, maar ik luisterde niet. Toch was ik hem er vaag dankbaar voor. Af en toe raakte ik de brief in mijn zak aan.

'Waar ga je nu heen?' vroeg Flynn, toen we het pad naar Les Salants op gingen.

Ik vertelde hem over mijn etage in Parijs. De brasserie ervoor. Het café waar we op zomeravonden heen waren gegaan. De lindelanen.

'Het klinkt goed. Misschien ga ik er ooit ook heen.'

Ik keek hem aan. 'Ik dacht dat je het hier naar je zin had.'

'Misschien wel, maar ik ben niet van plan te blijven. Ik ken niemand die rijk is geworden door zich in het zand te begraven.'

'Rijk worden? Is dat wat je wilt?'

'Uiteraard. Wie niet?'

Het was even stil. We liepen samen verder, hij geluidloos, ik met knerpende geluidjes die mijn laarzen maakten op de stukjes schelp waarmee het duin bezaaid was.

'Verlang je nooit naar thuis?' vroeg ik ten slotte.

'O nee!' Hij trok een gezicht. 'Mado, dat was wel zo'n gat! Dichtgeplakt met ouwe kranten. Geen werk, geen geld, geen leven. En als we iets hadden, ging het altijd naar mijn broer. Ik ben zo snel ik kon weggegaan.'

'Je broer?'

'Ja, John. Mijn moeders oogappel.' Zijn grijns was hard, zuur, zoals de mijne waarschijnlijk ook was wanneer ik aan Adrienne dacht. 'Familie. Wie zit daar nu op te wachten?'

Ik vroeg me af of GrosJean zo ook dacht, of hij me daarom uit zijn leven geknipt had. 'Ik kan hem niet zomaar in de steek laten,' zei ik kalm.

'Natuurlijk kun je dat. Hij wil duidelijk niet...'

'Wat doet het ertoe wat hij wil? Je hebt de werf toch gezien? Het huis? Waar komt het geld vandaan? En wat gebeurt er met hem wanneer het opraakt?'

Er is in Les Salants geen bank. Een bank, zo luidt het eilandmotto, leent je een paraplu wanneer de zon schijnt en pakt hem weer af wanneer het begint te regenen. Spaargeld wordt dus in schoenendozen en onder aanrechten bewaard. Leningen worden grotendeels op basis van privé-afspraken verstrekt. Ik kon me niet voorstellen dat GrosJean ooit geld zou lenen en ook niet dat er een fortuin onder de grond verborgen lag.

'Hij redt zich wel,' zei Flynn. 'Hij heeft hier vrienden. Die zorgen wel voor hem.'

Ik probeerde voor me te zien hoe Omer La Patate voor mijn vader zou zorgen, of Matthias, of Aristide. Maar het enige wat ik zag was GrosJeans gezicht op de dag waarop we vertrokken, die wezenloze blik die evengoed had kunnen duiden op wanhoop als op onverschilligheid of iets totaal anders; dat bijna onmerkbare knikje toen hij zich afwendde. Er moesten boten gebouwd worden. Geen tijd om afscheid te nemen. Ik die uit het taxiraampje riep: 'Ik zal schrijven, dat beloof ik!' Moeder die worstelde met onze koffers, haar gezicht doorgroefd door de last van onuitgesproken zaken.

We naderden het huis. Ik zag het rode pannendak boven

de duinen uit komen. Uit de schoorsteen kwam een dun rooksliertje. Flynn liep naast me met gebogen hoofd. Hij sprak niet en zijn gezicht ging schuil achter zijn naar voren vallende haar.

Toen bleef hij plotseling staan. Er was iemand in huis; er stond iemand bij het keukenraam. Ik zag zijn gezicht niet, maar zijn omvang verried hem: een grote, beerachtige gestalte die zijn gezicht tegen het glas drukte.

'GrosJean?' fluisterde ik.

Flynn schudde zijn hoofd, zijn ogen stonden waakzaam. 'Brismand.'

9

HIJ WAS NIETS VERANDERD. HIJ WAS OUDER, GRIJZER, BREDER rond het middel, maar hij droeg nog steeds de espadrilles en de vissersmuts die ik me uit mijn jeugd herinnerde. Zijn dikke vingers zaten vol ringen, zijn hemd vertoonde zweetplekken onder de oksels, hoewel het een koele dag was. Toen ik binnenkwam stond hij bij het raam met een dampende mok in zijn hand. Er hing een sterke geur van koffie met armagnac in het vertrek.

'Ah, het is onze Mado.' Zijn stem droeg ver en had een volle, sonore klank. Zijn lach was openhartig en aanstekelijk. Zijn snor, die nu grijs was, leek bombastischer dan ooit, als die van een revueartiest of een communistische dictator. Hij nam drie snelle passen en sloeg zijn sproetige armen om me heen. 'Mado, wat is het fijn, ontzéttend fijn je weer te zien!' Zijn omhelzing was stevig, zoals alles aan hem. 'Ik heb koffie gezet. Ik hoop dat je dat niet erg vindt. We zijn toch familie, hè?' Ik knikte, half verstikt in zijn armen. 'Hoe gaat het met Adrienne? En de kinderen? Mijn neef schrijft niet zo vaak als hij zou moeten.'

'Mijn zus ook niet.'

Daar moest hij om lachen; zijn lach klonk gul. 'Jonge mensen, hè! Maar jij – jíj! Laat me je eens bekijken. Je bent groot geworden! Ik voel me bij jou vergeleken wel honderd, maar het is heerlijk om je gezicht weer te zien, Mado. Je schattige gezicht.'

Ik was het bijna vergeten, dat hij zo charmant was. Het overvalt je, maakt je weerloos. Ik zag ook de intelligentie achter dat flamboyante uiterlijk. Zijn ogen waren wetend, leigrijs, bijna zwart. Ja, als kind had ik hem graag gemogen en dat was nog zo.

'Nog steeds wateroverlast in het dorp? Slechte zaak.' Hij zuchtte zwaar. 'Je zult het allemaal wel heel anders vinden. Maar, het is niet voor iedereen weggelegd, hè. Het eilandleven. Jonge mensen willen meer vrolijkheid dan het arme oude eiland hun kan bieden.'

Ik was me ervan bewust dat Flynn nog steeds voor de deur stond met zijn kreeftenfuiken. Hij leek niet veel zin te hebben om binnen te komen, hoewel ik tegelijkertijd voelde dat hij nieuwsgierig was en me niet graag met Brismand alleen wilde laten.

'Kom binnen,' zei ik tegen hem. 'Drink een kop koffie mee.'

Flynn schudde zijn hoofd. 'Nee, ik zie je wel een andere keer.'

'Maak je om hem maar niet druk.' Brismand, die maar een korte blik op Flynn had geworpen, keerde zich weer naar mij en gooide kameraadschappelijk een arm om mijn schouders. 'Hij is niet belangrijk. Ik wil alles over je weten.'

'Monsieur Brismand...'

'Zeg alsjeblieft Claude, Mado.' Zijn enorme vriendelijkheid was een beetje overweldigend, als die van een reusachtige kerstman. 'Maar waarom heb je me niet verteld dat je kwam? Ik had de hoop bijna opgegeven.'

'Ik kon niet eerder. Mijn moeder was ziek.'

Even kwam het allemaal weer boven: de geur van haar kamer, het sissen van de inhaler, de klank van haar stem wan-

neer ik het had over teruggaan, al was het maar voor een bezoek.

'Ik weet het.' Hij schonk koffie voor me in. 'Ik vind het
naar voor je. En nu dat gedoe met GrosJean.' Hij liet zich in
een stoel zakken die kraakte onder zijn gewicht en gaf een
klopje op de stoel naast hem. 'Ik ben blij dat je gekomen
bent, Madootje,' zei hij eenvoudig. 'Ik ben blij dat je me vertrouwd hebt.'

De eerste jaren na ons vertrek waren het moeilijkst. We bof-
ten dat we sterk waren, maar mijn moeders romantische aard
was gehard tot een gespannen, angstig praktische instelling
die ons goed van pas kwam. Omdat ze voor geen enkele ge-
schoolde arbeid geschikt was, verdiende ze een klein inkomen als werkster. We waren arm.

GrosJean stuurde geen geld. Moeder aanvaardde dit met
bittere voldoening, het gaf haar het gevoel dat ze gelijk had
gehad. Op school, een groot lyceum in Parijs, maakten mijn
sjofele kleren me nog meer tot een buitenstaander.

Maar Brismand had ons op zijn manier geholpen. We waren tenslotte familie geworden, ook al deelden we niet zijn
naam. Hij stuurde geen geld, maar met de kerst waren er
pakjes met kleding en boeken, en voor mij dozen verf toen
hij mijn hobby had ontdekt. Op school vond ik troost op de
tekenafdeling, die me een beetje aan mijn vaders werkplaats
herinnerde, met zijn geluiden van bedrijvigheid en geur van
verse houtkrullen. Ik begon naar de lessen uit te zien. Voor
dat vak had ik talent. Ik tekende stranden en vissersboten en
witgepleisterde huizen met lage daken met daarboven broei-
erige luchten. Natuurlijk vond mijn moeder ze afschuwelijk.
Later werden ze onze voornaamste bron van inkomsten,

maar dat maakte haar afkeer van het onderwerp er niet minder om. Ze vermoedde, maar dat zei ze nooit, dat het mijn manier was om me te onttrekken aan onze afspraak.

In mijn studietijd bleef Brismand me schrijven. Niet mijn moeder – die had zich helemaal overgegeven aan Parijs met al zijn opzichtigheid en smakeloosheid en wenste niet herinnerd te worden aan Le Devin – maar mij. Het waren geen lange brieven, maar ze waren het enige dat ik had. Elk beetje informatie nam ik gretig in me op. Soms wenste ik dat hij en niet GrosJean mijn vader was geweest.

Toen, een jaar geleden, kwam de eerste aanwijzing dat het niet helemaal goed ging in Les Salants. Eerst een vluchtige hint – hij had GrosJean al een tijdje niet gezien – en daarna kwamen er meer. Mijn vaders excentriciteit, die er in mijn jeugd ook al was geweest, nam toe. Er gingen geruchten dat hij erg ziek was geweest, maar dat hij had geweigerd naar de dokter te gaan. Brismand was bezorgd.

Ik beantwoordde deze brieven niet. Mijn moeder eiste al mijn volledige aandacht op. Haar emfyseem, waar de luchtvervuiling in de stad geen goed aan deed, was veel erger geworden. De dokter probeerde haar ervan te overtuigen dat ze moest verhuizen. Ergens aan zee, stelde hij voor, waar de lucht gezonder zou zijn. Maar moeder luisterde niet. Ze was dol op Parijs. Ze hield van de winkels, de bioscopen en de cafés. Jegens de rijke vrouwen wier appartement ze schoonmaakte, toonde ze wonderlijk weinig jaloezie; ze genoot juist van hun kleren, hun meubels en hun leven. Ik voelde dat ze dat voor mij ook wilde.

Brismands brieven bleven komen. Hij was nog steeds bezorgd. Hij had Adrienne geschreven, maar geen antwoord gekregen. Ik begreep dat: ik had gebeld toen moeder in het ziekenhuis was opgenomen, maar kreeg slechts van Marin te horen dat Adrienne weer zwanger was en onmogelijk kon reizen. Moeder was vier dagen later gestorven en Adrienne had me aan de telefoon in tranen verteld dat haar artsen haar elke inspanning hadden verboden. Ze wilde na haar twee jongens dolgraag een meisje en ze had het gevoel dat moeder het wel begrepen zou hebben.

Ik dronk mijn koffie langzaam op. Brismand wachtte geduldig, met zijn stevige arm om mijn schouder. 'Ik weet het, Mado, het is moeilijk voor je geweest.'

Ik veegde mijn ogen af. 'Ik had erop voorbereid moeten zijn.'

'Je had naar mij moeten komen.' Hij keek om zich heen; ik zag hem de vieze vloer in zich opnemen, de opgestapelde borden, de ongeopende brieven, de verwaarlozing.

'Ik wilde het met eigen ogen zien.'

'Ik begrijp het.' Brismand knikte. 'Het is je vader. Familie is alles.'

Hij stond op en leek plotseling de kamer te vullen. Hij stopte zijn handen diep in zijn zakken. 'Ik heb een zoon gehad, weet je. Mijn vrouw nam hem mee toen hij drie maanden oud was. Ik heb dertig jaar gewacht, gehoopt – geweten – dat hij op een dag thuis zou komen.'

Ik knikte. Ik had het verhaal gehoord. In Les Salants ging men er natuurlijk vanuit dat Brismand er schuldig aan was.

Hij schudde zijn hoofd. Nu hij dat theatrale liet varen leek hij ineens oud. 'Dom hè? We houden onszelf altijd maar voor de gek. Zadelen anderen altijd met pijn op.' Hij keek me aan. 'GrosJean houdt van je, Mado. Op zijn manier houdt hij van je.'

Ik dacht aan mijn verjaardagsfoto en aan mijn vaders arm, die nu op Adriennes schouder rustte. Zachtjes pakte Brismand mijn hand. 'Ik wil geen enkele druk op je leggen,' zei hij.

'Ik weet het. Het geeft niet.'

'Het is prettig in Les Immortelles, Mado. Ziekenhuisfaciliteiten, een arts van het vasteland, grote kamers; en hij zou zijn vrienden kunnen zien wanneer hij maar wilde. Ik zou iets kunnen regelen.'

Ik aarzelde. Soeur Thérèse en soeur Extase hadden me al over Brismands verzorgingsregeling verteld. Het klonk duur en dat zei ik.

Hij schudde beslist zijn hoofd. 'Dat zou wel goed komen. De verkoop van het land zou alle onkosten dekken. Misschien wel meer. Ik begrijp hoe je je voelt, Mado, maar iemand moet toch zijn verstand gebruiken.'

Ik beloofde erover na te zullen denken. Het was een idee waar Brismand in zijn brieven al eerder op gehint had, maar nog nooit zo openlijk als nu. Het leek een goed aanbod: in tegenstelling tot moeder had GrosJean nooit in ziektekostenverzekeringen geloofd en ik kon niet ook nog zijn financiële zorgen op mijn nek nemen. Hij had zorg nodig, dat was duidelijk. En ik had een leven in Parijs waarheen ik kon – móést – terugkeren. Wat voor dromen ik ook gehad mocht hebben, Les Salants had een minder rooskleurig beeld laten zien. Er was te veel veranderd.

10

TOEN IK HET HUIS UIT LIEP, KWAM IK ALAIN GUÉNOLÉ EN ZIJN zoon Ghislain tegen, die van de andere kant van het dorp kwamen. Ze waren allebei buiten adem en maakten ondanks hun eilandgereserveerdheid een gejaagde indruk. Ze leken erg op elkaar en hadden allebei de kenmerkende scherpe trekken van het eiland. De vader droeg de traditionele *vareuse* van oliegoed en Ghislain een gifgeel T-shirt dat als neon oplichtte tegen zijn bruine huid. Toen hij me zag, grijnsde hij en begon hij met moeizame stappen de grote duin op te rennen.

'Madame GrosJean,' hijgde hij, waarna hij even wachtte om weer op adem te komen. 'We hebben de oplegger van de tractor uit de werf nodig. Het is dringend.'

Even was ik ervan overtuigd dat hij me niet herkend had. Dit was Ghislain Guénolé, die twee jaar ouder was dan ik, met wie ik als kind gespeeld had. Had hij me echt 'madame GrosJean' genoemd?

Alain knikte naar me ter begroeting. Ook hij was ongerust, maar het was duidelijk dat hij geen enkele zaak dringend genoeg achtte om te gaan rennen. 'Het gaat om de *Eleanore!*' riep hij over het duin. 'Hij is gezien bij La Houssinière, ter hoogte van Les Immortelles. We gaan erheen om hem binnen te halen, maar we hebben de oplegger van je vader nodig. Is hij thuis?'

Ik schudde mijn hoofd. 'Ik weet niet waar hij is.'

Ghislain keek bezorgd. 'Het kan niet wachten,' zei hij. 'We zullen hem nu moeten nemen. Misschien kunt u – als u hem vertelt waarvoor het was...'

'Natuurlijk kun je hem nemen,' zei ik, een snel besluit nemend. 'Ik ga met je mee.'

Daarop keek Alain, die hem had ingehaald, twijfelachtig. 'Ik denk dat...'

'Mijn vader heeft die boot gebouwd,' zei ik ferm. 'Jaren geleden, voordat ik geboren werd. Hij zou het me nooit vergeven als ik niet hielp. Je weet hoe dol hij op die boot is.'

GrosJean was er meer dan dol op geweest, dat herinnerde ik me nog wel. *Eleanore* was de eerste van zijn 'dames' geweest, niet de mooiste die hij ooit gemaakt had, maar misschien wel de dierbaarste. De gedachte dat deze boot nu misschien verloren ging, vervulde me met ontzetting.

Alain haalde zijn schouders op. De boot was zijn middel van bestaan, meer niet. Er was geen ruimte voor sentiment wanneer het om geld ging. Terwijl Ghislain op de tractor af rende, werd ik me bewust van een gevoel van opluchting, alsof deze crisis me een adempauze gaf.

'Weet je zeker dat je die moeite wilt nemen?' vroeg Alain, terwijl zijn zoon de oplegger aan de oude machine koppelde. 'Het is niet bepaald een lolletje.'

Die terloopse uitspraak stak me. 'Ik wil helpen.'

'Zoals je wilt.'

De *Eleanore* was bij La Houssinière op een paar rotsen gelopen, ongeveer een halve kilometer uit de kust. Hij was klem komen te zitten door het stijgende water en hoewel het nog tamelijk laag water was, was de wind fel en werd de beschadigde kiel bij elke golfslag met een schurend geluid verder tegen de rots geduwd. Een groepje Salannais, waaronder Aristide, zijn kleinzoon Xavier, Matthias, Capucine en Lolo, stonden aan de kant te kijken. Ik bekeek hun gezichten gretig, maar mijn vader was er niet bij. Ik zag wel Flynn, met zijn vislaarzen en trui aan en zijn plunjezak over zijn schouder. Niet lang daarna voegde Lolo's vriend Damien zich bij hen; nu ik hem naast Alain en Ghislain zag, merkte ik dat hij Guénolétrekken had.

'Achteruit, Damien,' zei Alain, toen hij hem zag naderen. 'Ik wil niet dat je in de weg loopt.'

Damien keek hem nors aan en ging op een rots zitten. Toen ik even later achteromkeek, zag ik dat hij een sigaret had opgestoken en die met een uitdagend naar ons toe gekeerde rug zat op te roken. Alain, die zijn blik op de *Eleanore* hield, leek het niet te merken.

Ik ging naast hem zitten. Een poosje negeerde hij me. Toen won de nieuwsgierigheid het en keerde hij zich naar me toe. 'Ik heb gehoord dat je in Parijs hebt gewoond,' zei hij zacht. 'Hoe is het daar?'

'Net als in iedere andere stad,' zei ik. 'Groot, lawaaiig en druk.'

Even leek hij terneergeslagen. Toen klaarde hij op. 'Europese steden misschien, ja, maar Amerikaanse steden zijn anders. Mijn broer heeft een Amerikaans shirt. Hij heeft het nu aan.'

Ik glimlachte en wendde mijn ogen van Ghislains lichtgevende bovenlijf af.

'Ze eten in Amerika alleen maar hamburgers,' zei Alain, zonder zijn blik van de *Eleanore* af te wenden, 'en alle meisjes zijn er dik.'

De jongen was verontwaardigd. 'Hoe weet je dat? Je bent er nooit geweest.'

'Jij ook niet.'

Op de nabijgelegen pier, die het haventje beschermt tegen de zee, stond een aantal Houssins ook naar de beschadigde boot te kijken. Jojo-le-Goëland, een oude Houssin met een zeemansachtige manier van doen en een wellustige blik, begroette ons zwaaiend. 'Komen kijken?' grijnsde hij.

'Uit de weg, Jojo,' snauwde Alain. 'Er zijn hier mannen die werk te doen hebben.'

Jojo lachte. 'Daar komt vanzelf wel weer een eind aan als je van hier erbij probeert te komen,' zei hij. 'Het wordt vloed en er waait wind uit zee. Het zou me niks verbazen als je in moeilijkheden kwam.'

'Let maar niet op hem,' raadde Capucine me aan. 'Hij praat de hele tijd al zo.'

Jojo keek pijnlijk getroffen. 'Ik zou hem voor jullie aan land kunnen brengen,' opperde hij. 'Van de rotsen kunnen slepen met mijn *Marie Joseph*. Je brengt zó een tractor op het zand. Hebt hem zó opgeladen.'

'Hoeveel?' zei Alain achterdochtig.

'Tja, dat is de boot, de arbeid, de toegang... Laten we zeggen: duizend.'

'Toegang?' Alain was furieus. 'Tot wat?'

Jojo grijnsde. 'Tot Les Immortelles, natuurlijk. Privéstrand. Instructies van monsieur Brismand.'

'Privé-strand!' Alain keek kwaad naar de *Eleanore*. 'Sinds wanneer?'

Jojo stak zorgvuldig het restje van een Gitane aan. 'Alleen voor hoteleigenaars,' zei hij. 'Wil niet dat Jan en Alleman het strand komt bevuilen.'

Het was een leugen en iedereen wist dat. Ik zag dat Alain de mogelijkheid inschatte om de *Eleanore* met de hand los te krijgen.

Ik keek Jojo boos aan. 'Ik ken monsieur Brismand,' zei ik, 'en ik geloof niet dat hij ons zou willen laten betalen voor de toegang tot dit strand.'

Jojo grijnsde vals. 'Ga het hem dan zelf vragen.' stelde hij voor. 'Kijk maar wat hij zegt. Neem de tijd, want de *Eleanore* zit nog wel even vast.'

Alain keek weer naar de *Eleanore*. 'Redden we dat?' vroeg hij aan Ghislain.

Ghislain haalde zijn schouders op. 'Redden we dat, Rouget?'

Flynn, die tijdens het gesprek met zijn plunjezak was verdwenen in de richting van de pier, dook nu weer op zonder plunjezak. Hij keek naar de boot en schudde zijn hoofd. 'Ik denk van niet,' zei hij. 'Niet zonder de *Marie-Joseph*. Je kunt beter doen wat hij zegt voordat het water nog verder stijgt.'

De *Eleanore* was zwaar, een typische eilandoesterboot met weinig diepgang om goed bij de bedden te kunnen komen, en een met lood beklede kiel. Hij had het tij in de rug en zou spoedig onmogelijk van de rotsen te tillen zijn. Wanneer men wachtte tot het tij was gekeerd, tien uur of meer, zou dat alleen maar meer schade betekenen. Jojo's grijns werd breder.

'Volgens mij lukt het ons wel,' zei ik. 'We moeten de neus die kant op keren, in de wind. We zouden de oplegger kunnen gebruiken zodra we de boot in ondiep water hebben.'

Alain keek naar mij, toen naar de andere Salannais. Ik zag hem uitrekenen hoeveel we aan konden, berekenen hoeveel handen nodig waren voor het karwei. Ik keek even achterom, in de hoop GrosJeans gezicht tussen de andere te zien, maar hij was nergens te bekennen.

'Ik doe mee,' zei Capucine.

'Ik ook,' zei Damien.

Alain fronste zijn wenkbrauwen. 'Jullie blijven hier, jongens,' besliste hij. 'Ik wil niet dat jullie iets overkomt.'

Hij keek weer even naar mij en toen naar de anderen. Matthias was te oud om mee te doen aan zo'n gevaarlijke onderneming, maar Flynn, Ghislain, Capucine en ik zouden het samen nét kunnen redden. Aristide hield laatdunkend afstand, maar ik merkte dat Xavier treurig toekeek.

Jojo stond grijnzend te wachten. 'Nou, wat vinden jullie ervan?' De oude zeeman vond het kennelijk amusant dat Alain mijn mening in overweging nam. Vrouwenpraat is niets waard. Een eilandmotto.

'Probeer het,' drong ik aan. 'Wat heb je te verliezen?'

Alain aarzelde nog.

'Ze heeft gelijk,' zei Ghislain ongeduldig. 'Hé, word je oud of zo? Mado heeft meer pit dan jij!'

'Goed dan,' besloot Alain eindelijk. 'We wagen een poging.'

Ik zag Flynn naar me kijken. 'Ik geloof dat je een bewonderaar hebt.' Hij grijnsde en belandde met een sprongetje op het natte zand.

Ik keek hem afkeurend aan. 'Dus je hebt je vangst verkocht,' stelde ik vast.

'Zeg,' zei Flynn, 'je wilt toch niet zeggen dat je in mijn plaats niet hetzelfde had gedaan?'

'Dat had ik zeker niet. Het is stroperij.'

'Ja, ja.' Zijn grijns was aanstekelijk.

'Ja, dus,' zei ik beslist. Zwijgend gingen we over de glibberige rotsen op weg naar de *Eleanore*.

Het was bijna avond en het was al voor driekwart vloed toen we eindelijk moesten toegeven dat het ons niet lukte. Tegen die tijd was de prijs met nog eens duizend frank gestegen. We hadden het ijskoud en waren verdoofd en uitgeput. Flynn had zijn luchtigheid verloren en ik was bijna platgedrukt tussen de *Eleanore* en een rots terwijl we worstelden om de boot van zijn plaats te krijgen. Een onverwachte golfbeweging van het stijgende water, waarbij de neus scherp wegdraaide op de wind, en de kiel van de *Eleanore* botste pijnlijk tegen mijn schouder, waardoor ik naar opzij viel en een guts donker water in mijn gezicht kreeg. Ik voelde de rots achter me. Even was er paniek toen ik ervan overtuigd was dat ik vast zou komen te zitten, of erger. De angst, en de opluchting toen ik door het oog van de naald was gekropen, maakten me agressief. Ik keerde me om naar Flynn, die vlak achter me stond.

'Jij zou de neus toch vasthouden? Wat gebeurde er, verdorie?'

Flynn had de touwen die we gebruikten om de boot vast te maken, losgelaten. Zijn gezicht was een vage vlek in het schemerige licht. Hij was half van me afgewend en ik hoorde hem vloeken, voor een buitenlander in behoorlijk vloeiend Frans.

Er klonk een lang, piepend geluid toen de kiel van de *Eleanore* opnieuw over de rotsen schuurde, en daarna een duik voorover toen hij weer in het water terugviel. Van de pier steeg een spottend gejuich van de Houssins op.

Alain riep grimmig over het water naar Jojo: 'Goed, je

hebt gewonnen. Haal de *Marie-Joseph* maar!' Ik keek naar hem en hij schudde zijn hoofd naar me. 'Het gaat niet. Het lukt ons nu niet meer. Dan kunnen we het net zo goed maar afmaken, hè?'

Jojo grijnsde. Hij had de hele tijd staan kijken en achter elkaar sigarettenpeuken staan roken, zonder iets te zeggen. Vol afkeer begon ik terug te waden naar het strand. De anderen volgden, worstelend in hun natte kleding. Flynn liep het dichtstbij; hij hield zijn hoofd naar beneden en zijn handen onder zijn oksels.

'We hadden hem bijna los,' zei ik tegen hem. 'Het had ons kunnen lukken. Als we die stomme neus maar op zijn plaats hadden kunnen houden.'

Flynn mompelde iets onverstaanbaars.

'Wat zei je?'

Hij zuchtte. 'Misschien kun je wanneer je uitgeraasd bent de tractor gaan halen? Ze hebben hem straks nodig bij Les Immortelles.'

'Ik denk dat we voorlopig nergens heen gaan.'

'Reageer je niet op mij af. Misschien weet je nog dat ik meteen al zei dat...'

'Ja, ja. Je hebt het echt geprobeerd.'

De teleurstelling maakte mijn stem hard. Alain keek even op en wendde toen zijn blik af. Ik zag dat hij zich ervoor schaamde dat hij naar me geluisterd had. De kleine groep toeschouwers uit Houssin begon ironisch te applaudisseren. De Salannais verbeten zich. Aristide, die vanaf de pier had staan toekijken, keek me afkeurend aan. Xavier, die tijdens de hele reddingspoging bij zijn opa was gebleven, lachte me over de stalen randen van zijn bril heen ongemakkelijk toe.

'Ik hoop dat je het de moeite waard vond,' zei Aristide met zijn scherpe stem.

'Het had kunnen lukken,' zei ik.

'Want terwijl jij zo druk bezig was te bewijzen dat je je mannetje kon staan, verloor Guénolé zijn boot.'

'Ik heb het in ieder geval geprobeerd,' zei ik gebelgd.

De oude man haalde zijn schouders op. 'Waarom zouden we een Guénolé helpen?' Zwaar op zijn stok leunend begon hij terug te lopen over de pier. Xavier volgde hem zwijgend.

Het duurde nog twee uur voordat de *Eleanore* op het strand lag en nog een half uur voordat we hem vanaf het natte zand op de trailer gemanoeuvreerd hadden. Het tij was inmiddels op zijn hoogst en het werd donker. Jojo rookte zijn sigaretjes en kauwde op de losse tabak van de peuken; af en toe spoog hij een straal sap tussen zijn voeten op het zand. Op aandringen van Alain sloeg ik het trage proces voorbij de vloedlijn gade en wachtte ik totdat er weer gevoel kwam in mijn gekneusde arm.

Eindelijk was de klus geklaard en ging iedereen rusten. Flynn ging op het droge zand zitten met zijn rug tegen het wiel van de tractor. Capucine en Alain staken een Gitane op. Aan deze kant van het eiland was het vasteland duidelijk zichtbaar; het werd verlicht door een oranje gloed. Af en toe zond een *balise* – een lichtboei – knipperend zijn simpele boodschap uit. De koude lucht was paars, aan de rand melkachtig, en tussen de wolken begonnen de eerste sterren te verschijnen. De wind van zee sneed door mijn natte kleren en deed me huiveren. Flynns handen bloedden. Zelfs bij het zwakke licht zag ik nog waar de natte touwen in zijn handpalmen hadden gesneden. Ik had er een beetje spijt van dat ik tegen hem geschreeuwd had. Ik was vergeten dat hij geen handschoenen droeg.

Ghislain kwam naast me staan. Ik hoorde hem vlak bij mijn nek ademhalen. 'Gaat het? Je kreeg een enorme opdonder van die boot, zeg.'

'Ja hoor.'

'Je hebt het koud. Je rilt. Zal ik...'

'Laat maar. Het gaat best.'

Ik denk dat ik niet zo kortaf tegen hem had moeten doen. Hij bedoelde het goed. Maar zijn stem had iets, iets afgrijselijk beschermends. Sommige mannen reageren zo op mij. Ik meende in de schaduw van het tractorwiel Flynn zachtjes spottend te horen lachen. Ik merkte dat niemand vroeg hoe het met hem ging.

Ik was er heel zeker van geweest dat GrosJean uiteindelijk zou komen opdagen. Nu we al zover gevorderd waren, vroeg ik me af waarom hij weg was gebleven. Hij moest het inmiddels toch gehoord hebben. Ik veegde met een moedeloos gebaar mijn ogen af.

Ghislain hield me boven zijn Gitane nog steeds in de gaten. In het halfdonker gaf zijn lichtgevende T-shirt een ziekelijke gloed af. 'Weet je zeker dat het gaat?'

Ik glimlachte mat naar hem. 'Het spijt me. We hadden de *Eleanore* moeten redden. Hadden we maar meer mensen gehad.' Ik wreef over mijn armen om een beetje warm te worden. 'Ik denk dat Xavier misschien ook wel had geholpen als Aristide er niet bij was geweest. Ik zag dat hij wel wilde.'

Ghislain zuchtte. 'Xavier en ik konden altijd goed met elkaar opschieten,' zei hij. 'Hij is natuurlijk wel een Bastonnet, maar dat leek toen niet zo belangrijk. Maar tegenwoordig verliest Aristide hem geen moment uit het oog en...'

'Die akelige oude man. Wat mankeert hem?'

'Ik denk dat hij bang is,' zei Ghislain. 'Hij heeft alleen nog maar Xavier. Hij wil dat hij op het eiland blijft en met Mercédès Prossage trouwt.'

'Mercédès? Het is een knappe meid.'

'Ja, best wel.' Het was te donker, maar uit de klank van zijn stem kon ik opmaken dat hij bloosde.

We zagen de lucht donkerder worden. Ghislain rookte zijn sigaret op, terwijl Alain en Matthias de schade aan de *Eleanore* opnamen. Die was groter dan we hadden gevreesd. De rotsen hadden de bodem er helemaal afgestript. Van het roer was niet veel meer over en de motor was weg. De gelukskraal die mijn vader op al zijn boten aanbracht, hing aan de resten van de mast. Ik liep erachteraan toen de mannen de boot de weg op sleepten. Ik voelde me uitgeput en ziek. Terwijl ik meeliep, viel het me op dat de oude golfbreker aan het andere uiteinde van het strand verstevigd was met blokken steen, zodat er een brede dam gevormd werd, die reikte tot aan La Jetée.

'Die is nieuw, hè?' zei ik.

Ghislain knikte. 'Dat heeft Brismand laten doen. De afgelopen paar jaar is er vaak zwaar weer geweest. Dan werd het zand weggespoeld. Die stenen bieden een beetje bescherming.'

'Dat hebben jullie in Les Salants ook nodig,' merkte ik op, terwijl ik aan de schade bij La Goulue dacht.

Jojo grijnsde. 'Ga er maar met Brismand over praten. Die weet vast wel wat er gedaan moet worden.'

'Wij hém iets vragen?' mompelde Ghislain.

'Jullie Salannais zijn zo koppig als wat,' zei Jojo. 'Jullie zien liever het hele zaakje in zee verdwijnen dan dat jullie een eerlijke prijs betalen voor herstelwerkzaamheden.'

Alain keek hem aan. Jojo's grijns werd even breder, waardoor zijn tandstompjes zichtbaar werden. 'Ik heb altijd al tegen je vader gezegd dat hij zich moest verzekeren,' merkte hij op. 'Maar hij wou nooit luisteren.' Hij keek even naar de *Eleunore*. 'Die kiel moest toch nodig vernieuwd worden. Neem iets nieuws. Iets moderns.'

Alain hapte niet. 'Die boot is nog prima. Deze oude boten zijn zo ongeveer onverwoestbaar. Het ziet er erger uit dan het is. Hij moet een beetje opgelapt worden, een nieuwe motor erin...'

Jojo lachte en schudde zijn hoofd. 'Dat is nou echt weer een Salannais,' vond hij. 'Kop vol stenen. Lap jij hem maar op, hoor. Dat kost je tien keer meer dan hij waard is. En dan? Wil je weten wat ik tijdens het hoogseizoen verdien op één dag, gewoon met tochtjes maken?'

Ghislain keek hem vuil aan. 'Misschien heb jij die motor wel ingepikt,' daagde hij hem uit, 'om tijdens een van je tochtjes naar de kust te verkopen. Jij bent altijd aan het handelen. Niemand stelt vragen.'

Jojo lachte zijn tanden bloot. 'Ik merk dat jullie Guénolés jullie mondje nog steeds kunnen roeren,' zei hij. 'Je grootvader was net zo. Zeg, hoe is die rechtszaak tegen de Bastonnets eigenlijk afgelopen? Hoeveel heb je eraan verdiend? En hoeveel heeft hij je gekost, denk je? En je vader? En je broer?'

Ghislain sloeg verlegen zijn ogen neer. Iedereen in Les Salants weet dat de rechtszaak Guénolé-Bastonnet twintig jaar gelopen had en beide partijen geruïneerd had. De aanleiding – een bijna vergeten twist over oesterbedden op La

Jetée – was reeds lang voordat de rechtszaak afliep academisch geworden, aangezien wandelende zandbanken het omstreden gebied hadden opgeslokt, maar de vijandelijkheden werden voortgezet en gingen van generatie op generatie over, alsof men de verkwiste erfenis wilde compenseren.

'Je motor is waarschijnlijk de baai uit gespoeld,' zei Jojo, met een loom gebaar naar La Jetée. 'Of je vindt hem bij La Goulue, als je diep genoeg graaft.' Hij spuugde een prop natte tabak op het zand. 'Ik heb gehoord dat jullie gisterenavond ook de heilige zijn kwijtgeraakt. Jullie letten niet bepaald goed op, hè?'

Alain bleef met moeite kalm. 'Jij hebt gemakkelijk lachen, Jojo,' zei hij. 'Maar ze zeggen dat het tij zomaar kan keren, ook hier. Als jullie dit strand niet hadden...'

Matthias knikte. 'Dat klopt,' gromde hij. Het eilandaccent van de oude man was zo zwaar dat het zelfs mij moeite kostte te volgen wat hij zei. 'Dit strand is jullie geluksbrenger. Vergeet dat nooit. Het had net zo goed van ons kunnen zijn.'

Jojo lachte krassend. 'Van jullie!' zei hij honend. 'Als het van jullie was geweest, hadden jullie het allang verpest! Zoals jullie alles verpesten.'

Matthias zette een stap naar voren. Zijn oude handen trilden. Alain legde zijn hand waarschuwend op zijn vaders arm. 'Zo is het genoeg. Ik ben moe. En er is morgen werk te doen.'

Maar iets in wat er gezegd was liet me niet meer los. Het had iets te maken met La Goulue, en met La Bouche, en de geur van wilde knoflook in de duinen. *Het had net zo goed van ons kunnen zijn.* Ik probeerde erachter te komen wat het was, maar ik had het te koud en was te moe om helder te kunnen denken. Bovendien had Alain gelijk: het maakte allemaal toch niets uit. Ook voor mij was er de volgende ochtend van alles te doen.

11

TOEN IK THUISKWAM, LAG MIJN VADER IN BED. IK WAS IN ZEkere zin opgelucht. Ik voelde me op dit moment niet in staat een gesprek te beginnen dat misschien bitter zou eindigen. Ik legde mijn natte kleren bij de kachel te drogen, dronk een glas water en ging naar mijn kamer. Ik merkte toen ik het schemerlampje uitdeed dat er naast mijn bed een potje met wilde bloemen was neergezet, roze bloemetjes, blauwe distels en hazenstaartjes. Het was een absurd ontroerend gebaar van mijn nuchtere vader en ik lag een tijdje wakker doordat ik probeerde het allemaal te begrijpen, totdat ik uiteindelijk overmand werd door slaap; even later was het ineens ochtend.

Toen ik wakker werd, ontdekte ik dat GrosJean al weg was. Hij was altijd al vroeg opgestaan; 's zomers werd hij om vier uur wakker en maakte hij lange wandelingen langs de kust. Ik kleedde me aan, ontbeet en volgde zijn voorbeeld.

Om negen uur kwam ik bij La Goulue kwam. Het stond er vol met Salannais. Even vroeg ik me af waarom; toen herinnerde ik me weer dat Sainte-Marine verdwenen was, iets dat de vorige dag tijdelijk naar de achtergrond was gedrongen door het verlies van de *Eleanore*. Deze ochtend was het zoeken naar de vermiste heilige weer begonnen zodra het tij het toestond, maar ze was nog spoorloos.

Het halve dorp leek mee te zoeken. Alle vier de Guénolés

waren er en kamden de modderbanken uit. Een groep toeschouwers had zich verzameld op de kiezelstrook beneden langs het pad. Mijn vader bevond zich ver voorbij de branding. Hij was gewapend met een lange, houten hark en zwaaide er met methodische traagheid mee heen en weer over de zeebedding. Af en toe stond hij stil om een steen of een kluit wier weg te halen.

Aan één kant van de kiezelstrook zag ik Aristide en Xavier de operatie gadeslaan, maar er niet aan deelnemen. Achter hen lag Mercédès te zonnebaden en een tijdschrift te lezen. Charlotte stond met haar gebruikelijke angstige blik toe te kijken. Ik zag dat Xavier de blik van de meeste mensen ontweek, maar die van Mercédès wel het meest.

Aristide had iets sombers en vrolijks tegelijk, alsof iemand anders slecht nieuws had ontvangen. 'Wat een pech met de *Eleanore*, hè? Alain zegt dat ze zesduizend frank vragen voor de reparatie, in La Houssinière.'

'Zesduizend?' Het was meer dan de boot waard was en zeker meer dan de Guénolés zich konden veroorloven.

'Ha.' Aristide lachte zuur. 'Zelfs Rouget zegt dat de boot dat niet waard is.'

Ik keek langs hem heen naar de horizon; een gele streep tussen de wolken verlichtte de kale vlakte met een ziekelijk schijnsel. Een paar vissers hadden over de monding van de kreek hun netten uitgespreid en plukten omstandig het zeewier eraf. Ze hadden de *Eleanore* verder de oever op getrokken en hij lag nu op de modder. De spanten lagen bloot als de ribben van een dode walvis.

Achter me rolde Mercédès elegant op haar zij. 'Als ik het allemaal zo hoor,' zei ze met een heldere stem, 'zou het beter zijn geweest als zíj zich er niet mee had bemoeid.'

'Mercédès!' kreunde haar moeder. 'Dat zeg je toch niet!'

Het meisje haalde haar schouders op. 'Het is toch zo? Als ze niet zoveel tijd hadden verspild...'

'Hou je mond!' Charlotte keerde zich geagiteerd naar me om. 'Sorry, hoor. Ze is erg gespannen.'

Xavier leek slecht op zijn gemak. 'Jammer,' zei hij zacht tegen me. 'Het was een goeie boot.'

'Dat was het ook. Mijn vader heeft hem gebouwd.' Ik keek over de vlakte naar de plek waar GrosJean nog steeds bezig was. Hij was ongeveer een kilometer ver in zee; zijn kleine, koppige gestalte was tegen de wazige lucht bijna niet te zien. 'Hoe lang is hij al bezig?'

'Een uur of twee. Sinds het eb begon te worden.' Xavier haalde zijn schouders op en ontweek mijn blik. 'Ze kan nu overal zijn.'

De Guénolés voelden zich blijkbaar verantwoordelijk. Door het verlies van hun *Eleanore* was de zoektocht uitgesteld en de dwarsstromingen die afkomstig waren van La Jetée hadden de rest gedaan. Alain was van mening dat Sainte-Marine ergens in de baai begraven lag en dat alleen een wonder haar terug kon brengen.

'La Bouche, de *Eleanore* en nu weer dit.' Dat was Aristide, die me nog steeds met een uitdrukking van bedrieglijke opgewektheid gadesloeg. 'Zeg, heb je je vader al van Brismand verteld? Of is dat de volgende verrassing?'

Ik keek hem geschrokken aan. 'Brismand?'

De oude man lachte zijn tanden bloot. 'Ik vroeg me af hoe lang het zou duren voordat hij zou komen rondsnuffelen. Een plek in Les Immortelles in ruil voor het land? Heeft hij je dat aangeboden?'

Xavier keek even naar mij en toen naar Mercédès en Charlotte. Beiden luisterden aandachtig. Mercédès deed niet meer alsof ze las en hield me over haar tijdschrift heen met halfopen mond in de gaten.

Ik bleef de oude man strak aankijken omdat ik me niet wilde laten dwingen een leugen te vertellen. 'Wat ik eventueel met Brismand besproken heb, gaat alleen mij aan. Ik ga er met jou niet over praten.'

Aristide haalde zijn schouders op. 'Dus ik had gelijk,' zei hij met bittere voldoening. 'Je speelt onder één hoedje met de Houssins.'

'Dit heeft niets met Salannais en Houssins te maken,' zei ik.

'Het gaat natuurlijk om wat het beste is voor GrosJean. Dat zeggen ze toch? Dat het allemaal voor je bestwil is?'

Ik heb altijd al flink kwaad kunnen worden. Ik word het niet gauw, maar als ik op stoom kom, kun je je maar beter bergen. Ik voelde het nu gebeuren. 'En wat weet jij daarvan?' zei ik hard. 'Is er ooit iemand teruggekomen om voor jóú te zorgen?'

Aristide verstijfde. 'Dat heeft er niets mee te maken,' zei hij.

Maar ik was niet meer te houden. 'Sinds ik ben aangekomen, zit je al op me te vitten,' zei ik. 'Wat je niet kunt begrijpen is dat ik van mijn vader houd. Jij houdt van niemand!'

Aristide kromp ineen alsof ik hem een klap had gegeven en op dat moment zag ik hem zoals hij was: niet meer als een boosaardige trol, maar als een vermoeide oude man, verbitterd en bang. Er welden medelijden en treurigheid in me op, zowel om hem als om mezelf. Ik was toch vol goede bedoelingen naar huis teruggekeerd, dacht ik hulpeloos. Waarom was daar nog maar zo weinig van over?

Maar er zat nog vechtlust in Aristide; hij keek me uitdagend aan, ook al wist hij dat ik gewonnen had. 'Waarom zou je anders zijn teruggekomen?' zei hij zacht. 'Waarom zou een mens terugkeren, als hij niet ergens op uit was?'

'Schaam je, Aristide, ouwe jan-van-gent.' Dat was Toinette, die stilletjes over het pad achter ons aan was komen lopen. Onder de flappen van haar *quichenotte* was haar gezicht bijna niet te zien, maar ik zag wel haar ogen, helder als die van een vogel, glanzen. 'Naar domme roddel luisteren, op jouw leeftijd? Jij zou beter moeten weten.'

Verschrikt keerde Aristide zich om. Toinette was naar eigen zeggen bijna honderd; vergeleken bij haar was hij met zijn zeventig jaar nog maar een broekie. Ik zag het onwillige respect op zijn gezicht, en een soort schaamte. 'Toinette, Brismand was bij hen thuis...'

'Ja, en waarom zou hij daar niet zijn?' De oude vrouw deed een stap naar voren. 'Het kind is familie van hem, hè. Denk je dat zij zich druk maakt om jullie oude vetes? Die hebben de laatste vijftig jaar Les Salants toch alleen maar verscheurd?'

'En toch zeg ik...'

'Jij zegt niks.' Toinettes ogen vonkten als vuurwerk. 'En als ik merk dat je nog meer van die gemene praatjes hebt verspreid, dan...'

Aristide keek gemelijk. 'Het is een eiland, Toinette. Je hoort nou eenmaal van alles. Het is niet mijn schuld als GrosJean erachter komt.'

Toinette liet haar blik over de vlakte dwalen en keek toen naar mij. Er lag bezorgdheid op haar gezicht en ik wist op dat moment dat het al te laat was. Aristides gif had zich al verspreid. Ik vroeg me af wie hem over het bezoek van

Brismand had verteld; hoe hij dat allemaal had kunnen raden.

'Wees maar niet bang. Ik zal hem terechtwijzen. Naar mij luistert hij wel.' Toinette nam mijn hand tussen haar handen; ze waren dor en zo bruin als drijfhout. 'Kom maar mee,' zei ze energiek, terwijl ze me meetrok over het pad. 'Je hebt er niks aan als je hier blijft rondhangen. Kom met me mee naar huis.'

'Huis' was een huisje met één vertrek aan het eind van het dorp. Het was zelfs voor eilandbegrippen ouderwets: het had vuurstenen muren en een laag dak van bemoste dakpannen dat werd geschraagd door zwartberookte balken. Deur en ramen waren heel klein, bijna popperig, en het toilet was een bouwvallig keetje naast het huis, achter de houtstapel. Toen we dichterbij kwamen, zagen we een geit van het gras eten dat op het dak groeide.

'En nu heb je het gedaan,' zei Toinette, terwijl ze de voordeur openduwde.

Ik moest bukken om de bovendorpel te ontwijken. 'Ik heb niets gedaan.'

Toinette zette de *quichenotte* af en keek me streng aan. 'Bij mij hoef je niet met dat verhaal aan te komen, meisje,' zei ze. 'Ik weet alles van Brismand en zijn plannetjes. Hij heeft met mij precies hetzelfde geprobeerd: een plek in Les Immortelles in ruil voor mijn huis. Hij beloofde zelfs de begrafenis te zullen regelen. Begráfenis regelen!' Ze giechelde. 'Ik heb tegen hem gezegd dat ik van plan was eeuwig te leven!' Ze beheerste zich en keerde zich naar me toe. 'Ik ken hem. Hij zou als het hem uitkwam een non nog weten te verleiden. Bovendien heeft hij plannen voor Les Salants.

Plannen waar wij niet in voorkomen.'

Ik had dat bij Angélo ook al gehoord. 'Als dat zo is, kan ik me niet indenken wat dat voor plannen zijn,' zei ik. 'Hij is goed voor me geweest, Toinette. Beter dan de meeste Salannais.'

'Aristide.' De oude vrouw fronste haar voorhoofd. 'Val hem niet te hard, Mado.'

'Waarom niet?'

Ze prikte in me met haar stakerige vinger. 'Je vader is hier niet de enige die geleden heeft,' zei ze streng. 'Aristide is twee zoons kwijtgeraakt, een aan de zee en de andere door zijn eigen koppigheid. Dat heeft hem zuur gemaakt.'

Zijn oudste zoon, Olivier, was in 1972 omgekomen bij een ongeluk tijdens het vissen. Zijn jongste zoon, Philippe, had de tien jaar daarna doorgebracht in een huis dat een stille schrijn voor Olivier was geworden. 'Hij is natuurlijk ontspoord.' Toinette schudde haar hoofd. 'Hij kreeg iets met een meisje uit La Houssinière. Je begrijpt wel hoe Aristide daarover dacht.'

Ze was zestien geweest. Toen ze besefte dat ze zwanger was, was Philippe in paniek geraakt, en ze waren naar het vasteland gevlucht, zodat Aristide en Désirée waren opgezadeld met de boze ouders van het meisje. Vanaf dat moment was het in huize Bastonnet verboden de naam Philippe te noemen. Oliviers weduwe was een paar jaar later aan meningitis gestorven en had Xavier, haar enige zoon, aan de zorg van zijn grootouders toevertrouwd.

'Xavier is nu hun enige hoop,' legde Toinette uit. Ghislain had woorden van dezelfde strekking gebruikt. 'Alles wat Xavier wil, krijgt hij. Alles, als hij maar hier blijft.'

Ik dacht aan Xaviers bleke, uitdrukkingloze gezicht, zijn

rusteloze ogen achter de brillenglazen. Als Xavier trouwde, had Ghislain me verteld, zou hij zeker blijven. Toinette raadde mijn gedachten. 'O ja, hij is van kleins af aan min of meer voor Mercédès voorbestemd geweest,' zei ze. 'Maar mijn kleindochter is een eigenzinnig type. Ze heeft zo haar eigen ideeën.'

Ik dacht aan Mercédès, aan haar norse blik en aan de klank van Ghislains stem wanneer hij over haar sprak.

'Ze zou ook nooit met een arme man trouwen,' zei Toinette. 'Zodra de Guénolés hun boot kwijt waren, waren de kansen van hun jongen verkeken.'

Ik dacht erover na. 'Wil je zeggen dat de Bastonnets de *Eleanore* hebben geruïneerd?'

'Ik zeg niets. Ik verspreid geen roddel. Maar wat er ook met die boot gebeurd is, jij had je er zéker niet mee moeten bemoeien.'

Weer dacht ik aan mijn vader. 'Hij hield van die boot,' zei ik koppig.

Toinette keek me aan. 'Misschien wel, ja. Maar de *Eleanore* is ook de boot die P'titJean meenam op zijn laatste reis en die op de dag waarop hij omkwam, ronddobberend werd gevonden. Sindsdien moet je vader telkens wanneer hij die boot zag, zijn broer voor zich hebben gezien die om hulp riep. Geloof me, het is beter voor hem als hij er niet meer is.' Toinette glimlachte en pakte mijn hand. Haar kleine vingers waren zo droog en licht als dode bladeren.

'Maak je maar niet zoveel zorgen om je vader, Mado,' zei ze. 'Het komt wel goed. Ik praat wel met hem.'

12

Toen ik een half uur later thuiskwam, merkte ik dat GrosJean ook thuis was geweest. De deur stond op een kier en zodra ik dichterbij kwam, wist ik al dat er iets mis was. Een sterke alcoholgeur kwam me vanuit de keuken tegemoet en op het moment dat ik naar binnen stapte, knerpte er glas van een gebroken kruidenbitterfles onder mijn voeten.

Dat was nog maar het begin.

Hij had al het aardewerk en glas dat hij maar kon vinden, kapotgesmeten. Alle kopjes, borden en flessen waren kapot. Mijn moeders Jean de Bretagneschalen, het theeservies, het rijtje likeurglazen in het buffet. De deur van mijn kamer stond open, de inhoud van mijn dozen met kleren en boeken lag overal verspreid. De vaas naast mijn bed was stukgetrapt, de bloemen in het verbrijzelde glas gedrukt. De stilte was eng en trilde nog na van zijn woede.

Dit was niet helemaal nieuw voor me. Mijn vaders aanvallen van razernij waren niet veelvuldig, maar wel angstaanjagend geweest en werden altijd gevolgd door een stilte die dagen, soms weken aanhield. Mijn moeder zei dat de stiltes haar nog het meest op de zenuwen hadden gewerkt; de lange periodes waarin niets gebeurde, de tijden waarin hij alleen maar voor zijn vaste rituelen leek te bestaan – zijn bezoekjes aan La Bouche, zijn dranksessies bij Angélo en zijn eenzame wandelingen langs de kust.

Ik ging op bed zitten omdat mijn benen het bijna bega-
ven. Wat had deze nieuwe uitbarsting veroorzaakt? Het verlies van de heilige? Het verlies van de *Eleanore*? Iets anders?

Ik dacht weer aan wat Toinette me over P'titJean en de
Eleanore had verteld. Ik had dat nooit geweten. Ik probeerde me voor te stellen wat mijn vader gevoeld moest hebben
toen hij het nieuws hoorde. Was hij misschien verdrietig geweest omdat zijn oudste creatie verloren was gegaan? Was hij
opgelucht geweest dat P'titJean eindelijk rust had gekregen?
Ik begon te begrijpen waarom hij niet bij de bergingspoging
was geweest. Hij wílde dat de boot verloren zou gaan. En ik
was zo dom geweest te proberen hem te redden.

Ik raapte een boek op, een van de boeken die ik had achtergelaten, en streek de omslag glad. Zijn woede leek zich
vooral op boeken te hebben gericht; uit sommige waren
bladzijden gescheurd, andere waren vertrapt. Ik was de enige van ons geweest die van boeken had gehouden; moeder
en Adrienne hadden de voorkeur gegeven aan tijdschriften
en de televisie. Daarom had ik nu sterk het gevoel dat dit
vandalisme een rechtstreekse aanval op mij was.

Pas een paar minuten later kwam het bij me op eens in
Adriennes kamer te gaan kijken. Die was natuurlijk on-
aangeroerd. GrosJean leek niet eens binnen te zijn geweest.
Ik deed mijn hand in mijn zak om te kijken of de verjaardagsfoto er nog in zat. Hij was er nog. Adrienne lachte naar
me over het gat heen waar ik in had gezeten. Haar lange haar
verborg haar gezicht gedeeltelijk. Ik herinnerde me weer dat
ze op mijn verjaardag altijd een cadeautje had gekregen. Dat
jaar was het de jurk geweest die ze op de foto droeg – een
witte hemdjurk met rood borduursel. Ik had mijn eerste
hengel gekregen. Ik was er natuurlijk blij mee geweest, maar

ik vroeg me soms af waarom nooit eens iemand een jurk voor míj kocht.

Ik lag lange tijd op Adriennes bed met de geur van *devinnoise* in mijn neus en de verbleekte roze sprei tegen mijn gezicht. Toen stond ik op. Ik zag mezelf in de spiegel van haar klerenkast; bleek, opgezette ogen, sluik haar. Ik keek goed. Toen verliet ik, voorzichtig over de glasscherven lopend, het huis. Wat er met GrosJean ook aan de hand mocht zijn, zo hield ik mezelf voor, wat er met Les Salants ook aan de hand mocht zijn, ik was niet degene die daar iets aan kon veranderen. Zoveel had hij wel duidelijk gemaakt. Hier hield mijn verantwoordelijkheid op.

Ik ging naar La Houssinière met een groter gevoel van opluchting dan ik wilde toegeven. Ik had het geprobeerd, dacht ik telkens weer. Ik had het echt geprobeerd. Al had ik maar een béétje steun gehad. Maar mijn vaders stilzwijgen, de onverhulde vijandigheid van Aristide, zelfs de ambigue vriendelijkheid van Toinette lieten me zien dat ik alleen stond. Zelfs Capucine zou, wanneer ze achter mijn bedoelingen kwam, waarschijnlijk mijn vaders kant kiezen. Ze was altijd dol op GrosJean geweest. Nee, Brismand had gelijk. Iemand moest redelijk zijn. En de Salannais, die wanhopig vasthielden aan hun bijgeloof en tradities, terwijl de zee hun elk jaar meer ontnam, zouden het waarschijnlijk niet begrijpen. Het werd Brismand. Als ík GrosJean niet tot rede kon brengen, dan konden Brismands artsen dat misschien.

Ik nam de omweg naar Les Immortelles, die langs La Bouche leidde, waar het water in de verte alweer ruisend op kwam zetten. Daarvoorbij, op het smalste punt van het eiland, kun je water aan twee kanten tegelijk zien wassen. Op een dag zal de taille die de twee delen van Le Devin met elkaar verbindt, overstroomd worden en zal Les Salants voorgoed van La Houssinière worden afgesneden. Wanneer dat gebeurt, dacht ik, betekent dat het einde van de Salannais.

Ik was zo in mijn gedachten verdiept dat ik bijna Damien Guénolé niet had gezien, die stilletjes tegen een rots boven me een sigaret zat te roken. De jongen droeg een leren jack dat tot aan zijn keel was dichtgeritst, en vislaarzen. Zijn vistas en hengel lagen naast hem.

'Sorry,' zei hij, toen hij me zag schrikken. 'Ik wilde je niet aan het schrikken maken.'

'Het geeft niet. Ik verwachtte hier niemand.'

'Ik vind dit een prettige plek,' zei Damien. 'Het is er rustig. Niemand valt je hier lastig.' Hij keek uit over zee; zijn ogen weerspiegelden de zeegroene teint. 'Ik kijk hier graag naar het opkomende water. Net een oprukkend leger.' Hij nam een lange haal aan zijn sigaret, die hij in zijn gekromde hand hield om hem tegen de wind te beschermen. Hij keek me niet aan, maar staarde langs me heen naar de ondiepten bij La Jetée met hun schuimranden en naar de grijsheid daarachter, helemaal tot het vasteland. Zijn uitdrukking had iets dubbels: kinderlijk en vreemd hard tegelijk.

'Binnenkort is het toch met ons gedaan,' zei hij zacht. 'Met alle Salannais. Dan zijn we allemaal verdwenen, en dat is maar goed ook.' Hij bracht zijn sigaret weer naar zijn mond; even werd zijn gezicht verlicht. 'Die Houssins zien het wel goed,' zei hij beslist. 'Beton erover en opnieuw beginnen. Ik moet je zeggen: ik kan niet wachten tot het zover is.'

Ik was halverwege toen ik Flynn ontmoette, die van de andere kant kwam. Ik had niet verwacht iemand te zullen zien

– het kustpad was smal en werd niet vaak gebruikt – maar hij leek niet verbaasd me te zien. Zijn manier van doen leek deze ochtend anders. De opgewekte nonchalance was vervangen door een behoedzame neutraliteit en zijn ogen blonken niet. Ik vroeg me af of het kwam door wat er de avond ervoor met de *Eleanore* was gebeurd, en ik voelde een beklemming om mijn hart.

'Nog geen spoor van de heilige?' Mijn opgewektheid klonk zelfs mij vals in de oren.

'Je gaat naar La Houssinière.' Het was geen vraag, maar ik merkte dat hij toch een antwoord verwachtte. 'Brismand opzoeken,' vervolgde hij, op dezelfde neutrale toon.

'Iedereen lijkt zeer geïnteresseerd in wat ik allemaal doe,' zei ik.

'Dat is maar beter ook.'

'Wat bedoel je daarmee?' Ik hoorde hoe scherp mijn stem klonk.

'Niets.' Hij leek zijn weg te willen vervolgen en deed een stap opzij om me de ruimte te geven. Zijn ogen keken al naar iets anders. Plotseling leek het me heel belangrijk hem tegen te houden. Hij zou mijn standpunt vast wel begrijpen.

'Toe. Jij bent zijn vriend,' begon ik. Ik wist dat hij begreep wie ik bedoelde.

Hij zweeg even. 'Ja, en?'

'Nou, misschien kun jij met hem praten. Hem er op de een of andere manier toe overhalen.'

'Hè?' zei hij. 'Hem ertoe overhalen weg te gaan?'

'Hij heeft zorg nodig. Ik moet hem dat laten inzien. Iemand moet iets doen.' Ik dacht aan het huis, aan het kapotte glas en de verminkte boeken. 'Hij doet zichzelf misschien nog iets aan,' zei ik ten slotte.

Flynn keek me aan en ik zag tot mijn schrik dat zijn ogen een harde uitdrukking hadden. 'Het klinkt niet onredelijk,' zei hij zacht. 'Maar jij en ik weten wel beter, toch?' Hij lachte onaangenaam. 'Het gaat om jóú. Dat geklets van "iemand moet iets doen" – dat zeggen ze uiteindelijk allemaal. Je moet maar zien.'

Ik probeerde hem uit te leggen dat het zo niet zat. Maar wat heel natuurlijk had geklonken toen Brismand het had gezegd, klonk uit mijn mond vals en hulpeloos. Ik zag dat Flynn dat dacht, dat ik het voor mezelf deed, voor mijn eigen veiligheid, of zelfs als een soort wraak op GrosJean voor al die jaren van zwijgen. Zo zat het niet, probeerde ik hem uit te leggen. Ik wist zeker dat het niet zo zat.

Maar Flynn had zijn belangstelling verloren. Hij haalde zijn schouders op, knikte en was verdwenen. Hij liep even snel en stil over het pad als een stroper en ik stond hem met groeiende woede en verwarring na te kijken. Wat dacht hij eigenlijk wel? Wat gaf hem het recht over mij te oordelen?

Toen ik bij Les Immortelles kwam, was mijn woede eerder toegenomen dan weggeëbd. Ik durfde niet goed meer met Brismand te praten, ik was bang dat bij het eerste vriendelijke woord de sluizen zouden opengaan en de tranen die al vanaf de dag van mijn aankomst opgekropt waren geweest, zouden gaan stromen. Ik hing dus maar een beetje rond bij de pier en genoot van de kalme klank van het water en de plezierbootjes die over de baai gleden. Het was nog te vroeg voor de toeristen; er lagen er maar een paar hoog op het strand aan de voet van de boulevard, waar een rij pasgeverfde strandhutten op het witte zand stonden.

Ik merkte dat aan de overkant van de straat een jongeman

me vanaf het zadel van een blinkende, Japanse motorfiets gadesloeg. Lang haar voor zijn ogen, sigaret losjes tussen de vingers, strakke spijkerbroek, leren jasje en motorlaarzen. Het duurde even voor ik hem herkende. Joël Lacroix, de knappe en verwende zoon van de enige politieagent op het eiland. Hij liet zijn motor langs de stoep staan en liep over de weg op me af.

'Je bent niet van hier, hè?' vroeg hij, terwijl hij een trek van zijn sigaret nam. Hij herinnerde zich duidelijk niet wie ik was. En waarom zou hij ook? De laatste keer dat we elkaar hadden gesproken was op school geweest, en hij was een paar jaar ouder dan ik.

Hij nam me goedkeurend op, met een grijns op zijn gezicht. 'Ik kan je het eiland laten zien, als je dat wilt,' opperde hij. 'De bezienswaardigheden, of wat daarvoor doorgaat. Er is niet zoveel.'

'Een andere keer, dank je.'

Joël schoot zijn peuk over de weg. 'Waar overnacht je? In Les Immortelles? Of heb je hier familie?'

Om de een of andere reden, misschien vanwege die speculerende blik, had ik er geen zin in te zeggen wie ik was. Ik knikte. 'Ik zit in Les Salants.'

'Dan heb je zeker niet zo'n behoefte aan luxe? Het wilde westen met zijn geiten en zoutmoerassen. De helft van de bevolking heeft zes vingers aan elke hand. Ze hebben daar héél nauwe familiebanden.' Hij rolde met zijn ogen, maar bekeek me toen wat aandachtiger en herkende me alsnog. 'Ik ken jou,' zei hij ten slotte. 'Jij bent die dochter van Prasteau. Monique – Marie...'

'Mado,' zei ik.

'Ik had gehoord dat je terug was. Ik herkende je niet.'

'Ach, waarom zou je ook? We zijn nooit bevriend geweest, toch?'

Joël gooide verlegen zijn haar naar achteren. 'Dus je bent weer terug in Les Salants? Tja, smaken verschillen.' Mijn onverschilligheid had zijn belangstelling bekoeld. Hij stak weer een sigaret op, waarbij hij een Harley-Davidson-aansteker gebruikte, die bijna even groot was als het pakje Gitanes. 'Geef mij maar de stad. Op een dag stap ik op mijn motor en dan ga ik ervandoor. Maakt niet uit waarnaartoe. Ik blijf echt niet de rest van mijn leven op Le Devin.' Hij stopte de aansteker in zijn zak en slenterde terug naar de overkant van de straat, waar zijn Honda stond te wachten. Ik bleef achter voor de strandhutten.

Ik had mijn schoenen uitgedaan en het zand onder mijn tenen was al warm. Weer was ik me bewust van de dikke zandlaag. Op één plaats waren de sporen van de tractor van de avond ervoor nog te zien. Ik herinnerde me weer hoe de wielen van de trailer erin weg waren gezakt toen we aan het zwoegen waren om de verminkte *Eleanore* naar de weg te duwen, hoe het schip onder ons gezamenlijk gewicht weggegleden was en hoe de wilde knoflook in de duinen had geroken...

Ik bleef staan. Die geur. Toen had ik er ook aan gedacht. Op de een of andere manier had ik hem destijds met Flynn geassocieerd, en met iets dat Matthias Guénolé had gezegd; zijn handen hadden getrild van woede vanwege iets dat Jojo-le-Goëland had gezegd, iets over een strand.

Dat was het! *Het had net zo goed van ons kunnen zijn.*

Hoezo? Het tij kan keren, had hij gezegd. Maar waarom had hij het over het strand gehad? Nog steeds kon ik er geen vat op krijgen: het aroma van tijm en wilde knoflook en de zilte geur van de duinen. Nou ja, het was ook niet zo belangrijk. Ik liep tot aan het water, dat nu aan het stijgen was, maar langzaam; het stroomde zachtjes de geulen op het strand in en sijpelde de holten onder de rotsen binnen. Links van me, niet ver van de pier, bevond zich de dam die pas versterkt was met steenblokken, zodat over een lengte van honderd meter een brede golfbreker was ontstaan. Twee kinderen klommen er al op; ik hoorde hun kreten, die sterk op die van de zeemeeuwen in de heldere lucht leken. Ik probeerde me voor te stellen wat een strand voor Les Salants zou hebben betekend, hoeveel handel het zou hebben gebracht, hoeveel leven. Het strand is jullie geluksbrenger, had Matthias gezegd. De sluwe Brismand had zijn reputatie weer eens waargemaakt.

De stenen die de golfbreker vormden, waren nog glad en niet ontsierd door eendenmosselen of zeewier. Aan de voorkant was hij misschien twee meter hoog, aan de achterkant was de hoogte veel geringer. Daar had zich zand opgehoopt, afgezet door de stroming. Ik hoorde er de twee kinderen spelen: ze gooiden opgewonden gillend handenvol wier naar elkaar. Ik keek om naar de strandhutten. De enige die nog bij La Goulue stond, stak hoog boven de grond uit. Ik herinnerde me de lange poten, als die van een insect, verankerd in de rotsbodem. De hutten op Les Immortelles stonden lekker dicht bij de grond; je kon er nauwelijks onder wegkruipen.

Er was meer zand bijgekomen, concludeerde ik.

Plotseling wist ik het: de geur van wilde knoflook werd sterker en ik hoorde Flynn tegen me zeggen dat Toinette zich 'een steiger en een strandje en zo' bij La Goulue herinnerde. Ik had naar de strandhut staan kijken en me afgevraagd waar al het zand was gebleven.

De kinderen gooiden nog met zeewier. Er was een heleboel zeewier aan de achterkant van de golfbreker; niet zoveel als er ooit bij La Goulue was geweest, maar op Les Immortelles kwam iemand het waarschijnlijk elke dag opruimen. Toen ik dichterbij kwam, zag ik dat er tussen het bruin en groen iets roods schemerde, een rood dat me ergens aan deed denken. Ik porde erin met mijn voet en haalde de laag zeewier weg die het bedekte.

Toen herkende ik het. Hij was verfomfaaid door het zeewater, de zijde was gerafeld en het borduurwerk had losgelaten, en het hele geval zat onder het natte zand. Maar een vergissing was uitgesloten. Sainte-Marines ceremonierok, die de avond van het feest verloren was gegaan en nu was aangespoeld, niet bij De Gulzige, zoals te verwachten was geweest, maar hier, bij Les Immortelles, de geluksbrenger van La Houssinière. Meegenomen door het tij.

Het tij.

Plotseling begon ik te beven, maar niet van de kou. We hadden de zuidenwind de schuld van al onze tegenslagen gegeven, maar het was het tíj dat was veranderd, het tij dat ooit de vis naar La Goulue had gebracht en dat het nu beroofde van alles wat het ooit had bezeten, het tij dat nu zó de kreek in stroomde, het dorp in, terwijl Pointe Griznoz ons ooit had beschermd.

Ik staarde lang naar het stuk zijde en durfde nauwelijks adem te halen. Zoveel associaties, zoveel beelden. Ik dacht aan de strandhutten, het zand, de oorspronkelijke golfbreker. Wanneer was hij aangelegd? Wanneer waren het strand en de steiger bij La Goulue weggespoeld? En nu deze nieuwe constructie, zo kort geleden gebouwd op de oude dat zelfs de mosselen zich er nog op moesten vastzetten.

Het een leidt tot het ander; kleine verbanden, kleine veranderingen. Getijden en stromingen kunnen op een eiland dat zo klein en zanderig is als Le Devin, snel veranderen, en het effect van zo'n verandering kan desastreus zijn. Het zand was bij zwaar weer weggespoeld, had Ghislain op de avond van de berging van de *Eleanore* tegen me gezegd. Brismand beschermde zijn investering.

Brismand was vriendelijk voor me geweest; hij had zijn bezorgdheid over de overstromingen geuit. En hij had belangstelling voor GrosJeans land getoond. Hij had ook Toinettes huis willen kopen. Hoeveel anderen had hij benaderd?

Het tij keert zonder jouw toestemming. Dat is een eilandgezegde. Maar de zee is niet geheel een willekeurige kracht. Soms is hij voorspelbaar, zelfs tot op zekere hoogte beheersbaar. De Salannais hebben echter merkwaardig weinig belangstelling voor oorzaak en gevolg van hun omgeving. Het tij bestuderen vinden ze tijdverspilling. Misschien was het hun daarom zo lang ontgaan. Ik keek nog eens naar het stuk gehavende zijde dat deel had uitgemaakt van Sainte-Marines ceremoniële kleding. Een heel kleine aanwijzing die me tot een indrukwekkende conclusie bracht. Maar nu ik dat verband had gelegd, wilde de gedachte niet meer mijn hoofd uit. Zouden de beschermende maatregelen die Brismand had genomen, voor Les Salants het tij hebben gekeerd? En als dat zo was, had hij dat dan geweten?

13

MIJN EERSTE OPWELLING WAS BRISMAND METEEN OP TE ZOE-
ken, maar bij nader inzien leek het me beter dat niet te doen.
Ik zag zijn verbaasde blik al voor me, de pretlichtjes in zijn
ogen; ik hoorde hem al gul lachen wanneer ik mijn vermoedens onder woorden bracht. Bovendien was hij aardig voor
me geweest, bijna een vader. Ik nam het mezelf kwalijk dat
ik zelfs maar verdenkingen tegen hem koesterde.

Maar de overtuiging dat het werk bij La Houssinière de
schade bij Les Salants had veroorzaakt, was zo sterk dat ik er
iets mee moest doen. Het was welbeschouwd een eenvoudig
sommetje en wanneer je het in de praktijk zag gebeuren, was
het overduidelijk.

Capucine en Toinette leken absoluut niet in mijn bevindingen geïnteresseerd. Er waren 's nachts weer overstromingen geweest en er hing zelfs bij Angélo een minder vrolijke
sfeer dan anders, omdat de Salannais hun nieuwe leed in
somber stilzwijgen wegdronken.

'Als je nou de heilige zelf had gevonden...' Toinette grijnsde, waardoor haar lange tanden zichtbaar werden. 'Zij is degene die Les Salants geluk brengt, en niet een strand dat hier
dertig jaar geleden had kunnen zijn. Maar je wou toch niet
zeggen dat Sainte-Marine helemaal naar Les Immortelles is
meegenomen? Dat zou pas écht een wonder zijn.'

Natuurlijk was er nog geen spoor van de vermiste heilige

te bekennen, niet bij de Pointe, en niet bij La Goulue. Ze lag waarschijnlijk ergens begraven, zei Toinette, verzonken in de modder bij La Griznoz, waar ze over twintig jaar waarschijnlijk gevonden zou worden door een kind dat strandgapers opgroef, tenminste, áls ze ooit gevonden werd.

Het algemene gevoel dat in het dorp heerste was dat de heilige Les Salants in de steek had gelaten. De meer bijgelovige types hadden het over een zwart jaar dat in aantocht was; zelfs de jongere dorpsbewoners waren door het verlies ontmoedigd geraakt. 'Het feest van Sainte-Marine was het enige dat we gemeenschappelijk deden,' verklaarde Capucine, terwijl ze een fikse scheut *devinnoise* in haar koffie deed. 'Het was het enige moment waarop we onze krachten bundelden. Nu is dat weer verdwenen, en er is niets tegen te beginnen.'

Ze gebaarde naar het raam, maar ik hoefde niet naar buiten te kijken om te begrijpen wat ze bedoelde. Noch het weer, noch de visserij was erop vooruitgegaan. De hoge waterstanden van augustus waren bijna voorbij, maar in september zou het nog erger worden en de dag-en-nachtevening van oktober zou stormen brengen die vanaf de Atlantische Oceaan over het eiland zouden razen. De Rue de l'Océan was één grote modderpoel. Net als de *Eleanore* was een aantal andere *platts* ook meegevoerd naar zee, ook al waren ze ver voorbij de vloedlijn het strand op getrokken. En wat nog erger was: de makreel leek inmiddels volledig verdwenen en de visserij was stil komen te liggen. Daarbij kwam nog dat de vissers in La Houssinière een periode van ongekende welvaart doormaakten.

'Het is gewoon een vloek,' verklaarde Aristide aan een naburig tafeltje. 'Die rot-Houssins ook. Ze hebben alles overgenomen: de haven, de stad en nu ook nog de vis. Nog even en we hebben alleen nog maar rotsen om ons aan vast te klemmen.' Hij verschoof zijn houten been tot het wat prettiger lag en nam een flinke teug *devinnoise*.

'De zaken in La Houssinière lopen als een trein,' zei Omer van de andere kant van de tafel. 'Mijn Mercédès zegt dat ze de vis met vrachtwagens tegelijk verwerken. Sommige mensen hebben nu eenmaal altijd geluk.'

'Geluk?' Dat was de stem van Matthias Guénolé, die terneergeslagen en alleen naast de bar zat te drinken. 'Geluk is niet het juiste woord. Geld, dat hebben ze. Centen en een behoorlijke zeewering. Dat zouden wij ook wel kunnen gebruiken.'

'Daar gaan we weer,' zei Aristide minachtend. 'Je klinkt als een oud wijf.' Hij keek me even dreigend aan; Aristide maakte er geen geheim van dat er bij Angélo geen vrouwen zouden moeten worden toegelaten. 'Ach... wie heeft er nou behoefte aan geluk? Als je geld nodig hebt, kun je bij je vrienden in La Houssinière altijd een lening krijgen.'

Dit was een oud strijdpunt, waarbij de een de ander er altijd valselijk van beschuldigde met de vijand onder één hoedje te spelen.

Matthias stond op. Zijn lange snor trilde. 'Dacht je soms dat ik geld van Brismand zou aannemen? Dacht je dat ik me aan hém zou uitleveren?'

'Jij begon over zeeweringen, niet ik!'

De twee oude mannen, die nu allebei stonden, taxeerden elkaar als rivaliserende profeten. Omer, die had zitten luisteren, kwam tussenbeide. 'Ophouden jullie.' Zijn goedaardige gezicht stond ongewoon strak. 'Jullie zijn niet de enigen die problemen hebben.'

Aristide keek enigszins beschaamd; ondanks Omers pogingen zijn huis met zandzakken te beschermen, was het een van de zwaarst getroffen huizen.

'Dat is waar,' voegde Toinette eraan toe. 'Jullie ouwe vechtersbazen zien Les Salants nog liever verdrinken dan dat jullie ook maar even jullie meningsverschillen vergeten.'

Aristide ging met een onverschillige houding weer zitten. 'Zeg dat maar tegen Guénolé,' zei hij droog. 'Hij begon over zich uitleveren, niet ik.'

Ik had beter moeten weten en me afzijdig moeten houden. Maar ik kon het niet helpen. Mijn ontdekking bij Les Immortelles lag nog zo vers in mijn geheugen dat ik hem met iedereen wilde delen. Het was een hoopgevend bericht, vond ik, een duidelijk bewijs dat we zelf ons geluk konden scheppen.

'Ik zie niet in waarom Les Salants beschermen neerkomt op je uitleveren,' zei ik, zo zachtmoedig als ik kon.

Aristide keek me minachtend aan. 'Daar gaat ze weer,' zei hij hardop, terwijl hij met zijn stok tegen de tafelpoot tikte. Tik, tik, tik! 'Ik wist dat we niet lang zouden hoeven wachten!'

Ik was vastbesloten niet kwaad op hem te worden. 'Het lijkt wel of het jullie niet kan schelen wat er hier gebeurt,' zei ik, 'zolang de Houssins er maar buiten blijven.'

'Hm.' De oude man wendde zich af. 'Wat kan jou dat schelen? Jij zit toch goed? Jij hebt Brismand achter je staan.'

Het gaf me een ongemakkelijk gevoel dat hij Brismand erbij haalde. Ik was ervan overtuigd dat hij niet had geweten welk effect de zeewering bij Les Immortelles op Les Salants zou hebben, maar toch had ik er niet veel zin in om over dat verband te praten met Aristide, die meteen van het ergste uit zou gaan.

'Je hebt van Brismand een soort duivel gemaakt,' zei ik. 'Misschien wordt het tijd om alles in het juiste perspectief te gaan zien. Om zijn hulp te accepteren in plaats van hem te bestrijden.'

'Hij kan ons niet helpen,' zei Aristide zonder om te kijken. 'Dat kan niemand.'

'Ik begrijp jullie niet!' riep ik uit. 'Wat is er met Les Salants gebeurd? Het is overal een puinhoop, de weg staat half onder water, de boten spoelen weg, de huizen storten in. Waarom doet niemand iets? Waarom zitten jullie gewoon toe te kijken?'

Aristide gaf over zijn schouder antwoord. 'En wat moeten we dan doen? Het water keren, zoals koning Kanoet?'

'Je kunt altijd wel íéts doen,' zei ik. 'Wij kunnen toch ook het water proberen tegen te houden, zoals in La Houssinière? Desnoods met zandzakken de weg beschermen?'

'Zinloos,' zei de oude man bitter, terwijl hij ongeduldig zijn houten been verschoof. 'De zee laat zich niet dwingen. Je kunt net zo goed tegen de wind in spugen.'

De wind voelde goed op mijn gezicht toen ik ontmoedigd de Rue de l'Océan overstak. Wat voor zin had het te willen helpen? Wat voor zin had wat dan ook, als Les Salants weigerde te veranderen? Dit koppige stoïcisme is wat de Salannais kenmerkt, een trek die niet voortkomt uit zelfverzekerdheid, maar uit fatalisme, zelfs uit bijgeloof. Wat had hij ook alweer gezegd? *Je kunt net zo goed tegen de wind in spugen.* Ik raapte een steen op die op de weg lag en smeet hem zo ver ik kon tegen de wind in weg. Hij kwam in een pol *oyat*-gras terecht en verdween. Even dacht ik aan mijn moeder, aan hoe al haar warmte en goede bedoelingen in de loop der tijd waren uitgehold, waardoor ze dor en angstig en vervuld van bittere gedachten was geraakt. Ze had ook van het eiland gehouden, een tijd lang.

Maar ik heb mijn vaders koppigheid in me. Ze maakte er vaak opmerkingen over wanneer we 's avonds in ons appartementje in Parijs zaten. Adrienne leek meer op haar, zei ze: een liefdevol, vriendelijk meisje. Ik was een moeilijk kind, in mezelf gekeerd en stug. Was Adrienne maar niet verplicht geweest naar Tanger te verhuizen...

Ik reageerde niet op dit geklaag. Het had geen zin het zelfs maar te proberen. Ik wees haar allang niet meer op het zo voor de hand liggende feit dat Adrienne zelden schreef of belde, of haar zelfs maar een keer uitnodigde om te komen logeren. Adrienne was niet verplicht geweest waar dan ook heen te gaan; het leek eerder alsof zij en Marin zo ver mogelijk van Le Devin weg hadden willen gaan. Maar voor mijn moeder was Adriennes radiostilte slechts het bewijs dat ze haar nieuwe gezin erg toegewijd was. De paar brieven die we kregen werden gretig bewaard; een polaroidfoto van de kinderen kreeg een ereplaatsje op de schoorsteen. Adriennes nieuwe leven in Tanger, onherkenbaar geromantiseerd tot een sprookje vol soeks en synagoges, was het nirvana waarnaar we allebei moesten streven en waarheen we uiteindelijk geroepen zouden worden.

Ik schudde mijn onaangename gedachten van me af. Voorlopig was ik alleen met mijn bevindingen, met een zijden lap als het enige bewijs. Ik had meer bewijs nodig, zowel voor mezelf als voor de anderen, bewijs waarmee ik Claude Brismand zou kunnen confronteren, en hopelijk zijn hulp zou kunnen inroepen. Als ik hem zou kunnen laten zien wat hij zonder het te weten had veroorzaakt, zo dacht ik, als ik hem op zijn verantwoordelijkheid zou kunnen wijzen, dan zou hij wel moeten handelen.

Eerst ging ik naar huis. Het was er nog dezelfde schrikbarende ravage als daarvoor en even verloor ik bijna de moed. In Les Immortelles was altijd plaats voor me, had Brismand gezegd. Ik hoefde het alleen maar te vragen. Voor me zag ik een schoon bed, witte lakens, warm water. Ik dacht aan mijn woninkje in Parijs met zijn parketvloer en geruststellende geur van verf en boenwas. Ik dacht aan het café aan de overkant en aan *moules-frites* op een vrijdagavond en daarna misschien een film. Wat deed ik hier nog? Waarom deed ik mezelf dit allemaal aan?

Ik pakte een van mijn boeken op en streek de verkreukelde bladzijden glad. Een verhaal, rijk geïllustreerd, over een prinses die door zwarte magie in een vogel veranderde, en een jager... Als kind had ik een levendige fantasie gehad, was mijn innerlijke leven de compensatie geweest voor het rustige ritme van het eiland. Ik had aangenomen dat mijn vader net zo was. Inmiddels wist ik niet zo zeker meer of ik wel wilde weten wat er eventueel achter zijn zwijgen schuilging.

Ik raapte nog een paar boeken op; ik vond het vreselijk dat ze zo nonchalant met hun kapotte banden over de glasscherven verspreid lagen. Mijn kleren waren minder belangrijk – ik had er niet veel meegebracht en ik was toch al van plan geweest er in La Houssinière een paar te kopen – maar ik raapte ze op en stopte ze in de wasmachine om ze te wassen. Mijn weinige papieren, de tekenmaterialen die ik als meisje had gehad – een doosje met gebarsten blokjes waterverf, een penseel – legde ik terug in de kartonnen doos naast het bed. Op dat moment zag ik iets aan het voeteneind van het bed, iets dat glansde en half in het stuk tapijt was getrapt dat de stenen vloer bedekte. Te glanzend om glas te zijn, want in een verdwaald vlekje zonlicht dat door de blinden viel, zag ik een goudgele glans. Ik raapte het op.

Het was mijn vaders medaillon, het medaillon dat ik al eerder had opgemerkt; het was nu een beetje gedeukt en aan de sluiting hing het restant van het kapotte kettinkje. Hij had het tijdens zijn vernielingen verloren, bedacht ik; misschien had hij aan zijn overhemdboord getrokken om hem losser te doen, waardoor het kettinkje was geknapt en ongemerkt onder zijn hemd vandaan was gegleden. Ik bekeek het aandachtiger. Het was van verguld zilver, ongeveer zo groot als een munt van vijf frank, en er zat opzij een sluitinkje om het open en dicht te doen. Eigenlijk een vrouwensieraad. Om de een of andere reden deed het me aan Capucine denken. Een aandenken.

Ik maakte het met een absurd schuldgevoel open, alsof ik mijn vader bespioneerde, en er viel iets op mijn hand: een donzige haarkrul. Hij was bruin, zoals zijn haar ooit was geweest, en mijn eerste gedachte was dat hij misschien van zijn broer was geweest. GrosJean leek geen romantische neigingen te hebben, had voorzover ik wist zelfs nooit aan mijn moeders verjaardag of aan hun trouwdag gedacht, en het idee dat hij nu met een lok van mijn moeders haar rondliep, leek me vergezocht en deed me ongemakkelijk glimlachen. Ik deed het medaillon verder open en toen zag ik de foto.

Hij was uit een grotere geknipt: een jong gezicht met opvallende tanden grijnsde me vanuit de vergulde omlijsting aan, kort haar dat vooraan sprieterig omhoog stond, en grote ronde ogen... Ik keek er ongelovig naar, bestudeerde het alsof ik daarmee mijn eigen beeltenis kon veranderen in die van iemand die het meer waard was. Maar ik was het: een fotootje van mij, afkomstig uit de verjaardagsfoto, de ene hand bevroren op het taartmes, de andere buiten de omlijsting naar mijn vaders schouder reikend. Ik trok het origineel uit mijn zak; het was begonnen te slijten doordat ik er zo vaak aan had gezeten. Mijn zusters gezicht kwam me nu nors voor, jaloers, haar hoofd nukkig afgekeerd, als dat van een kind dat er niet aan gewend is geen aandacht te krijgen...

Ik voelde emoties opwellen die mijn wangen deden gloeien en mijn hart wilder deden slaan. Hij had toch mij gekozen; hij had mijn foto om zijn hals gedragen met ernaast een plukje van mijn babyhaar. Niet moeder, niet Adrienne. Mij. Ik had me vergeten gewaand, maar de hele tijd was ik degene geweest die hij op deze manier in zijn gedachten had gehouden, heimelijk bij zich had gedragen, als een amulet. Wat maakte het uit dat hij mijn brieven niet had beantwoord? Wat maakte het uit dat hij niet wilde spreken?

Ik stond op. Ik hield het medaillon stevig vast. Mijn twijfels waren vergeten. Ik wist nu precies wat me te doen stond.

Ik wachtte tot het avond werd. Het was bijna hoogwater, een goed moment om te doen wat ik van plan was. Ik trok mijn laarzen en *vareuse* aan en ging op pad over de winderige duinen. Ter hoogte van La Goulue zag ik de vage gloed van het vasteland; het baken liet om de paar seconden zijn rode waarschuwingslicht zien. Elders was de zee lichtgevend door dat zeegroene licht dat typerend is voor de Jade Kust. Af en toe lichtte hij nog meer op wanneer tussen de wolken een stuk maan zichtbaar werd.

Op het dak van zijn bunker zag ik Flynn, die uitkeek over de baai. Ik kon tegen de lucht net zijn contouren waarnemen. Ik sloeg hem even gade om te zien wat hij aan het doen was, maar hij was te ver weg. Snel liep ik door naar La Goulue, waar het tij spoedig zou keren.

In de zak die ik over mijn schouder had geslagen, had ik een aantal van de oranje plastic drijvers meegebracht die eilandvissers gebruiken voor hun makreelnetten. Als kind had ik met behulp van een gordel van deze drijvers leren zwemmen, en we hadden ze vaak gebruikt om kreeften- en krabbenfuiken bij La Goulue te markeren. We hadden ze bij eb overal van de rotsen gehaald en ze als reusachtige kralen aan touw geregen. Het was toen een spel geweest, maar een ernstig spel; iedere visser betaalde voor elke teruggebrachte drijver een frank en dit was vaak het enige zakgeld dat we kregen. Het spel en de drijvers zouden me vanavond helpen.

Terwijl ik op de rotsen aan de voet van de klip stond, wierp ik ze in zee, dertig in totaal. Ik zorgde ervoor dat ik voorbij de branding wierp, in de open stroming. Ooit, nog niet zo lang geleden, zou minstens de helft van de drijvers bij het volgende hoge water meteen zijn teruggedreven naar de baai. Maar nu... enfin, daar ging het experiment juist om.

Ik bleef nog een paar minuten staan kijken. Het was warm ondanks de wind, het laatste zuchtje zomer, en toen de wolken boven mijn hoofd uiteendreven, zag ik aan de hemel de brede baan van de melkweg. Plotseling voelde ik me heel kalm. Onder een indrukwekkende hemel die bezaaid was met sterren, wachtte ik tot het tij zou keren.

14

DOOR HET VERLICHTE VLAK VAN HET KEUKENRAAM WIST IK dat GrosJean terug was. Ik zag zijn contouren. Hij had een sigaret tussen zijn lippen en zijn ineengedoken figuur was als een monoliet tegen het gele licht. Ik voelde een vage angst opkomen. Zou hij iets zeggen? Zou hij tekeergaan?

Hij keek niet om toen ik binnenkwam. Ik had dat ook niet verwacht. Hij bleef doodstil zitten tussen de ravage die hij had aangericht, met een kop koffie in de ene hand en een Gitane in de kom van zijn andere hand.

'Je hebt je medaillon laten vallen,' zei ik, terwijl ik het naast hem op tafel legde.

Ik meende een lichte verandering in zijn houding waar te nemen, maar hij keek me niet aan. Door zijn traagheid en zwaarte leek hij even onverzettelijk als het standbeeld van Sainte-Marine.

'Ik zal morgen aan de slag gaan,' zei ik. 'Er moet van alles gedaan worden, maar ik zal het gauw weer comfortabel voor je maken.'

Nog geen antwoord. In plaats van woede voelde ik een gigantisch en plotseling medelijden voor hem, voor zijn armzalige zwijgen, zijn vermoeide ogen.

'Het geeft niet,' zei ik. 'Alles komt goed.' Ik liep op hem af en sloeg mijn armen om zijn nek. Ik rook de oude geur van zout, zweet, verf en lak en we zaten daar zo ongeveer een minuut, totdat zijn sigaret bijna was opgebrand en met een felle vonkenregen uit zijn hand op de stenen vloer was gevallen.

De volgende ochtend stond ik vroeg op om mijn drijvers te gaan zoeken. Er was geen drijver te zien bij La Goulue of dieper de kreek in, bij Les Salants; niet dat ik er een had verwacht. Het waren magere tijden voor De Gulzige.

Voor zessen was ik in La Houssinière; de lucht was helder en bleek; er waren maar een paar mensen te zien, voornamelijk vissers. Ik dacht dat ik Jojo-le-Goëland op de moddervlakte zag graven en ver weg voorbij de branding waren een paar gedaanten in de weer met de grote vierkante netten die de Houssins gebruiken om op garnalen te vissen. Verder was het er verlaten.

Ik vond de eerste van mijn oranje drijvers onder de aanlegsteiger. Ik raapte hem op en liep door naar de golfbreker. Af en toe stond ik stil om een steen of een kluit zeewier om te keren. Toen ik bij de golfbreker was aangekomen, had ik al meer dan tien andere drijvers gevonden en er nog drie gezien die vastzaten tussen de rotsen, waar ik net niet bij kon.

Zestien drijvers in totaal. Een goed resultaat.

'Is het een spelletje?'

Ik keerde me te snel om en mijn zak viel op het natte zand, waardoor de inhoud eruit rolde. Flynn keek nieuwsgierig naar de drijvers. Zijn haar wapperde als een waarschuwingsvlag in de wind.

'Nou?'

Ik dacht terug aan zijn koelheid van de dag ervoor. Vandaag leek hij ontspannen, tevreden over zichzelf; de explosieve blik was uit zijn ogen verdwenen.

Ik gaf niet meteen antwoord. Ik dwong mezelf de drijvers op te rapen en heel langzaam weer in de zak te stoppen. Zestien van de dertig. Ruim de helft. Maar genoeg om te bevestigen wat ik al wist.

'Ik vind je niet echt een strandjutterstype,' vervolgde Flynn, die me nog steeds gadesloeg. 'Iets interessants gevonden?'

Ik vroeg me af wat hij me eigenlijk wél vond. Een stadsmeisje op vakantie? Een bemoeial? Een bedreiging?

Ik ging zitten aan de voet van de zeewering en vertelde hem wat ik had ontdekt, waarbij ik tekeningen in het zand maakte. Ik rilde. De ochtendwind was koud, maar mijn geest was helder. Het bewijs sprak voor zich en je zag het overal wanneer je erop begon te letten. Nu ik het ontdekt had, zou Brismand er niet meer omheen kunnen. Hij zou naar me moeten luisteren.

Tot mijn grote ergernis toonde Flynn niet de minste verbazing. Ik vroeg me af waarom ik het juist aan hem verteld had, een buitenlander, een buitenstaander. Natuurlijk deed het hem niets. Voor hem was het overal hetzelfde. 'Kan het je wat schelen? Interesseert het je eigenlijk wat er hier gebeurt?'

Flynn keek me nieuwsgierig aan. 'Dit is een keerpunt voor je, hè? De vorige keer had je schoon genoeg van iedereen in Les Salants. Inclusief je vader.'

Ik voelde dat mijn gezicht begon te gloeien. 'Dat is niet waar,' zei ik. 'Ik probeer te helpen.'

'Dat weet ik. Maar je verdoet je tijd.'

'Brismand zal me helpen,' hield ik hardnekkig vol. 'Hij zal wel moeten.'

Hij glimlachte humorloos. 'Denk je?'

'Als hij dat niet doet, zullen we zelf wel iets bedenken. Er zijn vast genoeg mensen in het dorp die willen helpen. Ik heb nu bewijs.'

Flynn zuchtte. 'Deze mensen laten zich niets bewijzen,' zei hij geduldig. 'Je logica is niet aan hen besteed. Ze blijven liever zitten waar ze zitten, om te bidden en te klagen totdat het water over hen heen stroomt. Zie je hen nou echt hun meningsverschillen terzijde schuiven om de gemeenschap te helpen? Dacht je nou echt dat ze naar je zouden luisteren als je iets voorstelde?'

Ik keek hem boos aan. Hij had natuurlijk gelijk. Ik had dat zelf ook wel gezien. 'Ik kan het proberen,' zei ik. 'Iemand moet het toch doen.'

Hij grijnsde. 'Weet je hoe ze je in het dorp noemen? La Poule. Je loopt altijd maar rond te tokken.'

La Poule. Even zei ik niets, was ik te boos om een woord uit te brengen. Boos op mezelf omdat ik het me aantrok. Boos om zijn vrolijke fatalisme. Om hun stomme, rundachtige onverschilligheid.

'Bekijk het maar van de vrolijke kant,' zei Flynn boosaardig. 'Je hebt nu in ieder geval een eilandnaam.'

15

Ik HAD NOOIT MET HEM MOETEN PRATEN, HIELD IK MEZELF
voor. Ik vertrouwde hem niet, ik mocht hem niet. Waarom
had ik verwacht dat hij het zou begrijpen? Terwijl ik over het
verlaten strand naar het witte huis met dezelfde naam liep,
voelde ik afwisselend hitte en kou door me heen gaan. Ik was
zo dom geweest zijn goedkeuring te willen omdat hij een
vreemdeling was, iemand van het vasteland, een man die op-
lossingen voor technische problemen vond. Ik had hem met
mijn conclusies willen imponeren, hem willen bewijzen dat
ik niet de bemoeial was die hij in me zag. En het enige wat
hij had gedaan was lachen. Het zand draaide onder mijn
laarzen weg toen ik de trap naar de promenade op liep; er
zat zand onder mijn nagels. Ik had Flynn er nooit bij moeten betrekken, herhaalde ik boos. Ik had Brismand moeten
vertrouwen.

Ik trof hem aan in de lobby van Les Immortelles, waar hij
wat gegevens nazocht. Hij leek verheugd me te zien en even
was ik zo opgelucht dat ik bijna in tranen was. Ik werd in
zijn armen gesloten; zijn eau de cologne geurde overweldigend, zijn stem was een vrolijk gebulder.
'Mado! Ik zat net aan je te denken. Ik heb een cadeautje voor
je gekocht.' Ik had mijn zak met drijvers op de betegelde
vloer laten vallen. Ik probeerde in zijn berenomhelzing adem
te halen. 'Wacht even. Ik ga het voor je halen. Ik denk dat
het jouw maat is.'

Even was ik alleen in de lobby, terwijl Brismand in een van de achterkamers verdween. Toen kwam hij weer tevoorschijn met iets dat in vloeipapier verpakt was. 'Toe maar, *chérie*, maak maar open. Rood past bij je. Dat weet ik gewoon.'

Moeder had altijd aangenomen dat ik, in tegenstelling tot Adrienne en zijzelf, gewoon niet in mooie dingen geïnteresseerd was. Ik had haar dat doen denken door mijn neerbuigende opmerkingen en schijnbare desinteresse voor mijn uiterlijk, maar in werkelijkheid had ik mijn zus en de foto's aan haar muur en haar schoonheidsproducten en haar giechelende vriendinnetjes veracht, omdat ik geweten had dat het zinloos was om belangstelling te tonen. Het was beter te veinzen dat ik die dingen niet wilde. Het was beter er niets om te geven.

Het vloeipapier maakte zachte, knisperende geluidjes toen ik het uitpakte. Even kon ik geen woord uitbrengen.

'Je vindt hem niet mooi,' zei Brismand, terwijl zijn snor afzakte als die van een droevige hond.

De verbazing maakte me sprakeloos. 'Juist wel,' wist ik eindelijk uit te brengen. 'Hij is prachtig.'

Hij had precies mijn maat geraden. En de jurk wás prachtig: felrode crêpe de Chine die glansde in het koele ochtendlicht. Ik zag mezelf erin lopen in Parijs, misschien met sandalen met hoge hakken en mijn haar los...

Brismand zag er komisch vergenoegd uit. 'Ik dacht dat hij je misschien wat afleiding zou bezorgen. Je op zou beuren.'

Zijn ogen gingen naar de zak met drijvers aan mijn voeten. 'Wat is dit, Madootje? Strandjutten?'

Ik schudde mijn hoofd. 'Onderzoek.'

Ik had het gemakkelijk gevonden aan Flynn mijn conclusies te vertellen. Ik vond het veel minder gemakkelijk dat aan Brismand te doen, hoewel hij luisterde zonder een spoor van amusement en af en toe geïnteresseerd knikte, terwijl ik mijn bevindingen met veel gebaren schetste.

'Dit is Les Salants. Je kunt zien welke kant de belangrijkste stromingen van La Jetée op gaan. Dit is de heersende wind uit het westen. Dit hier is de warme golfstroom. We weten dat La Jetée de oostkant van het eiland beschut, maar de zandbank híér...' – ik onderstreepte het woord met een tikkende vinger – '...buigt deze stroming híér af die langs Pointe Griznoz gaat en híér bij La Goulue terechtkomt.'

Brismand knikte vol zwijgende bemoediging.

'Althans, dat was ooit zo. Maar dat is nu veranderd. In plaats van hier te eindigen, stroomt hij langs La Goulue en houdt hij híér op.'

'Bij Les Immortelles, ja.'

'Daardoor is de *Eleanore* niet in de kreek terechtgekomen, maar aan de andere kant van het eiland. Daardoor heeft de makreel zich verplaatst!'

Weer knikte hij.

'Maar dat is nog niet alles,' vervolgde ik. 'Waarom verandert alles op dit moment? Wát is er veranderd?' Hij leek hier even over na te denken. Zijn ogen zwierven over het strand, het zonlicht weerkaatsend. 'Kijk.' Ik wees over het strand naar de nieuwe zeewering. Waar we zaten konden we die goed zien: de stompe neus van de dam die naar het oosten wees en de golfbreker aan de beide uiteinden.

'Je kunt zien hoe het is gebeurd. Je hebt de dam zover uitgebreid dat hier een beschutte plek is ontstaan. De golfbreker helpt het zand vasthouden. En de dam beschermt het strand en verlegt de stroming een beetje híérheen, waardoor zand van La Jetée, van ónze kant van het eiland, naar Les Immortelles gebracht wordt.'

Brismand knikte weer. Ik concludeerde dat hij waarschijnlijk niet alle implicaties begrepen had.

'Maar zie je dan niet wat er gebeurd is?' wilde ik weten. 'We moeten iets doen. Er moet een einde aan gemaakt worden, voordat er nog meer schade wordt aangericht.'

'Een einde aan gemaakt?' Hij trok één wenkbrauw op.

'Ja, eh... Les Salants, de overstromingen...'

Brismand legde meewarig zijn handen op mijn schouders. 'Madootje. Ik weet dat je probeert te helpen, maar Les Immortelles moet beschermd worden. Daarom werd de golfbreker daar in eerste instantie aangelegd. Ik kan hem nu toch niet gaan weghalen omdat er een paar stromingen veranderd zijn? Misschien waren ze hoe dan ook wel veranderd.' Hij liet een van zijn kolossale zuchten ontsnappen. 'Zie het maar als een Siamese tweeling,' zei hij. 'Soms is het nodig ze te scheiden, zodat een van de twee in leven kan blijven.' Hij keek me even aan om zich ervan te vergewissen dat ik begreep wat hij zei. 'En soms moet er een moeilijke keus gemaakt worden.'

Ik staarde hem aan. Ik voelde me plotseling verdoofd. Wat zei hij? Dat Les Salants opgeofferd moest worden, zodat La Houssinière kon blijven bestaan? Dat wat er gebeurde onvermijdelijk was?

Ik dacht aan al die jaren waarin hij contact met ons had gehouden, aan de babbelige brieven, de pakjes met boeken, de cadeautjes die af en toe kwamen. Hij hield zijn opties open, onderhield het contact. Beschermde zijn investering.

'Je wist het, hè?' zei ik langzaam. 'Je hebt de hele tijd geweten dat dit zou gebeuren. En je hebt er nooit met een woord over gerept.'

Zijn houding – de schouders gebogen en de handen diep

in de zakken – drukte zijn diepe gekwetstheid bij deze brute beschuldiging goed uit. 'Madootje, hoe kún je dat zeggen? Het is natuurlijk heel onfortuinlijk, maar dat soort dingen gebeurt nu eenmaal. En als ik het zeggen mag: het sterkt me alleen maar in mijn bezorgdheid om je vader en in mijn mening dat hij ergens anders uiteindelijk beter af zal zijn.'

Ik keek hem aan. 'U zei dat mijn vader ziek was,' zei ik duidelijk. 'Wat is er precies met hem aan de hand?' Even zag ik hem aarzelen. 'Is het zijn hart?' hield ik aan. 'Zijn lever? Zijn longen?'

'Mado, ik ken de details niet, en eerlijk gezegd...'

'Is het kanker? Cirrose?'

'Zoals ik al zei, Mado, ben ik niet op de hoogte van de details.' Hij was nu minder joviaal en zijn kaken spanden zich. 'Maar ik kan mijn arts erbij halen wanneer je maar wilt. Die zal je een evenwichtige beroepsopinie geven.'

Mijn arts. Ik keek naar Brismands geschenk in het omhulsel van vloeipapier. Het zonlicht zette de rode zijde in vuur en vlam. Hij had gelijk, dacht ik: rood was mijn kleur. Ik wist dat ik het allemaal aan hem zou kunnen overlaten. Ik kon teruggaan naar Parijs – het nieuwe seizoen in de galerie was net begonnen – en aan mijn nieuwe oeuvre gaan werken. Deze keer een paar stadsgezichten, misschien een paar portretten. Na tien jaar was ik misschien aan een verandering van onderwerp toe.

Maar ik wist dat ik het niet zou doen. Er was van alles veranderd; het eiland was veranderd en daardoor was er ook iets in mij veranderd. Het verlangen naar Les Salants dat ik al die tijd had gevoeld, was iets instinctievers geworden, iets substantiëlers. En mijn thuiskomst – de illusies, het sentiment, de teleurstellingen, de vreugde – was tot nu toe niet echt gebeurd, wist ik nu. Tot dit moment was ik helemaal niet thuis-gekomen.

'Ik wist dat ik op je kon rekenen.' Hij had mijn stilzwij-gen als instemming opgevat. 'Je zou in Les Immortelles kun-nen wonen, totdat we alles hebben uitgezocht. Ik vind het een afschuwelijk idee dat jij en GrosJean daar samen in dat huis zitten. Je krijgt mijn mooiste suite. Gratis.'

Hoewel ik zeker wist dat hij de waarheid nog steeds voor me verborgen hield, ging er toch een absurd gevoel van dankbaarheid door me heen. Ik schudde het van me af. 'Nee, bedankt,' hoorde ik mezelf zeggen. 'Ik blijf thuis.'

16

DE WEEK DIE VOLGDE BRACHT EEN NIEUWE GOLF VAN ZWAAR weer. De zoutvlakten achter het dorp liepen onder water, waardoor twee jaar van terugwinnen teniet werd gedaan. Het zoeken van de heilige moest uitgesteld worden wegens hoge zee, hoewel slechts een handjevol optimisten nog hoop had haar terug te vinden. Een tweede vissersboot ging verloren: Matthias Guénolés *Korrigane*, de oudste vissersboot op het eiland, liep bij sterke wind vlak bij La Griznoz aan de grond, en Matthias en Alain konden hem niet redden. Zelfs Aristide vond het zonde.

'Honderd jaar oud was-ie,' treurde Capucine. 'Ik herinner me nog dat hij uitvoer toen ik klein was. Prachtige rode zeilen. Aristide had in die tijd natuurlijk zijn *Péoch ha Labour*; ik weet nog dat ze samen wegvoeren en dat elk van hen probeerde de ander de wind uit de zeilen te nemen. Dat was natuurlijk voordat zijn zoon Olivier omkwam en Aristide zijn been verloor. Daarna lag de *Péoch* te verkommeren in de *étier*, totdat er een winter kwam waarin de boot werd meegenomen door het tij, en hij heeft nooit zelfs maar de moeite genomen om hem te redden.' Ze haalde haar plompe schouders op. 'Je zou hem in die tijd niet herkend hebben, Mado. Hij was toen een ander mens, in de kracht van zijn leven. Hij is nooit over Oliviers dood heen gekomen. Hij heeft het nu nooit meer over hem.'

Het was een stompzinnig ongeluk geweest. Maar dat zijn ongelukken altijd. Olivier en Aristide onderzochten een treiler die bij laagwater op La Jetée was vastgelopen; de boot verplaatste zich plotseling, waardoor Olivier beneden de waterlijn vast kwam te zitten. Aristide probeerde hem met de *Péoch* te bereiken, maar kwam per ongeluk tussen zijn boot en het wrak terecht, waarbij zijn been verbrijzeld werd. Hij riep om hulp, maar niemand hoorde hem. Drie uur later werd Aristide opgepikt door een langsvarende visser, maar toen was het tij al gekeerd en was Olivier al verdronken.

'Aristide hoorde alles,' zei Capucine, terwijl ze haar koffie opleukte met een scheut crème de cassis. 'Zei dat hij Olivier daarbinnen kon horen schreeuwen om hulp, schreeuwen en huilen toen het water steeg.'

Ze hadden het lichaam nooit geborgen. De treiler was door het tij meegenomen naar Nid'Poule voordat ze hem hadden kunnen doorzoeken, en hij zonk veel te snel. Hilaire, de plaatselijke veearts, had Aristides been geamputeerd (er is geen dokter in Les Salants en Aristide weigerde zich door een Houssin te laten behandelen), maar hij beweert dat hij het nog steeds voelt, dat het 's nachts jeukt en pijn doet. Hij schrijft dat toe aan het feit dat Olivier nooit is begraven. Ze hebben wel het been begraven, daar stond Aristide op. Je kunt het graf nog steeds zien, achter in La Bouche. Een houten paal markeert de plek. Iemand heeft erop geschreven: 'Hier ligt het been van de Oude Bastonnet. Het loopt zijn Schepper tegemoet!' Daaronder heeft iemand iets geplant wat op bloemen lijkt, maar dat bij nader inzien een rij aardappels blijkt te zijn. Capucine verdenkt er een Guénolé van.

'Toen liep zijn andere zoon, Philippe, weg,' vervolgde ze. 'En toen stortte Aristide zich in de rechtszaak met de

Guénolés. Désirée, die geen eigen kinderen meer had, zorgde voor Xavier. Die arme oude Aristide is daarna nooit meer dezelfde geweest. Zelfs niet toen ik tegen hem zei dat zijn been er voor mij niets toe deed.' Ze grinnikte met vermoeide wulpsheid. 'Nog een *café-cassis?*'

Ik schudde mijn hoofd. Buiten hoorde ik Lolo en Damien naar elkaar schreeuwen in de duinen.

'Het was toen een knappe man,' herinnerde Capucine zich. 'Ze waren in die tijd allemaal knap, denk ik eigenlijk, al mijn knullen. Sigaret?' Ze stak hem handig aan en inhaleerde de rook met een grom van genoegen. 'Nee? Je zou het ook moeten doen. Kalmeert.'

Glimlachend zei ik: 'Nee, maar beter van niet.'

'Wat je wilt.' Ze haalde haar plompe schouders op en bewoog ze heen en weer onder haar zijden peignoir. 'Ik kan niet zonder mijn kleine zonden.' Ze wees met haar hoofd naar de doos chocoladekersen die bij het raam stond. 'Wil je me er nog een aangeven, liefje?'

De doos was nieuw, hartvormig, en nog halfvol.

'Een bewonderaar,' zei ze, terwijl ze er een in haar mond stopte. 'Ik mag er nog steeds wezen, ondanks mijn leeftijd. Neem er een.'

'Nee, ik denk dat jij er meer van geniet dan ik,' zei ik.

'Meisje, ik geniet van álles meer dan jij,' zei Capucine, met haar ogen rollend.

Ik lachte. 'Ik zie wel dat jij je niet laat deprimeren door de overstromingen.'

'*Bof.*' Ze haalde weer haar schouders op. 'Ik kan altijd ergens anders heen als het moet. Het zou niet gemakkelijk zijn om dit ouwe ding na al die jaren te verplaatsen, maar het zou me wel lukken.' Ze schudde haar hoofd. 'Nee, ik hoef me geen zorgen te maken. Maar de rest...'

'Ik weet het.' Ik had haar al verteld over de veranderingen bij Les Immortelles.

'Maar het lijkt zo onbenullig,' had ze geprotesteerd. 'Ik kan maar niet begrijpen dat een paar meter golfbreker zoveel verschil kan maken.'

'O, maar daar is niet veel voor nodig,' zei ik tegen haar. 'Als je een stroming een paar meter verlegt, lijkt het niks. En toch kan dat rondom het hele eiland veranderingen geven. Het is een domino-effect. En Brismand weet dat. Hij kan het zelfs zo gepland hebben.'

Ik vertelde haar over de vergelijking die Brismand had getrokken met een Siamese tweeling. Capucine knikte, zich onder het luisteren versterkend met nog een paar chocoladekersen. 'Liefje, ik zou van die vreselijke Houssins alles geloven,' zei ze goedig. 'Hm. Je zou er toch echt eens een moeten proberen. Voorraad zat.' Ik schudde ongeduldig mijn hoofd. 'Maar waarom zou hij eigenlijk land willen dat zo vaak onder water komt te staan?' ging Capucine verder. 'Hij zou er even weinig aan hebben als wij.'

Ik probeerde tijdens die lange week de Salannais op de hoogte te brengen, ondanks Flynns waarschuwingen. Het café van Angélo leek daarvoor de aangewezen plaats, en ik ging er vaak heen in de hoop belangstelling te wekken onder de vissers. Maar er werd altijd gekaart, of er waren schaaktoernooien of voetbalwedstrijden via de satelliet-tv, en die gingen allemaal voor. Wanneer ik volhield, stuitte ik op effen gezichten, beleefde knikjes of grappige blikken die mijn goede bedoelingen lamlegden en me belachelijk en boos maakten. De gesprekken verstomden wanneer ik binnenkwam.

De ruggen kromden zich. De gezichten betrokken. Ik kon hen bijna horen fluisteren, zoals jongens wanneer een streng schoolhoofd binnenkomt. 'Daar heb je La Poule. Gauw doen alsof je bezig bent.'

Aristides vijandige houding jegens mij had zich niet gewijzigd. Hij was degene die me de bijnaam La Poule had gegeven en mijn pogingen de Salannais in te lichten over de getijdenbewegingen hadden zijn weerstand alleen maar vergroot. Nu groette hij me telkens wanneer ik zijn pad kruiste met een grimmig sarcasme.

'Daar is ze, La Poule. Heb je weer een idee om ons allemaal te redden? Ga je ons naar het Beloofde Land brengen? Worden we allemaal miljonair?'

'Ach, het is La Poule. Wat hebben we vandaag voor plan? Gaan we het tij keren? De regen tegenhouden? De doden tot leven wekken?'

Zijn verbittering, had Capucine me verteld, was deels toe te schrijven aan het feit dat zijn kleinzoon, ondanks de tegenslagen van zijn rivaal, kennelijk geen succes had bij Mercédès Prossage. Xaviers verlammende verlegenheid in het bijzijn van het meisje leek een nog grotere handicap dan het verlies van de bron van inkomsten van de Guénolés, en Aristides gewoonte Mercédès de hele tijd in de gaten te houden en haar dreigend aan te kijken als ze ook maar met een andere man dan Xavier sprak, maakte de zaak er niet beter op. Het gevolg was dat Mercédès even stug en ñeerbuigend bleef als altijd. Hoewel ik haar vaak naast de *étier* zag zitten wanneer de boten binnenliepen, leek ze geen aandacht aan de twee jonge bewonderaars te schenken. Ze vijlde alleen maar haar nagels of las een tijdschrift, en ze had altijd kleren aan die weinig aan de fantasie overlieten.

Ghislain en Xavier waren niet de enigen die haar aanbaden. Ik merkte met enig amusement dat ook Damien een ongewone hoeveelheid tijd bij de kreek doorbracht, waar hij, zijn kraag opgeslagen tegen de wind, sigaretten rookte. Lolo speelde in zijn eentje in de duinen en kwam verloren over. Mercédès merkte Damiens verliefdheid natuurlijk totaal niet op, en als ze dat wel deed, liet ze dat niet merken. Wanneer ik de kinderen met de minibus uit de school in Houssinière zag komen, zag ik Damien vaak alleen zitten en zelfs niet met zijn vrienden praten. Een paar keer zag ik dat er blauwe plekken op zijn gezicht zaten.

'Ik denk dat de kinderen uit La Houssinière het onze kinderen niet gemakkelijk maken,' merkte ik die avond bij Angélo op tegen Alain. Maar Alain voelde niet met hen mee. Sinds zijn vader de *Korrigane* had verloren, was hij zuur en stil geworden en was hij bij het minste of geringste beledigd.

'De jongen moet leren,' zei hij kortaf. 'Er wordt door kinderen altijd gepest. Hij zal ermee moeten leven, net als wij vroeger.'

Ik zei dat ik dat een nogal harde opstelling vond tegenover een kind van dertien.

'Bijna veertien,' zei Alain. 'Zo gaat dat nu eenmaal met Houssins en Salannais. Het is een mand vol krabben. En dat is altijd zo geweest. Mijn vader moest me een pak op mijn broek geven om me naar school te krijgen, zo bang was ik. Maar ik heb het overleefd, hm?'

'Misschien is overleven niet genoeg,' zei ik tegen hem. 'Misschien moeten we ons verweren.'

Alain grijnsde op een onaangename manier. Aristide, achter hem, keek op en maakte fladderbewegingen met zijn armen. Ik voelde het bloed naar mijn wangen stijgen, maar reageerde niet.

'Je weet waar de Houssins mee bezig zijn. Je hebt de zeewering bij Les Immortelles gezien. Als er zoiets bij La Goulue was geweest, hadden we misschien...'

'O, niet wéér, hè!' snauwde Aristide. 'Zelfs Rouget zegt dat het niet zou werken.'

'Ja, wél weer!' Ik was nu boos en een paar mensen keken op toen ze de klank van mijn stem hoorden. 'We hadden ons goed kunnen beschermen als we gedaan zouden hebben wat de Houssins hebben gedaan. En dat kunnen we nóg, zolang we nú handelen, voor het te laat is.'

'Iets doen? Wat dan? En wie gaat dat betalen?'

'Wij allemaal. We zouden onze krachten kunnen bundelen. We zouden allemaal geld kunnen inbrengen.'

'Onzin! Het kan niet.' De oude man stond nu en hij keek me over Alains hoofd heen met een woeste blik aan.

'Brismand heeft het gedaan,' zei ik.

'Brismand, Brismand.' Hij stampte met zijn stok op de grond. 'Brismand is rijk! En hij heeft geluk!' Hij liet een harde, rochelende lach horen. 'Dat weet iedereen op het eiland!'

'Brismand creëert zijn eigen geluk,' zei ik effen. 'En dat kunnen wij ook. Dat weet je, Aristide. Dat strand, dat had van ons kunnen zijn. Als we een manier zouden kunnen vinden om de schade ongedaan te maken...'

Even leken Aristides ogen de mijne te ontmoeten, en ik dacht dat we iets uitwisselden, iets van begrip bijna. Toen wendde hij zich weer af.

'Luchtfietserij,' snauwde hij; de hardheid was weer terug in zijn stem. 'We zijn Salannais. Wat moeten we in godsnaam met een strand?'

17

Ontmoedigd en boos als ik was, wijdde ik al mijn energie aan het opknappen van ons huis. Ik had mijn hospita in Parijs gebeld om haar te vertellen dat ik een paar weken langer wegbleef en ik had wat geld laten overmaken van mijn spaarrekening. Lange tijd was ik bezig met schoonmaken, verven en inrichten. GrosJean leek inmiddels een beetje milder gestemd, hoewel hij nog steeds nauwelijks sprak; hij sloeg me zwijgend gade als ik aan het werk was, en hielp me soms met de vaat of hield de ladder vast, terwijl ik ontbrekende dakpannen aanbracht. Hij verdroeg soms de radio, maar gesprekken zelden.

Ik moest opnieuw zijn stiltes leren interpreteren, zijn gebaren leren uitleggen. Als kind had ik dat gekund; ik oefende me er weer in, alsof ik een bijna vergeten muziekinstrument opnieuw leerde bespelen. De kleine gebaren, onopvallend voor buitenstaanders, maar vol betekenis. De keelgeluiden die aangaven dat hij iets prettig vond of dat hij moe was. De zeldzame glimlach.

Ik besefte dat wat ik voor stugheid of wrok had aangezien, in feite een diepe en stille depressie was. Het leek wel of mijn vader zichzelf gewoonweg buiten de dagelijkse levensroutine had geplaatst en als een vastgelopen schip in steeds diepere lagen van onverschilligheid was weggezakt, totdat hij bijna onbereikbaar was geworden. Ik kon op geen enkele manier door die onverschilligheid heen dringen en zijn drinkrondes bij Angélo leken het er alleen maar erger op te maken.

'Hij trekt op den duur wel bij,' zei Toinette, toen ik uiting gaf aan mijn bezorgdheid. 'Soms heeft hij dat; dat duurt een maand, een halfjaar, soms langer. Deden andere mensen dat ook maar.'

Ik had haar in de tuin aangetroffen, waar ze op de houtstapel slakken zocht en in een grote pan deed; zij was de enige dorpeling die aan slecht weer de voorkeur leek te geven.

'Regen is in zoverre gunstig,' verklaarde ze, terwijl ze zich zo ver vooroverboog dat haar rug kraakte, 'dat de slakken dan tevoorschijn komen.' Ze rekte zich pijnlijk uit om achter de houtstapel te kijken en liet met een tikkend geluid een slak in haar pan vallen. 'Ha! Hebbes!' Ze hield de pan onder mijn neus. 'Dat is het beste maal dat er is. Ze kruipen rond en je hoeft ze alleen maar op te pakken. Even in het zout zetten om het slijm eruit te trekken en dan opzetten met wat sjalotten en rode wijn. Geeft je het eeuwige leven. Weet je wat,' voegde ze er plotseling aan toe, terwijl ze me de pan toestak, 'neem er een paar mee voor je vader. Daar kruipt hij van uit zijn schulp.' Ze kraaide van plezier om haar grap.

Ik had gewild dat het zo gemakkelijk was. La Bouche was de oorzaak, ik wist het zeker. GrosJean ging er nog elke dag heen, hoewel het water nauwelijks gezakt was. Soms bleef hij er tot de avond inviel; hij groef halfslachtig wat grond om de doorweekte graven weg, maar meestal stond hij maar wat aan de monding van de kreek naar het stijgende en dalende water te kijken. La Bouche vervulde een sleutelrol, dacht ik herhaaldelijk. Zo er al een manier was om mijn vader te bereiken, moest het via die weg.

18

DE NATTE AUGUSTUSMAAND GING OVER IN EEN ONSTUIMIGE
septembermaand en hoewel de wind weer naar het westen
draaide, verbeterden de omstandigheden in Les Salants niet.
Aristide werd zwaar verkouden toen hij schelpdieren verzamelde in de ondiepten bij La Goulue. Toinette Prossage
werd ook ziek, maar weigerde Hilaire te consulteren.

'Ik laat me niet door de dierenarts vertellen wat ik moet
doen,' piepte ze geïrriteerd. 'Laat hij zich maar bij de geiten
en paarden houden. Zo wanhopig ben ik nog niet.'

Omer deed er luchtig over, maar ik merkte wel dat hij zich
zorgen maakte. Bronchitis op je negentigste kan een ernstige zaak zijn. En het slechtste weer moest nog komen.
Iedereen wist het en iedereen was kortaangebonden.

La Bouche, zo was het algemene gevoelen, was het geringste probleem.

'Het is nooit een goeie plek geweest,' zei Angélo, die uit
Fromentine kwam en daarom geen verwanten op La Bouche
had liggen. 'Tja, wat kun je eraan doen?'

Alleen de ouderen trokken het zich echt aan dat het kerkhof onder water stond. Een van hen was Désirée Bastonnet,
de vrouw van Aristide, die het gedenkteken voor haar zoon
met aandoenlijke punctualiteit elke zondag na de mis bezocht. Hoewel iedereen met Désirée meevoelde, was de con-
sensus dat de levenden vóór de doden gingen.

Désirée was echter degene die de volgende reeks veranderingen in gang zette. Sinds mijn aankomst had ik haar alleen maar gegroet. In haar haast om weg te komen had ze nauwelijks de nodige beleefdheid getoond, hoewel ik het idee had dat haar verlegenheid meer voortkwam uit angst Aristide te mishagen dan uit een echte weerzin om met me te praten. Deze keer was ze alleen. Ze kwam te voet over de weg uit La Houssinière, gekleed in haar gebruikelijke zwarte kleding. Ik lachte naar haar toen ze me passeerde en ze groette me met een verschrikte blik; daarna keek ze steels naar links en naar rechts en lachte terug. Haar kleine gezicht ging schuil onder de zwarte eilandhoed. Ze had een bosje gele bloemen in haar hand.

'Mimosa,' zei ze, toen ze me zag kijken. 'Oliviers lievelingsbloem. We hadden hem altijd op zijn verjaardag, zo'n vrolijk bloempje, en het geurt zo heerlijk.' Ze lachte verlegen. 'Aristide vindt het allemaal nonsens, natuurlijk, en zo duur buiten het seizoen. Maar ik dacht...'

'Je gaat naar La Bouche.'

Désirée knikte. 'Hij zou nu zesenvijftig geworden zijn.'

Zesenvijftig. Misschien ook vader. Ik zag het in haar ogen, ik zag er iets onuitsprekelijk droevigs in schitteren: het visioen van de kleinkinderen die er geweest hadden kunnen zijn.

'Ik ga een gedenkplaat kopen,' vervolgde ze. 'Voor de kerk in La Houssinière. "Voor onze geliefde zoon, die op zee gebleven is." Dan kan ik de bloemen eronder zetten, zegt père Alban, wanneer ik in Les Immortelles zit.' Ze glimlachte lief en vol pijn naar me. 'Je vader boft maar, Mado. Wat Aristide ook zegt,' zei ze. 'Hij boft dat je thuisgekomen bent.'

Zoveel had ik Désirée Bastonnet nog nooit achter elkaar

horen zeggen. Het verbaasde me zozeer dat ik nauwelijks een woord kon uitbrengen, en toen ik had bedacht wat ik erop moest antwoorden, was ze me met haar bosje mimosa al gepasseerd.

Ik trof Xavier bij de *étier* aan. Hij was een paar lege kreeftenfuiken aan het schoonspuiten. Hij zag er nog bleker uit dan anders en zijn bril gaf hem het aanzien van een academicus die de weg kwijt is.

'Je oma ziet er niet al te best uit,' zei ik tegen hem. 'Je moet maar tegen haar zeggen dat als ze weer naar La Houssinière wil, ze het aan mij moet vragen. Ze moet daar niet te voet heen gaan, niet op haar leeftijd.'

Xavier leek niet op zijn gemak. 'Het is een koutje, meer niet,' zei hij. 'Ze zit te veel op La Bouche. Ze denkt dat als ze maar lang genoeg bidt, er wel een wonder gebeurt.' Hij haalde zijn schouders op. 'Als de heilige een wonder voor ons had willen verrichten, had ze dat nu vast wel gedaan.'

Aan de andere kant van de kreek zag ik Ghislain en zijn broer bij het wrak van de *Eleanore*. Mercédès zat, wat voorspelbaar was, in de buurt haar nagels te vijlen. Ze droeg een felroze t-shirt waarop de tekst GET IT HERE stond. Xaviers ogen waren, terwijl hij sprak, de hele tijd op haar gericht.

'Ik heb een baan aangeboden gekregen in La Houssinière,' zei hij. 'Vis inpakken. Wordt goed betaald.'

'O?'

Hij knikte. 'Ik kan hier niet eeuwig blijven. Moet het geld achterna. Iedereen weet dat het over en uit is met Les Salants. Als ik dit aanbod niet aanneem, doet iemand anders het.'

Aan de overkant van het water hoorde ik Ghislain lachen, een beetje te luid, om iets wat Damien had gezegd. Over de boeg van de *Eleanore* hing nonchalant een lange lijn met poon.

'Hij koopt die vis van Jojo-le-Goëland,' merkte Xavier rustig op. 'Hij doet net alsof hij ze uit La Goulue haalt. Alsof het háár wat kan schelen hoeveel vis hij vangt.'

Alsof ze zich ervan bewust was dat we het over haar hadden, haalde Mercédès een spiegeltje tevoorschijn en stiftte haar lippen bij.

'Ik wou dat mijn opa eens verstandig werd,' zei Xavier. 'Het huis is nu nog iets waard. De boot ook. Ik wou dat hij er niet zo op tegen was iets aan een Houssin te verkopen.' Ineens leek hij zich verlegen te voelen, alsof hij besefte dat hij te veel had losgelaten.

'Het is een oude man,' zei ik. 'Hij houdt niet van veranderingen.'

Xavier schudde zijn hoofd. 'Hij heeft geprobeerd het water uit La Bouche weg te krijgen,' zei hij, terwijl hij zijn stem een beetje dempte. 'Hij denkt dat niemand het weet.'

Zo was hij ziek geworden, vertelde Xavier me; een kou die hij had opgelopen terwijl hij sleuven groef rond het gedenkteken voor zijn zoon. De oude man had kennelijk langs het pad een sleuf van tien meter gegraven en was daarna ingestort. GrosJean had hem daar gevonden en had Xavier erbij gehaald. 'De ouwe gek,' zei hij, niet zonder genegenheid. 'Hij dacht echt dat hij het voor elkaar kon krijgen.'

Mijn verbazing moet op mijn gezicht te lezen zijn geweest, want Xavier lachte. 'Hij is niet zo taai als hij zich voorgeeft,' zei hij. 'En hij weet hoe oma over La Bouche denkt.'

Dat verbaasde me. Ik had Aristide altijd beschouwd als een patriarch die nooit rekening hield met de gevoelens van anderen.

Xavier vervolgde: 'Als hij alleen was geweest, zou hij al jaren geleden naar Les Immortelles zijn gegaan, toen hij voor het huis nog een fatsoenlijke prijs kon krijgen. Maar hij wilde het mijn oma niet aandoen. Hij is ook verantwoordelijk voor haar.'

Ik dacht daarover na toen ik naar huis liep. Aristide een beschermende echtgenoot? Aristide een man met gevoel? Ik vroeg me af of dat bij mijn vader ook zo was, of er onder zijn norse passiviteit ook ooit vuur had gezeten.

19

DE LAATSTE PAAR DAGEN WAS FLYNN TOEGANKELIJKER GE-
weest, meer zoals hij was toen ik hem in La Houssinière voor
het eerst zag met de twee nonnen. Misschien kwam dat door
GrosJean; sinds ik Brismands aanbod om mijn vader in Les
Immortelles te plaatsen, had afgewezen, voelde ik de vijandigheid jegens mij in Les Salants afnemen, ondanks Aristides
spotternij. Ik besefte dat Flynn echt op mijn vader gesteld
was en ik schaamde me een beetje dat ik hem verkeerd be-
oordeeld had. Hij had heel wat werk verricht in ruil voor het
gebruik van de bunker; ook nu nog kwam hij om de paar
dagen langs met een vis die hij had gevangen (of gestroopt),
of met wat groente, of om een klus te doen die hij aan
GrosJean beloofd had. Ik begon me af te vragen hoe mijn vader het voor Flynns komst eigenlijk gered had.

'O, hij zal zich best gered hebben,' zei Flynn. 'Hij is taai-
er dan je denkt, en zeer koppig.' Ik had hem die avond in
zijn bunker aangetroffen, waar hij aan zijn watervoorziening
werkte. 'Het zand onder de rotsen filtreert het water,' legde
hij uit. 'Door de capillaire werking komt het naar de opper-
vlakte. Daarna hoef ik het alleen maar op te pompen door
deze buis.'

Het was een bijster geniale gedachte. Ik had overal in het
dorp de sporen van zijn werkzaamheid gezien: in de oude
windmolen die was hersteld, zodat er water mee uit de vel-

den kon worden gepompt, in de generator in GrosJeans huis en in heel wat beschadigde of kapotte dingen die slechts met vaardigheid en een paar reserveonderdelen waren gerepareerd, opgepoetst, geolied, aangepast, gerenoveerd of weer in werking gesteld.

Ik vertelde hem over mijn gesprek met Xavier en vroeg hem of er iets vergelijkbaars geconstrueerd kon worden om het water uit La Bouche weg te krijgen.

'Je zou het wel kunnen draineren,' zei Flynn, terwijl hij over de suggestie nadacht, 'maar je zou het niet watervrij kunnen houden. Bij elke hoge zee loopt het weer onder water.'

Daar dacht ik over na. Hij had gelijk: La Bouche had meer nodig dan drainage alleen. We moesten iets hebben als de golfbreker bij La Houssinière, een massieve barrière van steen om de monding van La Goulue te beschermen en de kreek te beschermen tegen het tij. Ik zei iets van die strekking tegen Flynn.

'Als de Houssins een dam kunnen bouwen,' zei ik, 'dan kunnen wij dat ook. We zouden hem van stenen kunnen maken die we bij La Goulue weghalen. We zouden het water kunnen tegenhouden.'

Flynn haalde zijn schouders op. 'Misschien. Gesteld dat je het geld ergens vandaan kunt halen. En genoeg mensen kunt overhalen om te helpen. En precies kunt uitrekenen waar hij moet komen. Als je er een paar meter naast zit, wordt het hele project tijdverspilling. Je kunt niet zomaar honderd ton steen aan het eind van de Pointe neergooien en hopen dat het werkt. Je zou een ingenieur nodig hebben.'

Ik liet me niet uit het veld slaan. 'Maar het zou te doen zijn?' hield ik aan.

'Waarschijnlijk niet.' Hij tuurde naar het mechanisme van de pomp en stelde iets bij. 'Het zou je probleem alleen maar verplaatsen. En het zou de erosie ook niet ongedaan maken.'

'Nee, maar het zou La Bouche kunnen redden.'

Flynn keek geamuseerd. 'Een oud kerkhof? Wat heeft dat voor zin?'

Ik herinnerde hem aan GrosJean. 'Het heeft hem allemaal hevig aangegrepen,' zei ik. 'De heilige, La Bouche, de *Eleanore*...' En natuurlijk mijn thuiskomst en de opschudding die dat teweeg had gebracht, dacht ik er stilletjes bij.

'Hij geeft mij de schuld,' zei ik ten slotte.

'Nee, dat doet hij niet.'

'Door mij heeft hij het beeld laten vallen. En wat er nu met La Bouche is gebeurd...'

'Jezus, Mado. Wil je altijd overal de verantwoordelijkheid voor op je nemen? Laat jij de dingen nooit eens gewoon gebeuren?' Flynn klonk nuchter. 'Hij geeft jou niet de schuld, Mado. Hij geeft zichzelf de schuld.'

20

TELEURGESTELD DOOR MIJN ONVERMOGEN FLYNN OVER TE halen, ging ik meteen naar La Bouche. Het was eb en het water stond laag, maar toch bleven veel graven onder water staan en lagen er diepe plassen op het pad. Dicht bij de kreek was de schade ingrijpender: er sijpelde zeemodder over de kapotte rand van de oeverversterking.

Dat was het zwakke punt, zag ik, een gebied van niet meer dan tien of vijftien meter lengte. Wanneer het water bij vloed de kreek in stroomde, liep het over de rand, net als in Les Salants, waarna het uitvloeide over de zoutvlakte verderop. Als de oevers een beetje verhoogd konden worden, zou het water de tijd krijgen weg te lopen.

Iemand had het al geprobeerd, had zandzakken opgestapeld tegen de rand van de kreek. Mijn vader of Aristide, waarschijnlijk. Maar het was duidelijk dat zandzakken alleen niet afdoende waren; er zouden er honderden nodig zijn om een beetje bescherming te bieden. Weer dacht ik na over een barrière van stenen, niet bij La Goulue, maar hier. Een tijdelijke maatregel, misschien, maar een middel om aandacht te trekken, de Salannais te attenderen op de mogelijkheden...

Ik dacht aan mijn vaders tractor en oplegger in de verlaten werf. Er was ook een hijsinstallatie, als ik die aan de praat kon krijgen: een takel waarmee boten in een bepaalde stand konden worden gebracht voor inspectie of reparatie. Hij werkte langzaam, maar ik wist dat hij het gewicht kon dragen van een vissersboot, zelfs van een boot als Jojo's *Marie Joseph*. Met de kraan, bedacht ik, kon ik misschien zelfs losse stenen naar de kreek slepen om een soort barrière op te werpen, die dan misschien verstevigd zou kunnen worden met aarde en op zijn plaats gehouden met stenen en stukken dekzeil. Misschien werkt het, zei ik tegen mezelf. Het was in ieder geval de moeite van het proberen waard.

Ik had er bijna twee uur voor nodig om de tractor en de kraan naar La Bouche te brengen. Tegen die tijd was het al in de middag, maar de zon hing bleek achter sluierbewolking en de wind was weer gedraaid, nu scherp naar het zuiden. Ik droeg mijn vislaarzen en *vareuse* en een gebreide muts en handschoenen, maar toch werd het koud; ook was de wind beladen met vocht, geen regen, maar het soort spatjes dat van het opkomende tij af komt. Ik keek naar de stand van de zon. Ik vermoedde dat ik nog een uur of vier, vijf had. Erg weinig om te doen wat ik wilde doen.

Ik werkte zo snel ik kon. Ik had al een paar grote, losse stenen gelokaliseerd, maar ze zaten minder los dan ik eerst gedacht had en ik moest ze uit het duin graven. Eromheen welde water op. Ik gebruikte de tractor om ze uit hun bedding te trekken. De kraan tilde ze met ergerlijke traagheid op en manoeuvreerde de stenen met zijn stompe kraanarm op hun plaats. Ik moest ze een paar maal verplaatsen voordat ik ze op de juiste plaats had en ik moest telkens de grote kettingen om de steen doen en naar de kraan teruglopen, dan de arm laten zakken, zodat de steen op de juiste plaats op de rand van de kreek terechtkwam, waarna ik de kettingen kon verwijderen. Ik was algauw doorweekt, ondanks mijn vissersuitrusting, maar ik merkte het nauwelijks. Ik zag het waterpeil stijgen; het peil op de beschadigde oever was gevaarlijk hoog geworden en er verschenen al kleine windrimpelingen op het wateroppervlak. Maar de stenen lagen nu op hun plaats, met het stuk dekzeil eroverheen, en het enige wat ik nodig had om dat op zijn plaats te houden was een aantal kleinere stenen en wat aarde.

Op dat moment begaf de kraan het. Ik weet niet of de arm te zwaar belast was of dat er iets met de motor misging, of dat het misschien kwam door het ondiepe water waar ik hem doorheen had laten rijden, maar hij verstarde en kwam niet meer in beweging. Ik verknoeide mijn tijd door de oorzaak van de panne te zoeken, maar toen dat onmogelijk bleek, begon ik de stenen met de hand te verplaatsen. Ik koos de grootste die ik nog kon dragen en zette ze met scheppen aarde vast. Het tij steeg vrolijk, aangewakkerd door de zuidenwind. In de verte hoorde ik de golven over de vlakte aan komen rollen. Ik ging door met graven, bleef met de oplegger van de tractor losse aarde naar de oever brengen. Ik gebruikte al het dekzeil dat ik had meegenomen en verstevigde het met nog meer stenen, zodat de aarde niet weggespoeld zou worden.

Ik had nog geen kwart van de vereiste afstand afgewerkt. Desondanks hield mijn provisorische waterkering stand. Had de kraan het maar niet begeven.

Het werd al donker, maar de wolken waren een beetje uiteengedreven. Meer naar Les Salants toe was de lucht rood en zwart en onheilspellend. Ik hield even op om mijn pijnlijke rug te strekken en zag iemand boven me op het duin staan, afgetekend tegen de lucht.

GrosJean. Ik kon zijn gezicht niet zien, maar ik zag aan zijn houding dat hij me observeerde. Even bleef hij dat doen, maar toen ik naar hem toe begon te lopen, onhandig door het modderige water plonzend, keerde hij zich gewoon om en verdween hij achter de duintoppen. Ik liep hem achterna, maar doordat ik doodmoe was, was ik te traag. Ik wist dat hij weg zou zijn wanneer ik de plek bereikt had.

Beneden zag ik de stroming de kreek in komen. Het water had nog niet de hoogste stand bereikt, maar vanuit mijn uitkijkpost kon ik al de zwakke plekken in mijn verdedigingswerken zien, de plekken waar sluikse slierten bruin water aan de losse aarde en stenen zouden wrikken en de weg zouden openen. De tractor stond al tot zijn buik in het water, nog even en de motor zou onder water komen te staan. Ik vloektc, rende terug naar de kreek en startte de tractor; hij weigerde twee keer, maar toen kon ik hem eindelijk onder veel lawaai en protest in een wolk van oliedamp naar een veiliger plek brengen.

Dat rottij ook. En geluk had ik ook al niet. Boos gooide ik een steen in het water. Hij viel met een ironische plons tegen de zijkant van de oever. Ik trok de resten van een dode azalea uit de grond en wierp die ook weg. Ik merkte dat er een plotselinge, apocalyptische woede in me tot uitbarsting dreigde te komen. Even later raapte ik alles op waarmee ik kon gooien: stenen en dood hout en stukken puin. De schop die ik had gebruikt lag nog op de trailer; ik pakte hem beet en begon woest in de zompige grond te graven en aardkluiten en water naar alle kanten op te werpen.

'Mado, hou op. Madó!'

Ik moet hem gehoord hebben, maar ik keerde me pas om toen ik zijn hand op mijn schouder voelde. Mijn behand-

157

schoende handen zaten vol blaren. Mijn ademhaling schroei-
de in mijn keel. Mijn gezicht zat vol aangekoekte modder.
Hij stond achter me, tot zijn enkels in het water. Zijn gebruikelijke ironische uitdrukking ontbrak; hij keek nu boos
en bezorgd.

'Jezus, Mado, geef je dan nooit op?'

'Flynn.' Ik keek hem wezenloos aan. 'Wat doe je hier?'

'Ik ben op zoek naar GrosJean.' Hij fronste naar me. 'Ik
heb bij La Goulue iets gevonden dat is aangespoeld. Ik dacht
dat het hem misschien zou interesseren.'

'Nog meer kreeft,' opperde ik wrang, omdat ik moest
denken aan die eerste dag bij La Goulue.

Flynn haalde diep adem. 'Jij bent al net zo gek als hij,' zei
hij. 'Als je hier blijft, wordt het nog je dood.'

'Iémand moet íéts doen,' zei ik, terwijl ik de schop op-
pakte, die ik had laten vallen toen hij me onderbrak. 'Iemand
moet hun het goede voorbeeld geven.'

'Het goede voorbeeld? Van wat?' Hij probeerde kalm te
blijven, maar dat lukte hem nauwelijks; in zijn ogen blonk
een gevaarlijk licht.

'Hoe je je kunt verweren.' Ik keek hem boos aan. 'Hoe je
kunt samenwerken.'

'Samenwerken?' Hij klonk minachtend. 'Heb je dat niet
al geprobeerd? En wat heeft dat je opgeleverd?'

'Je weet best waarom het me niet lukte,' zei ik. 'Als jíj nou
had meegedaan – naar jou hadden ze wel geluisterd.'

Met veel moeite dempte hij zijn stem. 'Je schijnt het niet
te begrijpen. Ik wíl niet meedoen. Ik heb het grootste deel
van mijn leven moeten betreuren dat ik ergens bij betrokken
was. Je doet iets en dat leidt tot iets anders en dan weer tot
iets anders.'

'Als Brismand Les Immortelles kan beschermen,' vervolgde ik met opeengeklemde kaken, 'dan kunnen wij dat hier ook. We zouden de oude strandmuur weer kunnen opbouwen, de rotsen bij La Goulue kunnen versterken...'

'Zeker,' zei Flynn ironisch. 'Jij en tweehonderd ton steen, een dragline, een waterbouwkundig ingenieur en o ja, ongeveer een half miljoen frank.'

Even was ik van mijn stuk. 'Zoveel?' zei ik eindelijk.

'Minstens.'

'Je schijnt er heel wat van af te weten.'

'Ach, ja. Ik let op dat soort dingen. Ik heb het werk bij Les Immortelles gadegeslagen. Het was niet gemakkelijk, dat kan ik je wel vertellen. En Brismand bouwde op funderingen die dertig jaar geleden al gelegd waren. Jij hebt het over van voren af aan beginnen.'

'Je zou vast wel iets kunnen bedenken als je dat wou,' herhaalde ik huiverend. 'Jij begrijpt hoe die dingen werken. Je zou iets kunnen bedenken.'

'Nee, dat zou ik niet,' zei Flynn. 'En als ik het kon, zie ik niet in waarom ik het zou. La Houssinière heeft het strand nodig. Daar is handel. Waarom zou je dat evenwicht verstoren?'

'Dat heeft Brismand al gedaan,' zei ik fel. 'Hij wíst dat hij ons zand stal. Het zand van La Jetée, dat ons zou hebben moeten beschermen.'

Flynn staarde naar de horizon alsof daar iets te zien was. 'Jij geeft nooit op, hè?'

Toonloos zei ik: 'Nee.'

Hij keek me niet aan. De lage wolken achter hem hadden bijna dezelfde okerkleur als zijn haar. De zoute geur van het oplopende tij prikte in mijn ogen.

'En je houdt niet op voordat je resultaten ziet?'
'Nee.'
Stilte. 'Is dat het wel waard?' zei Flynn ten slotte.
'Voor mij wel.'
'Ik bedoel: een generatie later zijn ze allemaal verdwenen. Kijk dan toch: iedereen met een beetje verstand is jaren geleden al vertrokken. Zou het niet beter zijn de natuur gewoon zijn gang te laten gaan?'
Ik keek hem alleen maar aan en zei niets.
'Er sterven de hele tijd gemeenschappen uit.' Zijn stem was rustig en overredend. 'Dat weet je. Dat hoort bij het leven hier. Het zou misschien zelfs goed kunnen zijn voor de mensen. Dan zijn ze gedwongen weer zelf na te denken. Een nieuw leven op te bouwen. Moet je zien: er is zoveel inteelt dat het uiteindelijk tot de ondergang leidt. Er moet nieuw bloed komen. Ze klampen zich hier vast aan niets.'
Koppig: 'Dat is niet waar. Ze hebben rechten. En te veel van hen zijn oud. Te oud om ergens anders opnieuw te beginnen. Denk maar aan Matthias Guénolé of Aristide Bastonnet, of Toinette Prossage. Het eiland is het enige wat ze kennen. Zij zouden nooit naar het vasteland verhuizen, ook niet als hun kinderen dat deden.'
Hij haalde zijn schouders op. 'Er is meer op het eiland dan Les Salants.'
'Zoals tweederangsburger zijn in La Houssinière? Een huis huren van Claude Brismand? En waar zou het geld vandaan komen? Al deze huizen zijn onverzekerd, dat weet je. Ze staan allemaal te dicht bij de zee.'
'We hebben altijd Les Immortelles nog,' bracht hij me vriendelijk in herinnering.
'Nee!' Ik dacht waarschijnlijk aan mijn vader. 'Dat is niet

acceptabel. Hier horen we thuis. Het is niet volmaakt, het is niet gemakkelijk, maar het is nu eenmaal zo. Hier horen we thuis,' herhaalde ik, 'en we gaan niet weg.'

Ik wachtte. De indringende geur van het stijgende zeewater was overweldigend. Ik hoorde het ritme van de golven als bloed in mijn hoofd, in mijn aderen. Ik sloeg hem gade en wachtte tot hij iets zou zeggen. Plotseling voelde ik me heel kalm.

Eindelijk keek hij me aan en hij knikte. 'Je bent koppig, net als je vader.'

'Ik ben een Salannaise,' zei ik glimlachend. 'Kop vol stenen.'

Het was weer stil, langer nu. 'Zelfs als ik iets wist te bedenken, zou het wel eens niet kunnen werken. Een windmolen opknappen is iets heel anders dan dit. Ik kan niets garanderen. We zouden ze met zijn allen aan het werk moeten zien te krijgen. Iedereen in Les Salants zou keihard mee moeten werken. Er zou een wonder voor nodig zijn.'

Dat 'wij'. Het deed het bloed naar mijn wangen stijgen en mijn hart een sprongetje maken.

'Dus het kan?' Ik klonk ademloos, absurd. 'Het water kan worden tegengehouden?'

'Ik zal erover moeten nadenken. Maar er is een manier om hen eendrachtig te maken.'

Hij keek me weer op die eigenaardige manier aan, alsof ik hem amuseerde. Maar er was nu ook iets anders: een strakke, geboeide blik, alsof hij me voor het eerst zag. Ik wist niet zeker of ik daar blij mee moest zijn.

'Weet je,' zei hij ten slotte, 'er is geen zekerheid dat men je hiervoor dankbaar zal zijn. Zelfs als het werkt, kunnen ze het je kwalijk nemen. Je hebt al een reputatie.'

Dat wist ik. 'Dat kan me niet schelen.'

'Bovendien overtreden we de wet,' vervolgde hij. 'Je moet eigenlijk toestemming vragen en documenten en plannen overleggen. Dat zal uiteraard niet mogelijk zijn.'

'Ik zei je toch al dat het me niet kan schelen.'

'Er zou een wonder voor nodig zijn,' herhaalde hij, maar ik zag dat hij bijna lachte. Zijn ogen, die zo-even heel koel hadden gestaan, waren vol lichtjes en weerkaatsingen.

'Nou?'

Hij lachte nu voluit en het drong tot me door dat de Salannais misschien wel vaak glimlachen, gniffelen of zelfs zachtjes grinniken, maar zelden hardop lachen. Het klonk me exotisch, vreemd in de oren, als iets uit een ver land.

'Goed dan,' zei Flynn.

Deel twee

Het tij wordt gekeerd

21

Omers huis liep 's nachts onder water. Door de regen was de kreek gezwollen en toen het vloed werd, was hij weer door de versterkingen heen gebroken. Aangezien Omers huis het dichtstbij stond, werd dat het eerst getroffen.

'Tegenwoordig nemen ze niet eens meer de moeite om de meubels te verplaatsen,' legde Toinette uit. 'Charlotte zet gewoon alle deuren open en laat het water aan de achterkant weglopen. Ik zou ze wel in mijn huis willen opnemen, maar er is geen ruimte. Trouwens, van die dochter van hen word ik bekaf. Ik ben te oud voor meisjes.'

Mercédès was in haar moeilijkste periode. Ghislain en Xavier konden haar niet meer tevredenstellen en ze begon nu haar tijd door te brengen in de Chat Noir in La Houssinière, waar ze zich liet aanbidden door een aantal jonge Houssins. Xavier gaf Aristides bezitterige gedrag de schuld. Charlotte, die de extra hulp wel had kunnen gebruiken, was ten einde raad. Toinette voorzag een ramp.

'Mercédès speelt met vuur,' verklaarde ze. 'Xavier Bastonnet is een goeie knul, maar in zijn hart is hij even obstinaat als zijn grootvader. Als ze zo doorgaat, raakt ze hem nog kwijt, en aangezien ik mijn Mercédès ken, zal ze zich op dat moment pas realiseren dat hij degene was die ze eigenlijk had willen hebben.'

Als ze had verwacht dat haar afwezigheid een reactie uit

zou lokken, werd Mercédès teleurgesteld. Ghislain en Xavier bleven elkaar aan weerskanten van de *étier* beloeren, alsof zij de minnaars waren. Er deden zich kleine boosaardige incidenten voor, waarvan ze elkaar de schuld gaven – een kapotgesneden zeil op de *Cécilia*, een emmer vol pieren die op mysterieuze wijze in een van Ghislains laarzen belandde – maar geen van tweeën kon iets bewijzen. De jonge Damien was helemaal uit Les Salants verdwenen en hing nu het grootste deel van zijn tijd rond op de promenade om er ruzie te zoeken.

Ook ik werd daarheen getrokken. Zelfs buiten het seizoen hing er een vitaliteit, een gevoel dat alles mogelijk was. Les Salants was levenlozer dan ooit, stagneerde. Het deed me pijn het te zien. Ik ging dus maar naar Les Immortelles met een schetsblok en potloden, maar mijn vingers waren onhandig en ik kon niet tekenen. Ik wachtte; waarop, of op wíé, wist ik niet.

Flynn had me weinig inzicht gegeven in wat ik kon verwachten. Het was beter, zei hij, als ik het niet wist. Dan zouden mijn reacties spontaner zijn. Hij was na ons gesprek een paar dagen uit het zicht verdwenen, en hoewel ik wist dat hij iets aan het uitbroeden was, wilde hij me niet vertellen wat het was toen ik hem eindelijk op het spoor kwam.

'Je zou het alleen maar afkeuren.' Hij leek vandaag boordevol energie te zitten. Zijn ogen waren net kruit: grijs en glinsterend en explosief. De deur van de bunker achter hem stond op een kier en ik zag binnen iets staan dat in een laken gewikkeld was, iets groots. Er stond een schop tegen de muur, die nog zwart was van de modder van de vlakte. Flynn zag me kijken en schopte de deur dicht. 'Wat ben je toch achterdochtig, Mado,' klaagde hij. 'Ik zei je toch dat ik aan je wonder werkte.'

'Hoe weet ik of het begonnen is?'

'Dat merk je vanzelf.'

Ik keek weer even naar de deur van de bunker. 'Je hebt toch niets gestolen, hè?'

'Natuurlijk niet. Ik heb daar alleen maar een paar spulletjes die ik bij laagwater gevonden heb.'

'Weer gestroopt,' zei ik afkeurend.

Hij grijnsde. 'Je blijft me die kreeften maar inwrijven, hè? Een beetje stropen onder vrienden kan toch geen kwaad?'

'Op een dag word je betrapt,' zei ik tegen hem, een glimlach onderdrukkend, 'en het zou je verdiende loon zijn als ze op je schoten.'

Flynn lachte alleen maar, maar de volgende ochtend stond er een groot in cadeaupapier verpakt pak voor de achterdeur met een rood lint eromheen.

Er zat één kreeft in.

Niet lang daarna, in een koude, onstuimige nacht, begon het. Op die winderige avonden was GrosJean vaak rusteloos. Hij stond op om de luiken te controleren of om koffie te drinken in de keuken en te luisteren naar het geluid van de zee. Ik vroeg me af waar hij op lette.

Ik hoorde hem die nacht vaker dan anders, omdat ook ik rusteloos was. Er was weer een zuidelijke wind opgestoken en ik hoorde hem als een rattenplaag aan de deuren krabben en bij de ramen gillen. Rond middernacht sukkelde ik in slaap; ik droomde flarden over mijn moeder, dromen die ik bijna meteen weer vergat, maar die te maken hadden met het geluid van haar ademhaling wanneer we naast elkaar in een van de reeks goedkope huurkamers lagen – haar ademhaling en het feit dat die soms een halve minuut of langer wegviel, voordat hij weer piepend op gang kwam...

Om één uur stond ik op en zette koffie. Door de luiken zag ik het rode licht van het baken aan het eind van La Jetée en daarachter de brandend-oranje horizon, doorstreept met warmtebliksem. De zee had een keelachtige klank; de wind had geen stormkracht, maar was toch krachtig genoeg om de kabels van de aangemeerde boten te laten zingen en af en toe een vlaag zand tegen de ruiten te smijten. Terwijl ik luisterde, meende ik eenmaal – boem! – een klok te horen luiden: een klaaglijk geluid in het geraas van de wind. Het kon verbeelding zijn geweest, hield ik mezelf voor, een truc die de nacht met me uithaalde, maar toen hoorde ik het nog een keer, en een derde keer: klokgelui dat met toenemende helderheid boven de golven en de wind uitkwam.

Ik huiverde.

Het was begonnen.

Het klokgelui werd luider, omdat het door de vlagerige wind van de Pointe werd meegenomen. Het klonk spookachtig, onnatuurlijk hol, de klok van een verzonken kerk die rampspoed aankondigde. Toen ik naar de rotsachtige Pointe keek, meende ik iets te zien, een dansende, blauwige gloed, die van zee kwam. Hij schichtte vanaf de grond omhoog, eenmaal, tweemaal, en brak tegen de wolken stuk in een naaargeestig vertoon van bleek vuur.

Plotseling werd ik me ervan bewust dat GrosJean uit bed was gekomen en achter me stond. Hij was aangekleed en had zelfs zijn *vareuse* en laarzen aan.

'Er is niks aan de hand,' zei ik. 'Je hoeft je nergens zorgen om te maken. Het onweert, meer niet.'

Mijn vader zei niets. Hij stond stijf naast me, als een houten pop, als het speelgoed dat hij vroeger voor me maakte van de restjes van zijn werkplaats. Niets in zijn manier van doen wees erop dat hij me zelfs maar gehoord had. Ik voelde echter dat hij een sterke emotie uitstraalde, iets dat zich in me vasthaakte als een kattenklauw in een nylonkous. Zijn handen trilden.

'Alles komt goed,' herhaalde ik onnozel.

'La Marinette,' zei mijn vader.

Zijn stem klonk roestig en ongebruikt. Even renden de lettergrepen onontcijferbaar rond in mijn geest.

'La Marinette,' zei GrosJean weer, nu dringender, en hij legde een hand op mijn arm. Zijn blauwe ogen smeekten.

'Dat is alleen maar de kerkklok,' zei ik geruststellend. 'Ik hoor het ook. Dat is de wind die dat geluid uit La Houssinière meeneemt, meer niet.'

GrosJean schudde ongeduldig zijn hoofd. 'La – Marinette,' zei hij.

Flynn – ik wist zeker dat hij het deed – had een toepasselijk symbool gekozen op een toepasselijk moment. Maar mijn vaders reactie op het geluid van de klok maakte me bang om het hart. Hij stond daar als een hond die aan zijn riem trekt; zijn hand omklemde mijn arm zo hard dat ik er blauwe plekken van kreeg. Zijn gezicht was wit.

'Wat is er dan toch?' vroeg ik, terwijl ik mijn arm zachtjes losmaakte. 'Wat is er?'

Opnieuw kon GrosJean niet praten. Alleen zijn ogen spraken, donker van emotie, als de ogen van een heilige die te lang in de wildernis heeft vertoefd en ten slotte zijn verstand heeft verloren.

'Ik zal gaan kijken wat er aan de hand is,' zei ik. 'Ik ben zo terug.'

Ik liet hem daar staan met zijn gezicht naar het raam gekeerd. Ik trok mijn waterdichte jack aan en stapte de sombere nacht in.

22

Het lawaai van de golven was enorm, maar de klok bleef erbovenuit komen, een zwaar, onheilspellend gelui dat door de grond heen leek te trillen. Toen ik dichterbij kwam, schoot er achter het duin weer licht omhoog. Het klauwde door de lucht, verlichtte kortstondig alles, maar stierf dan even snel weer weg. Ik zag licht achter ramen, luiken die opengingen, gedaanten – nauwelijks herkenbaar in hun overjassen en wollen mutsen – die nieuwsgierig in deuropeningen stonden en op hekken leunden. Ik kon onder de wegwijzer Omers omvangrijke gestalte al onderscheiden, geflankeerd door een zenuwachtige, in peignoir geklede persoon die alleen maar Charlotte kon zijn. Mercédès stond in haar nachtpon voor het raam. Ik zag Ghislain en Alain Guénolé en vlak daarachter Matthias. Hier en daar wat kinderen, onder wie Lolo en Damien. Lolo droeg een rode muts en sprong uitgelaten rond bij het zwakke licht van de openstaande deur. Zijn schaduw danste. Ik hoorde zijn stem iel boven het ding-dong van de klok uit.

'Wat is daar in godsnaam aan de hand?' Dat was Angélo, tot aan zijn ogen ingepakt in visserscape en bivakmuts. Hij had een zaklantaarn in zijn hand en liet die even op mijn gezicht schijnen, alsof hij wilde weten of er geen indringers waren. Hij leek gerustgesteld toen hij mij zag.

'O, ben jij het, Mado. Ben jij al bij de Pointe geweest? Wat gebeurt daar allemaal?'

'Ik weet het niet.' De wind bulderde en maakte mijn stem zwak en onzeker. 'Ik zag het weerlichten.'

'Ja, dat was overduidelijk.' De Guénolés hadden inmiddels het duin bereikt; ze hadden allebei een visserslantaarn en een geweer bij zich. 'Als daar iemand trucs zit uit te halen...' Alain maakte een suggestief gebaar met zijn geweer. 'Ik zie de Bastonnets er wel voor aan om zo'n stunt uit te halen. Maar ik ga toch maar even naar de Pointe, om te zien wat er gaande is. Ik laat de jongen de wacht houden. Ze denken zeker dat ik van gisteren ben, als ze verwachten dat ik hierin trap.'

'Wie er ook achter moge zitten, het is geen Bastonnet,' verklaarde Angélo, terwijl hij wees. 'Ik zie daar verderop Aristide aan de arm van Xavier. Hij haast zich ook, zo te zien.'

De oude man hobbelde inderdaad zo snel hij kon over de Rue de l'Océan; hij gebruikte zijn stok om zijn evenwicht te bewaren aan de ene kant en de arm van zijn kleinzoon aan de andere. Zijn lange haar fladderde wild onder de visserspet uit.

'Guénolé!' brulde hij zodra hij binnen gehoorsafstand kwam. 'Ik had moeten weten dat jullie hierachter zaten! Waar ben je verdomme mee bezig? Je maakt iedereen op een onmogelijk uur wakker!'

Matthias lachte. 'Mij kun je geen zand in de ogen strooien,' zei hij. 'Een slecht geweten roept altijd het hardst. Vertel me niet dat jíj hier niets van af weet. Waarom zou je anders zo snel naar buiten zijn gekomen?'

'Mijn vrouw is weg,' zei Aristide. 'Ik hoorde de deur dichtslaan. Op de rotsen in dit weer – op haar leeftijd. Dat wordt haar dood!' Hij hief zijn stok en zijn stem kraakte van woede. 'Kun je haar er niet buiten laten?' schreeuwde hij schor. 'Is het niet genoeg dat je zoon... je zóón...' Hij haalde met zijn stok uit naar Matthias en zou omgevallen zijn als Xavier hem niet overeind had gehouden. Ghislain hief zijn geweer op. Aristide lachte kakelend. 'Toe dan!' gilde hij. 'Schiet maar, het kan me toch niets schelen! Schiet een oude man met één been maar neer, toe dan, dat is precies wat iedereen van een Guénolé verwacht. Toe dan. Zal ik dichterbij komen? Dan kun je niet missen. Santa Marine, kan dat stomme gelui niet eens ophouden?' Hij zette een onvaste pas naar voren, maar Xavier hield hem tegen.

'Mijn vader zegt dat het La Marinette is,' zei ik.

Even keken Guénolés en Bastonnets naar mij. Toen schudde Aristide zijn hoofd. 'Dat is het niet,' zei hij. 'Het is gewoon iemand die een grap uithaalt. Niemand heeft La Marinette meer horen luiden sinds...'

Het een of andere instinct deed me op dat moment achteromkijken, naar de duin. Daar was het silhouet van een man afgetekend tegen de onrustige lucht. Ik herkende mijn vader. Aristide zag hem ook en slikte grommend in wat hij had willen zeggen.

'Vader,' zei ik vriendelijk. 'Ga toch naar huis.'

Maar GrosJean kwam niet in beweging. Ik legde mijn arm om zijn schouders en voelde dat hij trilde.

'Luister, iedereen is moe,' zei Alain, zachter nu. 'Laten we alleen even gaan kijken wat er aan de hand is, oké? Ik moet morgen weer vroeg op.' Daarna wendde hij zich om. Onverwacht fel zei hij tegen zijn zoon: 'En jij: doe in 's hemelsnaam dat stomme geweer weg. Waar dacht je dat je was... in het wilde westen?'

'Het is maar steenzout,' begon Ghislain.

'Ik zei: doe weg!'

173

Ghislain liet met een nors gezicht het geweer zakken. Ter hoogte van de Pointe schoten weer twee flitsen van blauw vuur knetterend de onrustige lucht in. Ik voelde GrosJean bij het geluid ineenkrimpen.

'Elmsvuur,' verkondigde Angélo.

Aristide leek niet overtuigd. We liepen door naar Pointe Griznoz. Omer en Charlotte Prossage voegden zich bij ons, daarna Hilaire met zijn wandelstok, Toinette en een stoet anderen. Boing-boing deed de verdronken klok; het blauwe vuur knetterde en de stemmen klonken hoog van een opwinding die heel snel in woede, angst of iets ergers kon omslaan. Ik zocht tussen de mensen naar Flynn, maar hij was nergens te bekennen. Ik voelde een lichte ongerustheid; ik hoopte dat hij wist wat hij deed.

Ik hielp GrosJean het duin op, terwijl Xavier vooruit rende met de lantaarn. Aristide volgde ons, slepend met zijn houten been en zwaar steunend op zijn stok. De mensen haalden ons rap in, hobbelend over het bewegende zand. Ik zag Mercédès; haar lange haar hing los en haar jas was over haar witte nachtjapon dichtgeknoopt en ik begreep waarom Xavier vast vooruit was gegaan.

'Désirée,' mompelde Aristide.

'Rustig maar,' zei ik. 'Er is vast niets aan de hand.'

Maar de oude man luisterde niet. 'Ik heb het ooit zelf gehoord, weet je,' zei hij, bijna in zichzelf pratend. 'La Marinette. De zomer van het Zwarte Jaar, de dag waarop Olivier verdronk. Ik maakte mezelf destijds wijs dat het geluid van de romp van de treiler afkomstig was, dat die knalde en dreunde toen het tij hem meenam. Later begreep ik het. Dat was La Marinette die ik die dag hoorde luiden. Kondigde rampspoed aan, zoals altijd het geval is. En Alain Guénolé...'

Zijn stem veranderde abrupt van toon. 'Alain was zijn vriend, weet je. Ze waren even oud, die twee. Gingen soms samen vissen, ook al vonden we dat niet goed.'

Hij begon moe te worden en leunde zwaar op zijn stok, toen we tegen de grote duin op liepen. Daarachter lagen de rotsen van Pointe Griznoz; de muurresten van de verloren geganc kapel van Sainte-Marine stonden als een megaliet tegen de hemel afgetekend.

'Hij had er moeten zijn,' vervolgde Aristide dwingend. 'Ze hadden afgesproken dat ze elkaar om twaalf uur zouden ontmoeten om alles wat er van het oude schip te halen viel, te bergen. Als hij gekomen was, zou hij mijn zoon gered kunnen hebben. *Als* hij gekomen was. Maar hij lag in de duinen met zijn meisje, Evelyne Gaillard was dat toen, de dochter van Georges Gaillard uit La Houssinière. Hij was de tijd vergeten. De tijd vergeten!' herhaalde hij, bijna uitgelaten. 'Zat zich suf te neuken, nog met zo'n Houssine ook, terwijl zijn vriend, mijn zoon...'

Hij hijgde toen we de duintop bereikten. Een groep Salannais was er al; hun gezichten werden verlicht door het licht van hun zaklantaarns en lantaarns. Het Elmsvuur, als het dat geweest was, was verdwenen. Ook de klok was opgehouden met luiden.

'Het is een teken,' riep iemand – ik denk dat het Matthias Guénolé was.

'Het is een truc,' mompelde Aristide.

Terwijl we toekeken, kwamen er nog steeds mensen aan. Ik vermoedde dat het halve dorp er al was, en over de weg die zij hadden genomen, zouden er spoedig nog meer komen.

De wind geselde ons gezicht met zout en zand. Een kind

begon klaaglijk te huilen. Achter me hoorde ik bidden. Toinette schreeuwde iets over Sainte-Marine, een gebed of een waarschuwing.

'Waar is mijn vrouw?' schreeuwde Aristide boven het lawaai uit. 'Wat is er met Désirée gebeurd?'

'De heilige!' riep Toinette. 'De heilige!'

'Kíjk.'

We keken. En daar stond ze, in de nis boven ons, hoog tegen de kapelmuur. Een primitieve figuur, bijna niet te zien in het vage licht, de grove gelaatstrekken door het vuur duidelijk belijnd. Door de beweging van de zaklantaarns en lantaarns leek ze heen en weer te bewegen op haar onmogelijke plek, alsof ze overwoog te vluchten. Haar feestgewaden bolden om haar heen op en op haar hoofd prijkte de vergulde kroon van Sainte-Marine. Aan haar voeten de twee oude kloosterzusters, soeur Thérèse en soeur Extase, in een houding van gebed. Achter hen zag ik iets op de kale muur van de vergane kapel gekrast of getekend; een soort graffiti.

'Hoe is ze in godsnaam daarboven terechtgekomen?' Dat was Alain, die naar de wankelende heilige opkeek alsof hij niet kon geloven wat hij zag.

'En wat doen die twee eksters hier?' gromde Aristide, terwijl hij kwaad naar de nonnen keek. Maar toen zweeg hij. Naast de twee zusters lag een gedaante in nachtjapon op het gras geknield, de handen gevouwen. 'Désirée!' Aristide hinkte zo snel hij kon naar de knielende gedaante, die toen ze hem zag naderen, haar wijdopen ogen naar hem toe keerde. Haar bleke gezicht straalde. 'O, Aristide! Ze is teruggekomen!' zei ze. 'Het is een wonder.'

De oude man beefde. Zijn mond ging open, maar even kwam er niets uit. Zijn stem klonk bars toen hij zijn hand naar zijn vrouw uitstak en zei: 'Je bent steenkoud, domme ouwe vis. Hoe haal je het in je hoofd om zonder jas hierheen te gaan? Ik kan je maar beter de mijne geven.' Hij trok zijn vissersjasje uit en sloeg het om haar schouders.

Désirée liet hem begaan; ze merkte het bijna niet. 'Ik heb de heilige gehoord,' zei ze, nog steeds met een glimlach op haar gezicht. 'Ze sprak... o, Aristide, ze sprak tegen míj.'

Beetje bij beetje verzamelden de mensen zich aan de voet van de muur.

'*Mon Dieu*,' zei Capucine, en ze maakte met haar hand een teken om het kwaad te weren. 'Is dat echt de heilige?'

Angélo knikte. 'Maar god mag weten hoe ze daar gekomen is.'

'Sainte-Marine!' kreet iemand aan de voet van de duin. Toinette viel op haar knieën. Er ging een zucht door de menigte: *aiiii!* De branding sloeg als een hartslag tegen de grond.

'Ze is ziek,' zei Aristide, en hij probeerde Désirée overeind te trekken. 'Kan iemand me helpen?'

'Nee, nee,' zei Désirée. 'Ik ben niet ziek. Niet meer.'

'Hé! Jullie daar!' Aristide richtte zich tot de twee karmelietessen, die nog steeds bij de nis van de heilige stonden. 'Komen jullie me nog een handje helpen, of hoe zit dat?'

De twee nonnen staarden hem bewegingloos aan. 'We hebben een boodschap gekregen,' zei soeur Thérèse.

'In de kapel. Net als Jeanne d'Arc.'

'Neenee, helemaal niet als Jeanne d'Arc. Dat waren stemmen, *ma soeur*, geen visioenen, en die hebben haar ook niet veel goeds opgeleverd.'

Ik deed mijn best om boven het geluid van de wind uit te verstaan wat ze allemaal zeiden.

'Marine-de-la-Mer, helemaal in het wit gekleed met haar...'

'...kroon en lantaarn en een...'

'...sluier over haar gezicht.'

'Een sluier?' Ik had het idee dat ik er iets van begon te begrijpen.

De zusters knikten. 'En ze sprak tegen ons, Madootje.'

'Ze sprak. Tegen ons.'

'Weten jullie zeker dat zij het was?' Ik moest die vraag gewoon stellen.

De karmelietessen keken me aan alsof ik niet helemaal goed bij mijn hoofd was. 'Ja, natuurlijk, Madootje. Wie...'

'...anders had het kunnen zijn? Ze zei dat ze vanavond terugkwam, en...'

'...daar is ze!'

'Daarboven.'

Ze spraken dit laatste eenparig uit, hun ogen glanzend als die van een vogel. Naast hen luisterde Désirée Bastonnet verrukt mee. GrosJean, die bewegingloos naar dit alles geluisterd had, keek op, zijn ogen vol sterren.

Aristide schudde ongeduldig zijn hoofd. 'Dromen. Stemmen. Daar hoef je op een koude nacht toch niet je warme bed voor te verlaten. Kom mee, Désirée.'

Maar Désirée schudde haar hoofd. 'Ze heeft tegen hen gesproken, Aristide,' zei ze ferm. 'Ze zei tegen hen dat ze moesten komen. Ze zijn hierheen gegaan – jij sliep nog – en toen hebben ze op de deur geklopt. Ze hebben me het teken op de muur van de kapel laten zien...'

'Ik wist wel dat zij erachter zaten!' barstte Aristide woedend los. 'Die eksters...'

'Ik vind dat hij ons geen eksters mag noemen,' zei soeur Extase. 'Die brengen ongeluk.'

'We zijn hierheen gegaan,' zei Désirée, 'en de heilige heeft tegen ons gesproken.'

Achter ons werden nekken gestrekt. Ogen knepen zich tot spleetjes tegen de met zand beladen wind. Met stiekeme vingers werd het teken gemaakt om rampspoed te weren. Ik hoorde mensen hun adem inhouden, vasthouden en moeizaam uitademen.

'Wat heeft ze gezegd?' vroeg Omer ten slotte.

'Ze klonk niet zo heilig,' zei soeur Thérèse.

'Neenee,' viel soeur Extase haar bij. 'Helemaal niet zo heilig.'

'Dat komt doordat ze een Salannaise is,' zei Désirée. 'En niet zo'n zoetsappige Houssine.' Ze glimlachte en pakte Aristides hand. 'Ik wou dat je erbij geweest was, Aristide. Ik wou dat je haar had horen spreken. Onze zoon is al te lang geleden overleden, dertig jaar te lang. Sindsdien is er alleen maar bitterheid en woede geweest. Je kon niet huilen, je kon niet bidden, je joeg je andere zoon weg met je boosheid en je gekoeioneer...'

'Hou je mond,' zei Aristide met een strak gezicht.

Désirée schudde haar hoofd. 'Deze keer niet,' zei ze. 'Je maakt met iedereen ruzie. Je maakt zelfs ruzie met Mado wanneer ze oppert dat het leven hier door zou kunnen gaan in plaats van ophouden. Wat je eigenlijk wilt is alles tegelijk met Olivier ten onder zien gaan. Jezelf, mij, Xavier. Iedereen weg. Alles kapot.'

Aristide keek haar aan. 'Toe nou, Désirée...'

'Het is een wonder, Aristide,' zei ze. 'Het was net of hij zelf tot me sprak. Ik wou dat je het gezien had.' In het rozige licht hief ze haar gezicht op naar de heilige. Op dat moment zag ik zachtjes iets uit haar hoge, donkere nis neer-

179

vallen, iets dat op geurende sneeuw leek. Désirée lag op haar knieën op Pointe Griznoz, omringd door mimosabloesem.

Daarop keerden alle blikken zich naar de nis van de heilige. Even leek het alsof er iets bewoog – mogelijk een dansende schaduw, afkomstig van de lampen.

'Er is daar iemand!' snauwde Aristide. Hij griste het geweer uit de handen van zijn kleinzoon, legde aan en schoot beide lopen leeg op de heilige in haar nis. Er klonk een harde knal, die de plotselinge stilte verscheurde.

'Aristide weet wel hoe je een wonder aan stukken moet schieten,' zei Toinette. 'Jij zou nog op de Maagd van Lourdes schieten als je de kans kreeg, hm, ouwe zot?'

Aristide keek bedremmeld. 'Ik dacht echt dat ik iemand zag.'

Désirée was eindelijk overeind gekomen, haar handen waren nog vol bloemen. 'Dat weet ik.'

De verwarring duurde enige minuten. Xavier, Désirée, Aristide en de nonnen vormden er het middelpunt van en ze probeerden allemaal het hoofd te bieden aan de golf vragen die over hen heen kwam. De mensen wilden de wonderbloemen zien, de uitspraken van de heilige weten en de tekenen op de wand van de kapel inspecteren. Toen ik voorbij de Pointe keek, meende ik even in de diepte iets op de golven de zien dobberen. Op een dood moment in de branding meende ik zelfs iets te horen plonzen, alsof er iets op het water sloeg. Maar dat kon van alles zijn geweest. De gedaante in de nis, zo die er geweest was, was verdwenen.

23

EEN RONDJE BIJ ANGÉLO – HIJ WAS VOOR DEZE BIJZONDERE gelegenheid weer opengegaan – kalmeerde ons wat. Vrees en achterdocht waren vergeten, de *devinnoise* vloeide rijkelijk en een half uur later was de stemming bijna in een carnavalsstemming omgeslagen. De kinderen, die dolblij waren met dit excuus om op te blijven, speelden in een hoek van de bal met de flipperkast. Er zou de volgende ochtend geen school zijn, en dat was op zich al reden genoeg om een feestje te bouwen. Xavier wierp verlegen blikken naar Mercédès en kreeg voor het eerst een blik terug. Tussen de drankjes door beledigde Toinette opgewekt zoveel mogelijk mensen. De nonnen hadden Désirée er eindelijk toe bewogen weer naar bed te gaan, maar Aristide was er wel en maakte een vreemd stille indruk. Flynn was een van de laatsten die binnenkwam; hij droeg een zwarte, gebreide muts die zijn haar bedekte. Hij knipoogde even naar me en nam toen discreet aan een tafel achter me plaats. GrosJean zat naast me met zijn *devinnoise* en rookte een Gitane, terwijl hij onophoudelijk glimlachte. Ik was erg bang geweest dat de vreemde ceremonie hem op de een of andere manier van slag had gebracht, maar ik besefte nu dat mijn vader voor het eerst sinds mijn terugkeer blij was.

Hij bleef ruim een uur naast me zitten en vertrok toen zo rustig dat ik nauwelijks merkte dat hij ging. Ik liep hem niet achterna; ik wilde het broze evenwicht tussen ons niet verstoren. Maar door het raam zag ik hem naar huis lopen, alleen het gloeiende uiteinde van zijn sigaret vaag zichtbaar boven de duin.

De discussie werd voortgezet. Matthias, die aan de grootste tafel zat met de meest invloedrijke Salannais om zich heen verzameld, was er hevig van overtuigd dat de verschijning van Sainte-Marine inderdaad een wonder was geweest.

'Wat zou het anders kunnen zijn?' wilde hij weten, terwijl hij aan zijn derde *devinnoise* nipte. 'De geschiedenis wemelt van de bovennatuurlijke ingrepen in het dagelijks leven. Waarom niet hier?'

Er waren al evenveel variaties op het verhaal als er getuigen waren. Sommigen verklaarden zelfs dat ze de heilige naar haar plek hoog in de vervallen toren hadden zien vlíégen. Anderen hadden muziek gehoord die uit een andere wereld leek te komen. Toinette, die naast Matthias en Aristide troonde en danig van de aandacht genoot, nam af en toe een slokje van haar drank en legde uit dat ze de eerste was geweest die de tekenen op de kerkmuur had gezien. Het leed volgens haar geen twijfel dat het een wonder was. Wie had de kwijtgeraakte heilige kunnen vinden? Wie had haar helemaal naar La Griznoz kunnen brengen? Wie had haar de nis in kunnen tillen? Een mens had dat niet gekund, echt niet. Het was gewoon onmogelijk.

'En dan heb je nog de klok,' verklaarde Omer. 'Die hebben we allemaal gehoord. Dat kan toch alleen maar La Marinette geweest zijn? En dan die tekens op de kapelmuur...'

Ja, men was het erover eens dat er een bovennatuurlijke kracht aan het werk was geweest. Maar wat beduidde dat? Désirée had het als een boodschap van haar zoon opgevat.

Aristide sprak hier niet over, maar bleef ongewoon bedacht-
zaam boven zijn drankje zitten. Toinette zei dat het betekende dat het tij voor ons ging keren. Matthias hoopte op
betere visvangsten. Capucine vertrok. Ze nam Lolo mee,
maar ook zij leek stiller dan anders en ik vroeg me af of ze
aan haar dochter op het vasteland dacht. Ik probeerde Flynns
blik te vangen, maar hij leek het prettig te vinden het gesprek
op zijn beloop te laten. Ik volgde zijn voorbeeld en wachtte.

'Je begint er een beetje uit te raken, Rouget,' zei Alain tegen hem. 'Ik dacht dat jij ons wel zou kunnen vertellen hoe
de heilige in haar eentje naar La Griznoz is gevlogen.'

Flynn haalde zijn schouders op. 'Geen flauw idee. Als ik
wonderen kon verrichten, zou ik niet in dit gat zijn gebleven, maar nu aan de champagne in Parijs zitten.'

Het was eb aan het worden en de wind was afgenomen.
De wolken verspreidden zich en de lucht erachter was rauw-
rood door de naderende dageraad. Iemand stelde voor om
naar de kapel terug te keren en alles bij daglicht te gaan bekijken. Een kleine groep meldde zich; de rest ging, een beetje onvast ter been, over de oneffen weg terug naar huis.

Nadat we de tekst op de kapelmuur aan een nader onderzoek hadden onderworpen, waren we nog niets opgeschoten. Ze leken op de een of andere manier geschroeid, in
de stenen gebrand, maar niemand kon letters onderscheiden. Er waren alleen maar een soort primitieve tekening en
wat getallen te zien.

'Het lijkt wel een soort – plattegrond,' zei Omer La
Patate. 'Dit hier kunnen afmetingen zijn.'

'Misschien heeft het een godsdienstige betekenis,' opperde Toinette. 'Vraag het eens aan de zusters.' Maar de nonnen waren gelijk met Désirée vertrokken en niemand wilde

iets missen door hen te gaan halen.

'Misschien weet Rouget het,' bracht Alain naar voren. 'Hij is hier de intellectueel, toch?'

Er werd instemmend geknikt. 'Ja, laten we Rouget erbij halen. Kom op, laat hem door.'

Flynn nam de tijd. Hij bekeek de ingebrande tekens van alle kanten. Hij kneep zijn ogen tot spleetjes, hield zijn hoofd scheef, controleerde de wind, liep naar de rand van de klip en keek uit over zee. Daarna keerde hij terug en betastte hij opnieuw de tekens met zijn vingertoppen. Als ik niet beter had geweten, zou ik hebben gedacht dat hij ze nog nooit eerder gezien had. Iedereen sloeg hem gade, onder de indruk en verwachtingsvol. Achter hem gloorde het ochtendlicht.

Eindelijk keek hij op.

'Weet je wat het betekent?' zei Omer, niet in staat zijn ongeduld nog langer te bedwingen. 'Is het van de heilige?'

Flynn knikte, en hoewel zijn gezicht ernstig bleef, zag ik dat hij vanbinnen grijnsde.

24

Aristide, matthias, alain, omer, toinette, xavier en ik luisterden zwijgend toen Flynn het uitlegde. Aristide ontplofte.

'Een ark? Zeg je dat ze wil dat we een árk bouwen?'

Flynn haalde zijn schouders op. 'Nou ja, zoiets. Een kunstmatig rif, een drijvende muur. Noem het wat je wilt, als je maar ziet hoe het werkt. Het zand hier' – hij wees naar een ver punt op La Jetée – 'keert terug naar La Goulue, in plaats van weggevoerd te worden. Een soort kurk om te voorkomen dat Les Salants in zee verdwijnt.'

Er volgde een tweede, verbaasde stilte.

'En jij denkt dat de heilige dat heeft achtergelaten?' zei Alain.

'Wie anders?' vroeg Flynn onschuldig.

Matthias was het met hem eens. 'Ze is onze heilige,' zei hij langzaam. 'We hebben haar gevraagd ons te redden. Dit is zeker haar manier om dat te doen.'

Er werd geknikt. Daar zat iets in. Het verdwijnen van de heilige was blijkbaar verkeerd begrepen. Ze had tijd nodig gehad om onderzoek te doen.

Omer keek naar Flynn. 'Maar we hebben niets om een muur mee te maken,' bracht hij ertegenin. 'Moet je zien wat ik heb betaald alleen al om de steen voor de windmolen hierheen te halen. Dat kostte me een fortuin.'

Flynn schudde zijn hoofd. 'We hebben geen steen nodig,' zei hij. 'Het moet iets zijn dat drijft. En het is géén zeemuur. Een muur houdt wel de erosie tegen, althans, even, maar dit is veel beter. Als je een rif op de juiste plaats aanbrengt, bouwt het zijn eigen zeewering. Als je het de tijd geeft.'

Aristide schudde zijn hoofd. 'Dat lukt je nooit. Nog in geen tien jaar.'

Maar Matthias leek geïntrigeerd. 'Ik denk van wel,' zei hij langzaam. 'Maar hoe kom je aan materiaal? Je kunt van spuug en papier geen rif bouwen, Rouget. Zelfs jij niet.'

Flynn dacht even na. 'Banden,' zei hij. 'Autobanden. Die drijven toch? Je kunt ze bij autosloperijen gratis ophalen. Op sommige plaatsen betalen ze je er zelfs voor. Je vaart ze over, ketent ze aan elkaar...'

'Váárt ze óver?' onderbrak Aristide hem. 'Waarmee? Je hebt honderden, misschien wel duizenden banden nodig voor jouw idee. Wat...'

'De *Brismand 1*,' opperde Omer La Patate. 'Misschien kunnen we die huren.'

'Ons blauw betalen aan een Houssin!' zei Aristide woedend. 'Dat zou pas écht een wonder zijn!'

Alain keek hem lang aan zonder iets te zeggen. 'Désirée had gelijk,' zei hij ten slotte. 'We hebben al te veel verloren. Te veel van alles.'

Aristide keerde zich leunend op zijn stok om, maar ik zag dat hij nog steeds luisterde.

'We kunnen niet alles wat we kwijt zijn geraakt, terug-krijgen,' vervolgde Alain zacht. 'Maar we kunnen er wel voor zorgen dat we niet nog meer verliezen. We kunnen proberen de verloren tijd in te halen.' Hij keek naar Xavier terwijl hij sprak. 'We zouden tegen de zee moeten vechten, niet tegen elkaar. We zouden aan ons gezin moeten denken. Dood is dood, maar *alles keert terug*. Als je het de kans geeft.'

Aristide keek hem zwijgend aan. Omer, Xavier, Toinette en de anderen keken vol verwachting toe. Als de Guénolés en de Bastonnets het plan aanvaardden, zouden alle anderen volgen. Matthias keek toe, ondoorgrondelijk achter zijn aanvoerderssnor. Flynn glimlachte. Ik hield mijn adem in.

Toen knikte Aristide kort, wat op het eiland als een teken van respect geldt. Matthias knikte terug. Ze gaven elkaar de hand.

We proostten op hun besluit onder de onbewogen blik van Marine-de-la-Mer, beschermheilige van alles wat ten prooi valt aan de zee.

25

HET WAS AL OCHTEND TOEN IK THUISKWAM. GROSJEAN WAS
nergens te zien. Zijn luiken waren nog gesloten, dus nam ik
aan dat hij weer naar bed was gegaan. Ik volgde zijn voorbeeld. Om half een werd ik wakker toen er aan de deur werd
geklopt. Ik stommelde half-slapend de keuken in om open
te doen.

Het was Flynn.

'Word wakker, het zonnetje is al op,' spoorde hij me spottend aan. 'Nu begint pas het échte werk. Ben je er klaar
voor?'

Ik wierp even een blik op mezelf. Blootsvoets, nog half gekleed in de vochtige, verkreukelde kleren van de vorige
avond, mijn zoute haar zo stijf als borstelharen. Hij leek
daarentegen even opgewekt als altijd. Zijn haar hing netjes
bijeengebonden op de kraag van zijn overjas.

'Je hoeft niet zo zelfingenomen te kijken,' zei ik.

'Waarom niet?' Hij grijnsde. 'Volgens mij ging het goed.
Toinette is al giften aan het inzamelen en ik heb kratten besteld bij de visfabriek om als basis te dienen voor de rifmo-
dules. Alain neemt contact op met de garage. Ik dacht dat jij
misschien wat kabels en kettingen voor de verankering zou
kunnen leveren. Omer gaat het beton maken. Hij heeft nog
wat voorraden over van de windmolen. Als het weer goed
blijft, denk ik dat we tegen het eind van de maand klaar kun-

nen zijn.' Toen hij mijn uitdrukking zag, viel hij stil. 'Hm,' zei hij voorzichtig, 'ik heb zo het gevoel dat ik zo meteen de wind van voren krijg. Wat is er? Heb je koffie nodig?'

'Je durft wel,' zei ik.

Zijn ogen werden groot van geamuseerde verbazing. 'Wat nu weer?'

'Je had me wel eens mogen waarschuwen. Jij met je wonderen. Stel dat het verkeerd was gelopen? Stel dat Gros-Jean...'

'En ik dacht nog wel dat je blij zou zijn,' zei Flynn.

'Het is belachelijk. Straks wordt er nog een heiligdom op de Pointe gebouwd, en dan komt iedereen naar de plek waar het wonder gebeurd is.'

'Daar zou niemand slechter van worden,' zei Flynn.

Ik reageerde niet. 'Het was wreed. Zoals ze ervoor vielen... die arme Désirée, Aristide en zelfs mijn vader. Een gemakkelijke prooi, stuk voor stuk. Wanhopige, bijgelovige mensen. Je hebt hen er echt in laten geloven, hè? En je vond het nog léúk ook.'

'Nou en? Het werkte toch?' Hij maakte een gekwetste indruk. 'Maar dat is het natuurlijk, hè? Het heeft niks te maken met de Salannais en hun waardigheid. Ik heb iets gedaan wat jou niet gelukt is. Een buitenlander. En ze hebben nog naar me geluisterd ook.'

Dat kon wel eens waar zijn, maar ik vond het niet bepaald leuk dat hij me erop wees.

'Gisterenavond leek je geen bezwaar te hebben,' zei Flynn.

'Toen wist ik nog niet wat je van plan was. Die klok...'

'La Marinette.' Hij grijnsde. 'Dat vond ik zelf wel een aardig detail. Een eindloos bandje en een paar oude speakers.'

'En het beeld?' Ik vond het vreselijk dat ik zijn verwaandheid moest voeden, maar ik was nieuwsgierig.

'Ik vond haar op de dag waarop ik jou op La Bouche aantrof. Ik wilde het aan GrosJean gaan vertellen, weet je nog? Jij nam aan dat ik gestroopt had.'

Ik wist het weer. Het hele spektakel, de poëzie ervan, moest hem aangesproken hebben. Het feest van de heilige, de lantaarns, de gezangen, de hang van de Salannais naar het theatrale.

'Ik heb de ceremoniegewaden en de kroon uit de sacristie in La Houssinière weggenomen. Père Alban heeft me bijna betrapt, maar ik wist op tijd weg te komen. De nonnen waren een makkie.'

Uiteraard. Ze hadden hun hele leven op zoiets zitten wachten.

'Hoe heb je het beeld op zijn plaats gekregen?'

Hij haalde zijn schouders op. 'Ik heb de kraan van de werf gerepareerd. Toen het eb was, ben ik ermee het natte zand op gereden en heb ik haar opgehesen. Toen het water weer gestegen was, leek het onmogelijk. Een instantwonder. Je hoeft er alleen maar water bij te doen.'

Het lag eigenlijk voor de hand, bedacht ik, toen ik er eenmaal over nadacht. De rest was eenvoudig geweest: een bos bloemen, wat vuurwerk, klimijzers op de achterkant van de kapelmuur, zijn kano klaarliggend voor een snelle aftocht. Alles was heel gemakkelijk wanneer je eenmaal de oplossing wist. Zo gemakkelijk dat het haast beledigend was.

'Het was alleen even link toen Aristide me op de muur zag,' zei hij grijnzend. 'Steenzout kan geen kwaad, maar het doet wel pijn. Gelukkig ging het meeste ernaast.'

Ik glimlachte niet terug. Hij was naar mijn smaak al veel te zelfvoldaan.

Hij wilde natuurlijk niet speculeren over het resultaat. Het was allemaal al riskant genoeg. Eigenlijk waren er berekeningen nodig, ingewikkelde wiskundige formules gebaseerd op de snelheid van vallende zandkorrels en de hoek met de kust en het tempo van de branding. Het zou voor het merendeel gokwerk zijn. Maar meer konden we er op zo korte termijn niet van maken.

'Ik beloof niets,' waarschuwde Flynn. 'Het is een stoplap. Geen blijvende oplossing.'

'En als het werkt?'

'In het ergste geval zou het een poos de schade verminderen.'

'En in het beste geval?'

'Brismand heeft zand van La Jetée geoogst. Dat lukt ons misschien ook.'

'Zand van La Jetée?' zei ik hem na.

'In ieder geval genoeg voor een paar zandkastelen. Misschien meer.'

'Meer,' zei ik inhalig. 'Meer.'

26

Het moet voor een vastelander moeilijk te begrijpen zijn. Zand is per slot van rekening meestal geen symbool voor stabiliteit. Wat je in het zand schrijft wordt weggespoeld. Liefdevol gebouwde kastelen worden met de grond gelijkgemaakt. Zand is weerbarstig en ongrijpbaar. Het schuurt steen en bedelft muren onder duinen. Het blijft nooit hetzelfde. Op Le Devin zijn zand en zout alles. Ons eten groeit gezouten en al in een bodem die de naam nauwelijks verdient: doordat ze op de duinen grazen, hebben onze schapen en geiten vlees met een fijne, zoute smaak. Zand vormt ons bouwmateriaal. Zand is de basis voor onze bakovens en onze pottenbakkersovens. Dit eiland is al duizendmaal van vorm veranderd. Het wankelt op de rand van Nid'Poule en verliest elk jaar stukjes van zichzelf. Zand, afkomstig van La Jetée, herstelt het; het krult zich om het eiland als een zeemeerminnenstaart en verplaatst zich onmerkbaar van de ene kant naar de andere in slierten traag schuim die krullen, zuchten en zich rondwentelen. Wat er verder ook mag veranderen, er zal altijd zand zijn.

Ik zeg dit om vastelanders te doen begrijpen hoe opgewonden ik was gedurende die paar weken en erna. De eerste week werd er gepland. Daarna gewerkt en nog eens gewerkt. We stonden om vijf uur 's morgens op en hielden 's avonds laat op. Wanneer het weer het toeliet, werkten we aan één stuk door tot de volgende dag; wanneer de wind te sterk was, of wanneer het regende, brachten we alles naar binnen, naar de botenloods, Omers windmolen of een verlaten aardappelschuur; we wilden geen tijd verliezen.

Omer ging met Alain naar La Houssinière om de *Brismand 1* te huren; hij beweerde dat hij hem nodig had voor het bezorgen van bouwmaterialen. Claude Brismand was ertoe bereid; het hoogseizoen was voorbij en de veerboot werd behalve voor noodgevallen slechts eenmaal per week gebruikt voor het afleveren van etenswaar en het ophalen van producten bij de visfabriek. Aristide kende een bandendepot aan de weg naar Pornic en regelde dat er banden bij de *Brismand 1* zouden worden afgeleverd door dezelfde vrachtrijders die anders blikken makreel van de fabriek vervoerden. Er werd besloten dat père Alban de boeken zou bijhouden. Hij was de enige tegen wie noch de Bastonnets, noch de Guénolés bezwaar maakten. Bovendien, zo zei Aristide, zou zelfs een vastelander zich tweemaal bedenken voor hij een priester oplichtte.

De financiering kwam uit de onwaarschijnlijkste bronnen. Toinette kwam met dertien *Louis d'or* aanzetten die ze in een kous onder haar matras bewaarde, geld waarvan zelfs haar familieleden niets wisten. Aristide Bastonnet schonk tweeduizend frank van zijn spaargeld. Om zich niet te laten kennen doneerde Matthias Guénolé tweeënhalfduizend frank. Anderen gaven een bescheidener bedrag: een paar honderd frank van Omer, plus vijf zakken cement, vijfhonderd frank van Hilaire en ook vijfhonderd van Capucine. Geen geld van Angélo, maar de belofte dat allen die aan het project meewerkten, zouden worden voorzien van gratis bier. Dit zorgde voor een gestage toename van de werkploeg, hoewel Omer diverse malen berispt moest worden omdat hij meer in het café zat dan aan de onderdelen van het rif werkte.

Ik belde mijn hospita in Parijs om haar te vertellen dat ik niet meer zou terugkeren. Ze was bereid mijn meubels op te slaan en de paar dingen die ik nodig zou kunnen hebben – kleren, boeken en schildersmaterialen – per spoor naar Nantes te sturen. Ik nam mijn hele spaartegoed op en sloot de rekening: in Les Salants zou ik die niet nodig hebben.

Het rif moest volgens Flynn in delen gebouwd worden. Elk onderdeel omvatte honderdvijftig autobanden, die aan elkaar werden vastgemaakt met op het vasteland bestelde vliegtuigkabels en daarna werden opgestapeld. Er moesten in totaal twaalf van deze modules komen, die aan land in elkaar werden gezet en bij eb ter hoogte van La Jetée werden aangebracht. Betonnen platen, sterk lijkend op de platen die gebruikt werden als aanlegplaatsen voor de boten van het eiland, zouden ter verankering op de zeebodem worden neergelaten, met nog meer kabels om de modules op hun plaats te houden. Doordat we alleen de kraan van de werf hadden om de zware materialen te vervoeren was het werk omslachtig, en diverse malen moesten we de werkzaamheden staken omdat we de juiste materialen niet op tijd konden krijgen, maar iedereen deed wat hij of zij kon.

Toinette bracht de werkploeg op de Pointe warme drank. Charlotte maakte sandwiches. Capucine trok een overall aan, zette een wollen muts op en voegde zich bij de cementmixploeg, waardoor ze een paar van de meer terughoudende mannen beschaamd tot actie dwong. Mercédès zat uren op de duin, zogenaamd als boodschapper, maar in werkelijkheid leek ze meer geïnteresseerd in het gadeslaan van de werkende mannen. Ik reed de kraan. Omer stapelde banden op, terwijl Ghislain Guénolé ze in de kratten vast-laste. Bij eb groef een groep kinderen, vrouwen en oudere mannen diepe gaten om de betonnen platen in te leggen. We gebruikten de trailer om de platen bij eb naar La Jetée te trek-ken, waarna we de desbetreffende plek met een boei mar-keerden. De boot van de Bastonnets, de *Cécilia*, voer bij vloed uit om te kijken of de modules afdreven. Tijdens al deze werkzaamheden liep Flynn rond met een pak papier in zijn handen; hij mat afstanden, berekende hoeken en wind-snelheden en keek fronsend naar de stromingen, die elkaar kruisten en in de richting van La Goulue bogen. De heilige waakte over ons vanuit haar nis op Pointe Griznoz. De rots onder haar was bespat met wit kaarsvet. De stenen aan haar voeten waren bezaaid met offerandes, zoals zout, bloemen of bekertjes wijn. Aristide en Matthias draaiden om elkaar heen; hun wapenstilstand hield stand en in hun ijver om de klus te klaren, deden ze wat ze maar konden om elkaar de loef af te steken. De oude Bastonnet kon vanwege zijn hou-ten been geen zwaar werk doen, maar in plaats daarvan zet-te hij zijn onfortuinlijke kleinzoon, die het in zijn eentje te-gen twee Guénolés moest opnemen, aan tot steeds grotere prestaties.

Naarmate het werk vorderde, zag ik mijn vaders toestand onnoemlijk verbeteren. Hij bracht niet meer zoveel tijd door op La Bouche, maar keek naar de werkzaamheden, hoewel hij er zelden actief aan deelnam. Ik zag zijn keiachtige ge-stalte vaak op de top van het duin, onaandoenlijk en onbe-weeglijk. Thuis lachte hij vaker en hij zei een paar maal iets korts tegen me. Ik voelde zelfs in de aard van zijn stiltes verandering komen, en zijn ogen stonden niet meer zo wezenloos. Soms bleef hij 's avonds op; hij luisterde naar de radio of keek naar mij, terwijl ik snelle, kleine schetsjes maakte in mijn schetsblok. Eén- of tweemaal meende ik te merken dat er in mijn tekeningen gerommeld was, alsof iemand ze had bekeken. Daarna liet ik mijn schetsblok liggen op een plek waar hij ernaar kon kijken wanneer hij maar wilde, hoewel hij dat nooit deed wanneer ik erbij was. Het was een begin, dacht ik. Zelfs bij GrosJean leek er iets op het punt te staan boven te komen.

En dan was er natuurlijk Flynn. Voordat ik het wist was het gebeurd. Sluipend, beetje bij beetje, werd tot mijn verbijstering ongemerkt en geleidelijk mijn verzet uitgehold. Ik merkte dat ik hem gadesloeg zonder te weten waarom, dat ik zijn gezicht bestudeerde alsof ik een portret wilde maken, dat ik in een mensenmenigte naar hem zocht. Sinds de ochtend na het wonder was er niet veel meer gezegd, maar desondanks leek er iets tussen ons veranderd te zijn. Dat was in ieder geval mijn impressie. Het was een combinatie van omstandigheden. Ik merkte dingen die ik nog niet eerder had gemerkt. We werden door de taak die we uitvoerden, samengebracht. We stonden ons samen in te spannen om banden op te stapelen, werden samen doorweekt door het opkomende tij, terwijl we worstelden om de modules op hun plaats te krijgen. We dronken samen bij Angélo. En we deelden een geheim. Dat verbond ons. We werden er samenzweerders door, bijna vrienden.

Flynn kon, als het nodig was, goed luisteren en was zelf een rijke bron van amusante anekdotes en sterke verhalen, verhalen over Engeland, India en Marokko. Een groot deel ervan was onzin, maar hij had gereisd, hij kende plaatsen en mensen, gerechten en gewoonten, rivieren en vogels. Ik reisde met hem mee over de wereld. Maar ik had altijd het gevoel dat er een deel was dat hij niet aan anderen liet zien, een plek waar ik niet mocht komen. Ik had er geen last van moeten hebben. Als hij had gevraagd wat ik van hem wilde, had ik misschien niet zo gauw een antwoord geweten.

Het huis dat hij voor zichzelf van de oude bunker had gemaakt, was comfortabel, maar geïmproviseerd. Een grote kamer, schoongemaakt en gewit, een raam dat op zee uitkeek, stoelen, een tafel, een bed, alles gemaakt van rommel die hij aan de kust vond. Het effect was kitscherig, maar toch ook plezierig, als de man zelf: in de stopverf rond het raam waren schelpen gedrukt en er stonden stoelen die van autobanden waren gemaakt waar zeildoek overheen was gelegd. Aan het plafond hing een hangmat, die ooit een oud visnet was geweest. Buiten zoemde de generator.

'Het is ongelooflijk wat je ermee hebt gedaan,' merkte ik op toen ik het zag. 'Vroeger was het een betonblok vol zand.'

'Tja, ik kon niet eeuwig bij Capucine blijven,' zei hij. 'De mensen begonnen te kletsen.' Nadenkend ging hij met zijn voet over een patroon van schelpen op de betonnen vloer. 'Maar als schipbreukeling doe ik het niet slecht, hè? Alle comfort die een mens nodig heeft.'

Ik meende iets droefgeestigs in zijn stem te horen toen hij dat zei. 'Schipbreukeling? Zie je jezelf zo?'

Flynn lachte. 'Vergeet het.'

Ik vergat het niet, maar ik wist dat het onmogelijk was hem aan het praten te krijgen als hij dat niet wilde. Zijn zwijgzaamheid weerhield me er echter niet van te speculeren. Was hij naar Le Devin gekomen om moeilijkheden met justitie te ontlopen? Het was mogelijk; mensen als Flynn zeilden wel vaker te dicht aan de wind. Ik had me al vaak afgevraagd hoe hij eigenlijk op Le Devin terecht was gekomen, een eiland dat zo klein was dat je het op de kaart nauwelijks zag.

'Flynn,' zei ik ten slotte.

'Ja?'

'Waar ben je geboren?'

'In een plaatsje als Les Salants,' antwoordde hij achteloos. 'Een dorpje aan de kust van Kerry. Een dorp met een strand en verder niet veel.'

Dus hij was toch geen Engelsman. Ik vroeg me af welke andere verkeerde ideeën ik over hem had. 'Ga je nooit meer terug?' Ik kon me denk ik maar moeilijk voorstellen dat de plek waar je geboren was je niet kon schelen; ik probeerde me iets voor te stellen dat contrasteerde met mijn drang naar huis terug te keren.

'Teruggaan? Alsjeblieft niet! Waarom zou ik teruggaan?'

Ik keek hem aan. 'Waarom zou je hierheen komen?'

'Zeeroversschatten,' zei Flynn op geheimzinnige toon. 'Een miljoenenschat – een fortuin – in dubloenen. Zodra ik die heb opgegraven, ben ik verdwenen. En dan – óp naar Las Vegas!' Hij grijnsde breed. En toch meende ik iets droefgees-tigs in zijn stem te horen, bijna iets spijtigs.

Ik liet mijn blik nog eens door de kamer dwalen en voor de eerste keer besefte ik dat er, ondanks de vrolijkheid, niets persoonlijks te zien was: geen foto, geen boek, geen brief. Als hij morgen wegliep, besefte ik, zou je nergens aan kunnen zien wie hij was of waar hij heen ging.

27

DE VOLGENDE PAAR WEKEN WAREN ER NÓG HOGERE WATER-
standen en waaide het nog harder. Er gingen door het zwaar-
dere weer drie dagen werk verloren. De maan rijpte van een
sikkel tot een schijf. Volle maan tijdens de dag-en-nachtevening brengt storm. We wisten het en we raceten zwijgend tegen de maan.

Sinds ik in Les Immortelles bij hem op bezoek was geweest, had Brismand bijzonder weinig van zich laten horen.
Ik voelde echter dat hij nieuwsgierig was, dat hij oplette. De
week na mijn bezoek had hij me wat bloemen gestuurd met
een briefje erbij, een open invitatie om in het hotel te verblijven als het in Les Salants te moeilijk werd. Hij leek niets van
ons werk af te weten en ervan uit te gaan dat ik bezig was het
huis bewoonbaarder te maken voor GrosJean. Hij prees mijn
loyaliteit in dezen, maar wist tegelijkertijd zijn diepe gekwetstheid en spijt over te brengen vanwege mijn gebrek aan
vertrouwen in hem. Ten slotte hoopte hij dat ik zijn geschenk droeg en uitte hij zijn wens dat hij me er spoedig een
keer in zou zien. In feite lag de rode jurk nog ingepakt onder in mijn kast. Ik had hem niet durven passen. Bovendien
was er veel te veel werk te doen, nu het rif zijn voltooiing naderde.

Flynn had zich met hart en ziel in het project gestort. Hoe
hard wij allemaal ook werkten, Flynn vormde altijd het mid-

delpunt van alle activiteit: hij sjouwde, nam proeven, bestudeerde zijn schema's en sprak weerspannige werkers vermanend toe. Zijn inzet verminderde nooit; zelfs toen het water begon te stijgen, bijna een week te vroeg, verloor hij de moed niet. Hij had zelf wel een Salannais kunnen zijn, die zijn stukje grond verdedigt tegen de zee.

'Waar doe je het eigenlijk voor?' vroeg ik hem een keer laat op de avond, toen hij weer eens was achtergebleven in de botenloods om de koppelingen van de voltooide modules aan te draaien. 'Ooit zei je dat het geen zin had.'

We waren alleen in de loods. Het stotterende licht van de enige tl-buis was te zwak voor de onderhavige taak. De geur van smeer en rubber van de banden hing om alles heen.

Flynn keek turend vanaf de module die hij stond te controleren op me neer. 'Is dat een klacht?'

'Natuurlijk niet. Ik vroeg me alleen maar af wat jou op andere gedachten heeft gebracht.'

Flynn haalde zijn schouders op en veegde zijn haar uit zijn ogen. Het neonlicht verlichtte hem fel en kleurde zijn haar onmogelijk rood, terwijl het zijn gezicht nog bleker dan anders maakte. 'Je hebt me op een idee gebracht, dat is alles.'

'Heb ik je op een idee gebracht?'

Hij knikte. De gedachte dat ik alles op gang had gebracht, maakte me belachelijk blij. 'Ik realiseerde me dat GrosJean en de anderen met een beetje sturing zich in Les Salants nog lang zouden kunnen redden,' zei hij, terwijl hij met een grote tang de sluiting van een stuk vliegtuigkabel dichtkneep. 'Ik wilde hen gewoon een duwtje geven.'

Hen. Ik merkte dat hij nooit *wij* zei, hoewel hij veel sneller was geaccepteerd dan ik. 'En jij?' vroeg ik plotseling. 'Blijf jij?'

'Voorlopig.'

'En daarna?'

'Wie zal het zeggen?'

Ik keek hem even aan in een poging zijn onverschilligheid te peilen. Plekken, mensen – niets leek veel indruk op hem te maken, alsof hij door het leven kon gaan als een steen door het water, zonder beïnvloed of geremd te worden. Hij klauterde van de module af, veegde de tang schoon en legde hem terug in de gereedschapskist.

'Je ziet er moe uit.'

'Dat komt door het licht.' Hij duwde zijn haar weer weg, waardoor er een veeg smeer op zijn gezicht achterbleef. Ik veegde hem weg.

'Toen we elkaar voor het eerst ontmoetten, leek je me een beetje een leegloper. Ik had het bij het verkeerde eind.'

'Aardig dat je dat zegt.'

'Ik heb je ook nooit echt bedankt voor alles wat je voor mijn vader hebt gedaan.'

Hij begon zich slecht op zijn gemak te voelen. 'Dat was niets. Hij liet me in de bunker wonen. Ik stond bij hem in het krijt.' Zijn stem had een definitieve klank, die aangaf dat verdere uitingen van dankbaarheid niet welkom waren. En toch wilde ik hem om de een of andere reden niet zomaar laten gaan.

'Je praat niet veel over je familie,' stelde ik vast, terwijl ik het ene eind van het dekzeil weer over de voltooide module trok.

'Dat komt doordat ik niet veel aan hen denk.'

Stilte. Ik vroeg me af of zijn ouders dood waren, of hij om hen rouwde, of er iemand anders was. Hij had ooit over een broer gesproken, met een terloopse afkeer die me aan Adrienne deed denken. Daar lag dus geen loyaliteit. Misschien vond

hij het zo prettig, dacht ik: geen banden, geen verantwoordelijkheid. Een eiland zijn. 'Waarom heb je het gedaan?' zei
ik nog eens. 'Waarom heb je besloten ons te helpen?'

Ongeduldig haalde hij opnieuw zijn schouders op. 'Wie
zal het zeggen? Het was werk dat gedaan moest worden.
Omdat het er nu eenmaal was, denk ik. Omdat ik het kon.'

Omdat ik het kon. Het was een zinsnede die me veel later
nog vaak zou achtervolgen; op dat moment zag ik het als een
teken van zijn verbondenheid met Les Salants, en ik voelde
een golf van genegenheid in me opwellen – om zijn schijnbare onverschilligheid, om zijn gebrek aan temperament,
om de methodische manier waarop hij het gereedschap in de
gereedschapskist legde, hoewel hij doodop was. Rouget, die
nooit partij trok, stond aan onze kant.

28

WE MAAKTEN DE MODULES IN DE LOODS AF EN BEREIDDEN ze voor op de plaatsing. De betonnen ankerplaten lagen al bij La Jetée, evenals zes voltooide modules, en nu hoefden alleen nog maar de overige modules met de trailer de moddervlakte op getrokken te worden, dan per boot naar de aangewezen plaats te worden gebracht en aan de platen te worden vastgeketend. Dan zou er een beetje geëxperimenteerd moeten worden: de kabels zouden ingekort of verlengd moeten worden en de modules een stukje verplaatst. Het zou even kunnen duren voordat duidelijk was hoe dat het best gedaan kon worden. Daarna, zei Flynn, zou het rif zijn eigen plek zoeken, afhankelijk van de windrichting, en het enige wat we dan konden doen, was wachten en kijken of het experiment geslaagd was.

Bijna een week lang was de zee te hoog om naar La Jetée te gaan en de wind te sterk om te werken. Hij teisterde het duin, tilde hele zandlagen de lucht in. Hij maakte luiken en klinken kapot. Hij bracht het water bijna tot in de straten van Les Salants en zweepte de golven bij Pointe Griznoz op tot een razende schuimmassa. Zelfs de *Brismand 1* ging niet de zee op. We begonnen ons af te vragen of er nog een windstilte zou komen die lang genoeg was om het half-geassembleerde rif te voltooien.

'Het begint vroeg,' kondigde Alain pessimistisch aan.

'Over acht dagen volle maan. Tot die tijd krijgen we geen rustig weer meer.'

Flynn schudde zijn hoofd. 'We hebben maar één goede dag nodig om alles af te maken. Bij eb de spullen op het strand brengen. We kunnen alles zó meenemen. Daarna zorgt het rif voor zichzelf.'

'Maar het tij is helemaal verkeerd,' protesteerde Alain. 'Het water komt rond deze tijd van het jaar niet ver genoeg. En die zeewind helpt ook niet echt. Hij duwt het tij meteen weer terug.'

'Het lukt ons wel,' verklaarde Omer ferm. 'We gaan nu niet opgeven. We zijn ons doel al zo dicht genaderd.'

Xavier viel hem bij. 'Het werk is af. Het gaat alleen maar om de afronding.'

Matthias keek cynisch. 'Jullie *Cécilia* kan dat niet aan,' zei hij kortaf. 'Je hebt gezien wat er met de *Eleanore* en de *Korrigane* is gebeurd. Die boten zijn gewoon niet bestand tegen dit soort zee. We moeten wachten tot de wind gaat liggen.'

Dus zaten we treurig bij Angélo te wachten, somber, als rouwenden bij een dode. Een paar van de oudere mannen kaartten. Capucine zat met Toinette in een hoek en deed alsof ze een tijdschrift las. Iemand stopte een frank in de jukebox. Angélo schonk bier waar maar weinigen van ons zin in hadden. We volgden de weersvoorspelling met grote interesse; getekende donderwolken joegen elkaar na op de kaart van Frankrijk, terwijl een opgewekte weerdame adviseerde voorzichtig te zijn. Niet zo ver weg, op het eiland Sein, had de zee al huizen met de grond gelijkgemaakt. Buiten gromde en flitste het aan de horizon. Het was nacht: het tij was op zijn laagst. De wind rook naar kruitdamp.

Flynn liep weg bij het raam, waar hij had gestaan. 'Het begint,' zei hij. 'Morgen is het misschien al te laat.'

Alain keek hem aan. 'Je wilt toch niet zeggen dat we het vannacht moeten doen?'

Matthias pakte zijn *devinnoise* en liet een niet al te vrolijke lach horen. 'Heb jij eigenlijk al naar buiten gekeken, Rouget?'

Flynn haalde zijn schouders op en zei niets.

'Nou, mij krijg je vannacht niet naar buiten,' zei de oude man. 'In het donker naar La Jetée, terwijl er een storm op komst is en het tij bijna keert. Een goeie manier om een eind aan je leven te maken. Of dacht je dat de heilige je zal redden?'

'Ik denk dat de heilige wel genoeg heeft gedaan,' antwoordde Flynn. 'Van nu af aan moeten we het zelf doen. En ik denk dat we als we het af willen krijgen, nú moeten gaan. Als we die eerste modules niet gauw vastmaken, krijgen we de kans niet meer.'

Alain schudde zijn hoofd. 'Alleen een gek gaat nu de zee op.'

Aristide liet in zijn hoek een vuil lachje horen. 'Zit je hier te lekker? Jullie Guénolés zijn ook nooit veranderd. In het café plannen zitten maken, terwijl het echte leven buiten verdergaat. Ik doe mee.' Hij stond moeizaam op. 'Het maakt me niet uit wat ik doe, al moet ik de lamp vasthouden.'

Matthias kwam meteen overeind. 'Jij gaat met mij mee,' zei hij uitdagend tegen Alain. 'Ik laat me niet door een Bastonnet zeggen dat een Guénolé bang was voor een beetje werk en water. Maak je klaar en doe het snel. Had ik mijn *Korrigane* maar, dan zou de klus in de helft van de tijd geklaard zijn, maar daar is niets aan te doen. Ach...'

'Bij mijn *Péoch* vergeleken was jouw *Korrigane* een gestrande walvis,' daagde Aristide hem uit. 'Ik weet nog dat...'

'Gaan we nou nog?' onderbrak Capucine hem, terwijl ze opstond. 'Ik weet nog dat jullie tweeën ooit meer konden dan alleen praten!'

Aristide keek even naar haar en liep onder zijn snor rood aan.

'Hé, La Puce, dit is niks voor jou,' zei hij bars. 'Ik en mijn jongen...'

'Het is een klus voor ons allemaal,' zei Capucine, terwijl ze haar *vareuse* aantrok.

Het moet een vreemde stoet geweest zijn. We liepen door het ondiepe water naar La Jetée. Ik reed de kraan op zijn rupsbanden. De enige koplamp die hij had, waaierde breed uit over de vlakte en wierp dansende schaduwen van de vrijwilligers in hun waadbroek en *vareuse*. Ik reed met de *Cécilia* op de oplegger tot aan de waterkant. De oesterboot met platte bodem kon in het ondiepe water gemakkelijk drijven, waardoor hij vanaf het zand simpel te laden was. We gebruikten de kraan om een module op de boot te plaatsen. Hij kwam diep te liggen door het gewicht, maar kon de last dragen. Aan elke kant ging één man staan om de lading stabiel te houden. Met nog meer vrijwilligers werd de *Cécilia* naar dieper water gesleept en geduwd. We gebruikten de lange roeispanen om te sturen en de kleine motor om hem aan te drijven, en langzaam voer de oesterboot in de richting van La Jetée. We herhaalden dit langzame, pijnlijke proces viermaal en tegen die tijd was het tij gekeerd.

Ik zag daarna weinig van wat er gedaan werd. Het was mijn taak de stukken rif aan te leveren en daarna de kraan en de oplegger weer aan wal te brengen. Verderop kon ik nog net hun licht zien en de vorm van de *Cécilia* tegen de achtergrond van de loodgrijze kring van de zandbank, en tussen de windvlagen door kon ik hen naar elkaar horen roepen.

Het water liep snel op. Doordat ik geen boot had, kon ik me niet bij de anderen voegen, maar ik sloeg hen vanaf het duin gade met een verrekijker. Ik wist dat er nog maar weinig tijd was. Op Le Devin stijgt het water snel, niet zo snel misschien als bij Mont Saint-Michel, waar de golven sneller aan komen stormen dan een galopperend paard, maar in ieder geval sneller dan een man kan rennen. Voor je het weet zit je vast, en in dat stuk water tussen de Pointe en La Jetée zijn de stromingen snel en gevaarlijk.

Ik beet op mijn lippen. Het duurde te lang. Er waren zes mensen op La Jetée: de Bastonnets, de Guénolés en Flynn. Eigenlijk te veel voor een boot met de omvang van de *Cécilia*. Ze zouden nu al niet meer kunnen staan. Ik zag lichten zich over de zandbanken verplaatsen, gevaarlijk ver van de kust vandaan. Een van te voren afgesproken signaal: knipper-knipper. Alles verliep volgens plan. Maar het duurde te lang.

Aristide vertelde me er later over. De ketting die gebruikt werd voor het plaatsen van een van de modules was vast komen te zitten onder de boot, waardoor de schroef was lamgelegd. Het water steeg. Een klus die in ondiep water eenvoudig zou zijn geweest, was vrijwel onmogelijk geworden. Alain en Flynn worstelden in het water met de vastzittende ketting, waarbij ze het nog niet voltooide rif als hefboom gebruikten. Aristide zat op zijn hurken in de boeg van de *Cécilia* toe te kijken.

'Rouget!' snauwde hij, toen Flynn na een nieuwe mislukte poging om de ketting los te maken, weer boven water kwam. Flynn keek hem vragend aan. Hij had zijn *vareuse* uitgetrokken en zijn muts afgezet om beter te kunnen bewegen. 'Het werkt niet,' zei Aristide nors. 'Niet bij dit weer.'

Alain keek op en kreeg een golf recht in zijn gezicht. Hoestend en vloekend ging hij kopje-onder.

'Je kunt daar vast komen te zitten,' hield Aristide vol. 'De wind zou de *Cécilia* op het rif kunnen duwen en jij...'

Flynn haalde alleen maar diep adem en ging weer onder water. Alain hees zich in de boot.

'We zullen gauw terug moeten, want anders zullen we de boot alleen nog op de rotsen aan land kunnen brengen,' riep Xavier boven de wind uit.

'Waar is Ghislain?' vroeg Alain, terwijl hij zich als een hond droogschudde.

'Hier! Iedereen is nu weer aan boord, behalve Rouget.'

De golven stegen. Voorbij La Jetée begon de zee nu te deinen en bij het licht van hun lantaarns konden ze de stroming die dwars naar La Griznoz liep, sterker zien worden naarmate het water steeg. Wat ondiepten waren geweest, werd nu open zee en de storm kwam dichterbij. Ik kon het zelfs voelen. De lucht was vol statische elektriciteit. Ineens een hevige ruk aan de *Cécilia* – een stuk nog niet vastgemaakt rif onder water – en Matthias kwam vloekend met een klap op de bodem van de boot terecht. Alain, die in het donkere water stond te turen om te zien waar Flynn was, viel bijna.

'Dit gaat niet,' zei hij ongerust. 'Als we de laatste paar kabels niet op hun plaats krijgen, trekt dit rif zichzelf kapot.'

'Rouget?' riep Aristide. 'Rouget, lukt het?'

'De schroef is vrij,' riep Ghislain vanaf de achtersteven. 'Rouget heeft hem zeker toch te pakken gekregen.'

'Maar waar blijft hij dan?' grauwde Aristide.

'Luister, we moeten gauw weg hier,' hield Xavier vol. 'Het is na al moeilijk genoeg om terug te komen. Pépé,' – dit tegen Aristide – 'we moeten nu echt terug.'

'Nee, we wachten.'

'Maar Pépé...'

'Ik zei dat we wachten!' Aristide wierp een zijdelingse blik op Alain. 'Ze zullen nooit kunnen zeggen dat een Bastonnet een vriend in moeilijkheden in de steek heeft gelaten.'

Alain hield even zijn blik vast en keerde zich toen om om een stuk touw aan zijn voeten op te rollen.

'Rouget!' riep Ghislain zo hard hij kon.

Flynn kwam een seconde later boven water, aan de verkeerde kant van de *Cécilia*. Xavier zag hem het eerst. 'Daar is hij!' schreeuwde hij. 'Hijs hem op!'

Hij had hulp nodig. Hij had de ketting onder de boot uit weten te halen, maar nu moest de module nog aangebracht worden. Iemand moest de modules zo lang bij elkaar houden dat de bevestigingen vastgeclipt konden worden. Een gevaarlijk karwei: als een sterke golf de modules naar elkaar toe dreef, kon je zó platgedrukt worden. Ook lag het rif nu onder water en door de anderhalve meter diepte boven de zwarte, deinende zee was het op zijn best een gok.

Alain deed zijn *vareuse* uit. 'Ik doe het wel,' meldde hij. Ghislain wilde zijn plaats innemen, maar zijn vader hield hem tegen. 'Nee, laat mij maar,' zei hij, en rechtstandig liet hij zich in het water zakken. De anderen strekten hun nek om iets te zien, maar de *Cécilia*, niet meer in zijn bewegingen belemmerd, dreef nu weg van het rif.

Het tij kwam snel op; slechts een dunne streep moddervlakte restte er nog om de boot op te zetten. Daarna zouden er alleen maar rotsen zijn en met de wind in de rug zou de bemanning gevangenzitten tussen de rotsen en de aanzwellende storm. Ik hoorde de mannen aan boord van de *Cécilia* een akelig, klaaglijk geluid maken; de lantaarn knipperde een alarmsignaal en door mijn kijker zag ik dat er twee figuren aan boord werden gehesen. Op deze afstand kon ik onmogelijk beoordelen of alles in orde was of niet. Na de kreet was er geen signaal meer.

Ongeduldig stond ik bij La Goulue te kijken, terwijl de *Cécilia* tergend langzaam op de kust afkwam. Op de achtergrond flitste er bliksem langs de horizon. De maan, die bijna vol was, gleed achter een muur van wolken.

'Ze redden het niet,' merkte Capucine op, terwijl ze met één oog de verdwijnende vlakte in de gaten hield.

'Ze gaan niet naar La Griznoz,' zei Omer. 'Ik ken Aristide. Hij heeft altijd gezegd dat je als je ooit strandt, naar La Goulue moet gaan. Dat is verder, maar de stroming is er niet zo sterk, en wanneer je daar eenmaal bent is het veiliger om aan land te komen.'

Hij had gelijk. De *Cécilia* rondde een halfuur later de Pointe, een beetje slingerend, maar toch nog tamelijk stabiel, en zette koers naar La Goulue. We renden dezelfde kant op, nog steeds niet wetend of het rif af was of aan de elementen was overgeleverd.

'Kijk, daar is hij!'

De *Cécilia* was de ronding van de baai gepasseerd. De golven verderop waren hoog en hadden lichte schuimkoppen, de dreigende lucht weerspiegelend. Binnen de ronding was het betrekkelijk kalm. Een baken gloeide rood en verlichtte hen even. Toen er even geen wind was, hoorden we stemmen zingen.

Een vreemd en spookachtig geluid, daar in de kou terwijl de storm hen zo dicht op de hielen zat. Het licht van Aristides lantaarn verlichtte de zes mensen in de boot. Nu ze dichterbij waren, zag ik de afzonderlijke gezichten, gloeiend met een kampvuurachtige blos. Ik zag Alain en Ghislain met hun lange jassen en Xavier bij de achtersteven. Naast hem zaten Aristide Bastonnet en Matthias Guénolé. Het was een dramatisch geheel, net een schilderij van John Martin misschien, met die apocalyptische lucht erboven: de twee oude mannen met hun lange haar en oorlogszuchtige snor, hun profiel in grimmige triomf naar het land gekeerd. Later drong het pas tot me door dat het de eerste keer was dat ik Matthias en Aristide zo zij aan zij had gezien, of hen samen had horen zingen. In een uur tijd waren de twee vijanden misschien wel geen vrienden, maar toch zoiets als bondgenoten geworden.

Ik waadde naar de *Cécilia*. Enkelen van hen sprongen in het water om de boot aan land te helpen brengen. Flynn was er ook bij. Hij omhelsde me ruw toen ik aan de boeg van de *Cécilia* begon te trekken. Ondanks zijn uitputting stonden zijn ogen helder. Ik gooide mijn armen om hem heen, huiverend in het koude water.

Flynn lachte. 'Wat krijgen we nou?'

'Het is je gelukt!' Mijn stem beefde.

'Natuurlijk.'

Hij was ijskoud en rook naar natte wol. Door de opluchting voelde ik me zwak: ik klemde me wild aan hem vast, en we vielen bijna samen om. Zijn haar sloeg in mijn gezicht. Zijn mond smaakte naar zout en was warm.

Vóór in de boot zat Ghislain iedereen die het maar horen wilde, te vertellen dat Alain en Rouget om de beurt onder de module gedoken waren om het laatste stel kabels vast te maken. Op de klippen stond een aantal dorpelingen te wachten. Ik zag onder meer Angélo, Charlotte, Toinette, Désirée en mijn vader. Een groep kinderen met zaklantaarns begon te juichen. Iemand schoot een vuurpijl af die uitbundig over de stenen naar het water sprong. Angélo riep naar beneden: 'Gratis *devinnoise* voor alle vrijwilligers! Laten we een toost uitbrengen op Sainte-Marine!'

In de verte werd de kreet opgepakt. 'Lang leve Les Salants!'

'Weg met La Houssinière!'

'Drie hoeraatjes voor Rouget!'

Dat was Omer, die zich langs me heen wrong om bij de neus van de boot te komen. Met Omer aan de ene kant en Alain aan de andere werd Flynn uit het water getild. Ghislain en Xavier voegden zich bij hen. Flynn zat grijnzend op hun schouders.

'De ingenieur!' gilde Aristide.

'We weten nog niet eens of dit rif wel werkt,' zei Flynn, nog steeds lachend. Zijn protest werd door onweer overstemd. Iemand riep iets vrolijks en uitdagends naar de lucht. Alsof er een antwoord kwam, begon het te regenen.

29

ER BRAK NU EEN TIJD VAN ONZEKERHEID AAN, VOOR MIJ
evenzeer als voor de anderen. Doodmoe als we waren door
de weken van intensief werken, kwamen we in een vervelend
soort niemandsland terecht, te moe om te werken, te ongerust om feest te vieren. Weken vergleden op deze ontrege-
lende manier. We wachtten, als meeuwen op de golven, tot
het tij zou keren.

Alain had het over investeren in een nieuwe boot. Door
het verlies van de *Korrigane* was het vissen voor de Guénolés
stil komen te liggen, en hoewel ze hun moeilijkheden man-
haftig droegen, wist bijna iedereen in het dorp dat het gezin
diep in de schulden zat. Ghislain was de enige die optimistisch leek; ik zag hem een paar maal in La Houssinière, waar
hij met telkens weer een ander psychedelisch T-shirt aan in
de Chat Noir rondhing. Zo Mercédès al onder de indruk
was, liet ze dat niet merken.

Niemand had het over het rif. Tot nu toe was het heel gebleven; het had zijn eigen plek gevonden, zoals Flynn had
voorspeld, maar we hadden het gevoel dat we het lot tartten
als we het er openlijk over hadden. De meesten durfden niet
te veel te hopen. De overstromingen op La Bouche werden
echter wel minder. Les Salants bleef vrij van water tot aan
het lager gelegen moerasland en terwijl de novemberzeeën
kwamen en gingen, werd er op La Bouche en La Goulue verder geen schade aangericht.

Niemand sprak zijn hoop duidelijk uit. Voor een buitenstaander zou Les Salants tamelijk onveranderd lijken, maar
Capucine kreeg een kaart van haar dochter op het vasteland,
Angélo gaf zijn bar een verfbeurt, Omer en Charlotte konden de winteraardappels binnenhalen en Désirée Bastonnet
ging naar La Houssinière, waar ze ruim een uur interlokaal
naar haar zoon Philippe in Marseille belde.

Het was allemaal niet erg belangwekkend. Zeker niet belangwekkend genoeg om te suggereren dat we met zijn allen
eindelijk een beetje geluk hadden. Maar er híng iets in de
lucht, het gevoel dat er van alles mogelijk was, dat er iets
nieuws op gang kwam.

Ook GrosJean was veranderd. Voor de eerste keer sinds
mijn terugkeer toonde hij belangstelling voor de in onbruik
geraakte werf en toen ik op een dag thuiskwam, liep hij in
zijn overall rond; hij luisterde naar de radio en rommelde in
een kist met roestig gereedschap. Een andere keer begon hij
de logeerkamer uit te ruimen. Op een dag gingen we samen
naar P'titJeans graf – er waren bijna nooit meer overstromingen geweest– en harkten we nieuw grind rond de steen.
GrosJean had een paar krokusbollen in zijn zak meegenomen en die plantten we samen. Een poosje leek het bijna als
vroeger, toen ik mijn vader hielp op de werf en Adrienne met
moeder naar La Houssinière was, zodat we met zijn tweeën
waren. Dat waren onze uurtjes, gestolen en dus kostbaar;
soms lieten we de werf voor wat hij was en gingen we vissen
bij La Goulue, of lieten we kleine scheepjes varen op de *étier*,
alsof ik de zoon was die hij gehad had moeten hebben.

Alleen Flynn leek dezelfde gebleven. Hij behield zijn routine, alsof hij niets met het rif te maken had. En toch, zo bedacht ik, had hij die nacht op La Jetée zijn leven ervoor ge-

waagd. Ik begreep niets van hem. Hij had iets dubbels, ondanks zijn ongedwongen manier van doen. Er was een plek in zijn binnenste waar ik nooit welkom was. Het maakte me onrustig, als een schaduw in diep water. Niettemin werd ik, zoals bij alle diepten het geval is, erdoor aangetrokken.

Ons tij keerde op 21 december, om half negen 's morgens. Ik hoorde de plotselinge windstilte toen de wind veranderde; het laatste en hoogste tij van de maand hield bij het rif ineens op. Ik was alleen naar La Goulue gewandeld, zoals ik elke dag deed, om naar tekenen van verandering te zoeken. De groen beslagen keitjes lagen naakt in het bleke ochtendlicht en de droogvallende vlakte verderop was niet zichtbaar. Een paar *bouchots* – houten stompen die de oude oesterbedden markeerden – die de winter hadden overleefd, staken uit het water met de touwen er nog aan. Toen ik dichterbij kwam, zag ik dat overal langs het water afval lag dat door het water was meegenomen: een stuk touw, een kreeftenfuik, een gymschoen. In een poel aan mijn voeten zag ik één enkele napslak.

Hij leefde. Dat was ongewoon. Het woelige water bij La Goulue bood zeedieren zelden de kans zich rustig te vestigen. Soms zee-egels of gestrande kwallen, die als plastic zakken op de kust lagen te drogen. Ik bukte me om de stenen aan mijn voeten te onderzoeken. Ze waren ingebed in de modder en vormden een brede stenen strook, verraderlijk om op te lopen. Vandaag zag ik echter iets nieuws. Iets ruwers dan het slib van de vlakten, iets lichters dat de ondergestroomde keisteentjes met micastof overdekte.

Zand.

O, in totaal nauwelijks genoeg om mijn handpalm te

bedekken, maar het wás zand, het bleke zand van La Jetée dat je vanuit de lichte ronding van de baai tegemoet glanst. Ik zou het overal herkennen.

Ik hield mezelf voor dat het niets voorstelde: een dun laagje dat door het tij was aangespoeld, meer niet. Het had niets te betekenen.

Het had alles te betekenen.

Ik schraapte er zoveel mogelijk van in mijn hand – een snufje, net genoeg om in mijn hand te sluiten – en rende over het rotspad naar de oude bunker. Flynn was de enige die de betekenis van die paar korrels zou begrijpen. Flynn, die aan mijn kant stond. Ik trof hem halfgekleed aan; hij zat koffie te drinken en zijn strandjutterszak stond klaar bij de deur. Toen ik buiten adem binnenviel, vond ik hem er moe en ongewoon somber uitzien.

'Het is ons gelukt! Kijk!' Ik opende mijn hand.

Hij keek er lang naar, haalde toen zijn schouders op en begon zijn laarzen aan te trekken.

'Een heel klein beetje zand,' zei hij op neutrale toon. 'Zo weinig dat je het misschien niet eens zou merken als je het in je oog kreeg.'

Mijn opwinding ebde plotseling weg, alsof iemand er een emmer water overheen had gegooid. 'Maar je kunt zien dat het werkt,' zei ik. 'Je wonder. Het is begonnen.'

Er verscheen geen lach op zijn gezicht. 'Ik doe niet aan wonderen.'

'Het zand is het bewijs,' hield ik vol. 'Je hebt het tij gekeerd. Je hebt Les Salants gered.'

Flynn liet een boosaardig gelach horen. 'Jezus Christus, Mado!' zei hij. 'Kun je niks anders bedenken? Is dit nou echt alles wat je ooit gewild hebt? Hierbij horen? Bij dit kleurloze kringetje van verliezers en gedegenereerden? Geen geld, geen leven, hier oud worden, het uitzingen, gebeden naar de zee zenden en elk jaar wat meer de vergetelheid in zakken? Dacht je nou echt dat ik dankbaar was dat ik in dit gat gevangenzit, dat het een voorrecht is of zo…' Ineens hield hij op; zijn woede zakte abrupt af en hij keek langs mee heen door het raam naar buiten. De boosaardige blik was totaal verdwenen, alsof die er nooit geweest was.

Ik voelde me verdoofd, alsof hij me een stomp had gegeven. En toch, had ik dit niet altijd in hem gevoeld, die spanning, die dreiging, alsof er iets op ontploffen stond? 'Ik dacht dat je het hier naar je zin had,' zei ik, 'tussen de verliezers en gedegenereerden.'

Hij haalde zijn schouders op. Hij zag er nu beschaamd uit. 'Dat is ook zo,' zei hij. 'Misschien wel te veel.'

Het was stil en tijdens deze stilte staarde hij weer langs me heen naar buiten. Het ochtendlicht weerkaatste in zijn leigrijze ogen. Hij keek me aan, maakte mijn vingers open en streek het zand uit over mijn handpalm.

'De korrels zijn klein,' merkte hij ten slotte op. 'Er zit veel mica in.'

'Ja, en?'

'Dus is het licht. Het blijft niet liggen. Een strand heeft een stevige ondergrond nodig – stenen, kiezelsteentjes, dat soort dingen – om het vast te houden. Anders spoelt het gewoon weg. Zoals hiermee zal gebeuren.'

'O.'

Hij zag mijn uitdrukking. 'Betekent het zoveel voor je?'

Ik zei niets.

'Een strand maakt van dit dorp nog geen La Houssinière.'

'Dat weet ik.'

Hij zuchtte. 'Oké, ik zal mijn best doen.'

Hij legde zijn handen op mijn schouders. Even was het alsof het gevoel dat alles mogelijk was, zich intensiveerde, als statische elektriciteit die in de lucht hangt. Ik sloot mijn ogen, ik rook de tijmgeur die om hem heen hing, en de geur van oude wol, en de geur van de duinen in de ochtend. Een beetje muffe geur, als de geur die onder de strandhutten in La Houssinière hangt, waar ik me altijd verstopte wanneer ik op mijn vader wachtte. Toen zag ik Adriennes gezicht; het keek naar me en haar brede, rood aangezette mond grijnsde me toe. Ik opende gauw mijn ogen, maar Flynn had zich al afgewend.

'Ik moet weg.' Hij pakte zijn tas op en begon zijn jas aan te trekken.

'Waarom? Heb je iets bedacht?' Ik kon zijn handen nog steeds op mijn schouders voelen, als warme plekken, en iets in mijn buik leek op die warmte te reageren, als bloemen die de zon voelen.

'Misschien. Ik zal erover nadenken.' Hij liep snel naar de deur.

'Wat is het? Waarom heb je ineens zo'n haast?'

'Ik moet naar de stad. Ik wil iets bij Pornic bestellen, voordat de veerboot vertrekt.' Hij zweeg even en schonk me toen een van zijn zorgeloze, zonnige grijnzen. 'Tot kijk, hè, Mado. Ik moet nu echt weg.'

Ik liep verward achter hem aan naar buiten. De plotselinge veranderingen in zijn stemming, die als het herfstweer van het ene in het andere uiterste verviel, waren niets nieuws. Maar er zat hem iets dwars, iets anders dan mijn onverwachte bezoek. Het was echter onwaarschijnlijk dat hij me zou vertellen wat het was.

Ineens, toen Flynn de deur dichtdeed, ving ik vanuit mijn ooghoek een kleine beweging op, een flits van een wit hemd, iets verderop in de duinen. Een persoon op het pad. Flynns gestalte schoof er vrijwel meteen voor en toen hij naar buiten stapte, was de gedaante verdwenen. Maar hoewel ik hem maar even zag, en alleen van achteren, meende ik de loop te herkennen, de omvang, en de stand van de visserspet.

Ik snapte er niets van; die weg leidde alleen maar naar de duinen. Maar later, toen ik over hetzelfde pad terugliep, vond ik de sporen van zijn espadrilles op het harde zand, en toen wist ik zeker dat ik gelijk had gehad: Brismand was hier vóór mij geweest.

30

ZODRA IK HET DORP BEREIKTE, WIST IK DAT ER IETS GEBEURD was. Het hing in de lucht, een subtiele lading, een andere geur. Ik had met mijn handje zand vanaf La Goulue aldoor gerend, mijn hand zo stevig dichtgeklemd dat de afdrukken van de korrels in mijn handpalm stonden. Toen ik over de grote duin in de buurt van GrosJeans verlaten werf kwam, werd mijn hart met evenveel kracht door koude omklemd.

Er stonden vijf mensen voor het huis, drie volwassenen en een paar kinderen, allemaal donker getint. De man droeg een lang, Arabisch aandoend gewaad, en daarover een zware winterjas. De kinderen, beiden jongens, met bruine huid, maar met haar dat door de zon was uitgebleekt, leken ongeveer acht en vijf jaar oud. Terwijl ik toekeek, opende de man het hek, waarna de vrouwen achter hem aan de tuin in liepen.

Een van hen was klein en onopvallend; de kap van haar gele boernoes bedekte haar haar. Ze liep achter de twee kinderen aan en hield zich met hen bezig in een taal die ik niet begreep.

De tweede vrouw was mijn zus.

'Adrienne?'

De laatste keer dat ik haar gezien had, was ze negentien geweest, net getrouwd, slank en mooi op de pruilerige, zigeunerachtige manier die Mercédès Prossage zich ook had aangemeten. Ze was niet veranderd, hoewel ik haar wel wat harder vond geworden, haar gelaatstrekken alerter en scherper. Haar lange haar was sluik en met henna geverfd. Om haar bruine polsen rammelden gouden armbanden. Ze keerde zich om toen ze mijn stem hoorde.

'Mado! Wat ben je groot geworden! Hoe wist je dat we kwamen?' Haar omhelzing was kort en rook naar patchouli. Ook Marin kuste me op beide wangen. Hij was net een jongere versie van zijn oom, dacht ik, maar zijn kin was donzig en hij was slank en soepel, en hij miste de flamboyante, gevaarlijke charme van Claude.

'Ik wist het niet.'

'Ach, je weet hoe onze vader is. Hij zegt niet zoveel.' Ze tilde de jongste van haar twee zoontjes op en stak hem me toe. Het kind probeerde zich los te wurmen. 'Je hebt mijn soldatenmannetjes nog niet gezien, hè, Mado? Dit is Franck. En dit – dit is Loïc. Zeg tata Mado eens gedag, Loïc.'

De jongens staarden me met identieke bruine en uitdrukkingloze gezichtjes aan, maar zeiden niets. De kleine vrouw met de boernoes aan, naar ik aannam de kinderverzorgster, bemoederde hen druk in het Arabisch. Noch Marin, noch Adrienne stelde haar voor en ze schrok zichtbaar toen ik haar begroette.

'Je hebt wel het een en ander gedaan, zeg,' zei Adrienne, terwijl ze een blik op het huis wierp. 'De vorige keer dat we hier waren, was het een verschrikking. De hele zaak stond op instorten.'

'De vorige keer?' Voorzover ik wist, waren zij en Marin nooit teruggekeerd.

Maar Adrienne had de deur naar de keuken al opengemaakt. GrosJean stond voor het raam naar buiten te kijken.

Achter hem stonden de resten van het ontbijt – brood, koude koffie en een geopende jampot – verwijtend op me te wachten.

De kinderen bekeken hem nieuwsgierig. Franck fluisterde iets tegen Loïc in het Arabisch en de jongens giechelden. Adrienne liep naar hem toe. 'Papa?'

GrosJean keerde zich langzaam om. Zijn oogleden hingen zwaar over zijn ogen.

'Adrienne,' zei hij. 'Leuk je te zien.'

En toen verscheen er een lach op zijn gezicht en schonk hij voor zichzelf een kom koude koffie in uit de pot op de tafel naast hem. Adrienne leek uiteraard niet verrast door zijn begroeting. Waarom zou ze ook? Zij en Marin omhelsden hem plichtmatig. De twee jongens hielden zich op de achtergrond en giechelden. Het kindermeisje boog even en lachte, haar ogen eerbiedig neergeslagen. GrosJean gebaarde dat er meer koffie moest komen en ik zette hem, blij dat ik een excuus had om iets te doen. Ik was onhandig met het water, met de suiker. De kopjes gleden als vissen uit mijn handen.

Achter me was Adrienne met een hoge meisjesstem aan het praten over haar kinderen. De jongens speelden op het kleedje naast de haard.

'We hebben hen naar jou genoemd, papa,' legde Adrienne uit. 'Naar jou en P'titJean. We hebben hun als doopnaam Jean-Franck en Jean-Loïc gegeven, maar we noemen hen voorlopig bij hun kortere naam, totdat ze aan hun echte naam toe zijn. We zijn nooit vergeten dat we Salannais zijn, zie je wel?'

'Eh.'

Zelfs dat halve woord was al een wonder. Hoeveel keer had GrosJean sinds mijn terugkeer rechtstreeks tegen me ge-

222

sproken? Ik keerde me om met de koffiepot, maar mijn vader staarde met een verrukt gezicht naar de jongens die op het kleedje aan het rollebollen waren. Franck zag hem staren en stak zijn tong uit. Adrienne lachte toegeeflijk. 'Aapje.'

Mijn vader grinnikte.

Ik schonk voor iedereen koffie in. De jongens aten een plak cake en staarden me met hun grote bruine ogen aan. Ze waren bijna identiek, op het verschil in leeftijd na; ze hadden een lange bruin-blonde pony, dunne benen en ronde buikjes onder hun vrolijk gekleurde fleece. Adrienne sprak vol genegenheid over hen, maar ik merkte dat telkens wanneer er iets gedaan moest worden – plakkerige monden afgeveegd, loopneuzen gesnoten, lege borden opgepakt – ze zich tot het kindermeisje wendde.

'Ik wilde al zo lang naar huis,' zuchtte ze, terwijl ze slokjes van haar koffie nam. 'Maar de zaak, papa, en de kinderen – er leek nooit tijd te zijn. En je kunt daar niemand vertrouwen, weet je. Europeanen zijn daar onbeschermd wild. Diefstal, corruptie, vandalisme – noem maar op. Je kunt hen geen moment uit het oog verliezen.'

GrosJean luisterde. Hij dronk zijn koffie. Zijn kommetje verdween bijna in zijn grote hand. Hij gaf aan dat hij nog een plak cake wilde. Ik sneed die af en reikte hem over tafel aan. Hij bedankte me niet. En toch had mijn vader toen Adrienne sprak, bij tijd en wijle geknikt en op de eilandmanier iets bevestigd – *eh*. Voor mijn vader was dat spraakzaam. Toen vertelde Marin over de zaak in Tanger, over antieke tegels die in Parijs momenteel heel gewild waren, over exportmogelijkheden en belastingen, over de verbazingwekkende goedkoopte van arbeidskrachten, over het kringetje van geëmigreerde Fransen waarin ze verkeerden, over de gewetenloosheid van hun rivalen en over de exclusieve clubs waar ze vaak kwamen. Het verhaal van hun leven ontrolde zich voor onze ogen als een baal vrolijk gekleurde zijde. Soeks, zwembaden, bedelaars, kuuroorden, bridgeavondjes, marskramers, naaiateliers. Voor elk karweitje een bediende. Mijn moeder zou onder de indruk zijn geweest.

'En ze zijn blij met het werk, papa! Dat komt door de levensstandaard daar. Die is zo laag, belachelijk gewoon. We geven hun veel meer dan ze bij hun eigen mensen zouden verdienen. De meesten van hen zijn zelfs dankbaar.'

Ik keek even naar de kleine kinderverzorgster, die druk bezig was Francks gezicht met een vochtige doek schoon te maken. Ik vroeg me af of ze zelf een gezin had, in Marokko, en of ze haar thuis miste. Franck probeerde zich los te wurmen en klaagde in het Arabisch.

'Er zijn natuurlijk ook wel problemen geweest,' vervolgde Adrienne. Een brand in een depot, aangestoken door een ontevreden rivaal. Een verlies van miljoenen franks. Diefstal en fraude door werknemers die het niet zo nauw namen. Anti-Franse graffiti op de muren van hun villa. De fundamentalisten werden steeds machtiger, zei ze, en probeerden de buitenlanders het leven zuur te maken. En je moest natuurlijk ook aan de kinderen denken... Er waren goede tijden geweest, maar het werd nu tijd om over verandering na te denken.

'Ik wil mijn jongens de beste opleiding geven, papa,' verkondigde ze. 'Ik wil dat ze weten wie ze zijn. Het is me het offer waard. Ik wou alleen dat mama had kunnen zien hoe...' Ze hield op en keek naar mij. 'Je weet hoe ze was,' zei ze. 'Ze liet zich door niemand zeggen wat ze moest doen. Je mocht haar niet eens geld geven. Ze was te koppig.'

Ik staarde mijn zus met een vreugdeloos gezicht aan. Ik herinnerde me hoe trots moeder op haar schoonmaakbaantjes geweest was, hoe ze me altijd vertelde over de Hermès-hemden die ze gestreken had en over de Chanel-pakken die ze bij de stomerij opgehaald had, hoe ze losse muntjes die ze achter de kussens van de bank vond, altijd in de asbak legde, omdat het diefstal zou zijn geweest als ze ze meenam.

'We hebben haar zo goed mogelijk geholpen,' vervolgde Adrienne, terwijl ze even naar GrosJean keek. 'Dat weet je toch wel, hè? We zijn toch zo bezorgd om je geweest, papa, hier helemaal in je eentje.'

Hij maakte een bevelend gebaar: nog meer koffie. Ik schonk in.

'We blijven een poosje in Nantes. Om het een en ander te regelen. Marin heeft daar een oom, Claudes neef Amand. Hij zit ook in de antiekhandel, hij is importeur. We mogen bij hem blijven totdat we iets van meer blijvende aard gevonden hebben.'

Marin knikte. 'Het is prettig te weten dat de jongens op een goede school zullen zitten. Jean-Franck spreekt bijna geen woord Frans. En ze moeten allebei leren lezen en schrijven.'

'En de baby?' Ze was zwanger geweest toen moeder stierf, herinnerde ik me. Toch zag ze er niet uit als iemand die zojuist van een kind bevallen was. Adrienne was altijd heel slank geweest, maar nu was ze nog slanker. Ik zag hoe broos en benig haar polsen en handen leken, en de donkere holten onder haar jukbeenderen.

Marin wierp me een beschuldigende blik toe. 'Adrienne heeft toen ze drie maanden heen was, een miskraam gehad,' zei hij met zijn nasale stem. 'We praten er niet over.' Hij sprak alsof ik zelf aan het verlies had bijgedragen.

'Sorry,' mompelde ik.

Adrienne lachte krampachtig. 'Het geeft niet,' zei ze. 'Zoiets kan alleen een moeder begrijpen.' Ze stak haar dunne, bruine hand uit en raakte even het hoofd van een van de jongens aan. 'Ik weet niet wat ik zonder mijn engeltjes zou moeten beginnen,' zei ze.

De jongens giechelden en mompelden tegen elkaar in het Arabisch. GrosJean sloeg hen gade alsof hij er niet genoeg van kon krijgen.

'We zouden ze nog eens mee kunnen nemen, tijdens de vakantie,' stelde Adrienne met een vrolijker stem voor. 'We zouden eens lekker lang op bezoek kunnen komen.'

31

ZE BLEVEN TWEE UUR. ADRIENNE BEKEEK HET HUIS VAN ON-
der tot boven; Marin inspecteerde de verlaten werf. GrosJean
stak een Gitane op, dronk koffie en sloeg de jongens gade,
terwijl zijn vlinderblauwe ogen glansden.

Die jongens. Het had me niet moeten verbazen. Van
zoons had hij gedroomd, en de komst van Adrienne, een
moeder van zoons, had ons aarzelende comfortabele samen-
zijn abrupt verstoord. GrosJean volgde de jongens gespannen. Af en toe haalde hij zijn hand door hun lange haar; hij
duwde hen zachtjes weg bij het open vuur wanneer ze al spe-
lend te dicht in de buurt kwamen, pakte de fleeces op die ze
uitgetrokken hadden en legde ze opgevouwen op een stoel.
Ik voelde me rusteloos, opgelaten; ik zat tegenover het kindermeisje zonder iets te doen te hebben. Het handjevol zand
brandde in mijn zak. Ik was graag naar La Goulue teruggge-
gaan, of naar de duinen, waar ik alleen kon zijn, maar de uitdrukking op mijn vaders gezicht fascineerde me. Die blik
had voor mij moeten zijn.

Ten slotte kon ik niet meer zwijgen. 'Ik ben vanmorgen
naar La Goulue geweest.'

Geen reactie. Franck en Loïc waren aan het stoeien en rolden als jonge hondjes over de grond. Het kindermeisje glimlachte verlegen, maar begreep kennelijk geen woord.

'Ik dacht dat het tij misschien iets zou hebben meegebracht.'

GrosJean tilde zijn kom op en even verdween zijn gezicht erin. Er was een dof geslurp te horen. Hij zette de lege kom voor zich neer en duwde hem in mijn richting, aangevend dat hij meer wilde.

Ik schonk er geen aandacht aan. 'Zie je dit?' Ik haalde mijn hand uit mijn zak en hield hem geopend voor hem. Er zat zand aan mijn handpalm.

Volhardend gaf GrosJean weer een duwtje tegen de kom.

'Weet je wat dit betekent?' Ik hoorde mijn stem scherp omhoog gaan. 'Kan het je wat schelen?'

Weer dat duwtje. Franck en Loïc staarden me met open mond aan; hun spel was vergeten. GrosJean keek langs me heen, even wezenloos en onverzettelijk als een beeld op Paaseiland.

Ineens werd ik boos. Alles ging fout: eerst Flynn, toen Adrienne en nu ook nog GrosJean. Ik zette de pot met een klap voor hem op tafel, zodat er koffie op het kleed viel. 'Wil je koffie?' zei ik schor. 'Schenk het dan zélf maar in! Of als je wilt dat ik het voor je doe, zeg dat dan. Ik weet dat je het kunt. Toe dan. Zég het dan!'

Stilte. GrosJean staarde gewoon weer naar het raam. Voor hem bestond ik niet meer. Voor hem bestond niets meer. Hij had net zo goed weer als voorheen kunnen zijn, voordat we al die vooruitgang hadden geboekt. Even later hervatten Franck en Loïc hun spel. De verlegen kinderjuf keek naar haar knieën. Ik hoorde buiten Adriennes stem schril uitschieten van pret of opwinding. Ik begon de ontbijtspullen op te ruimen, waarbij ik alles in de gootsteen smeet. Ik goot de rest van de koffie weg; ik hoopte dat er een protest zou komen, maar dat kwam niet. Afwassen en afdrogen deed ik zonder een woord te zeggen. Mijn ogen brandden. Toen ik de tafel schoonveegde, lag er zand tussen de kruimels.

32

MIJN ZUS EN HAAR GEZIN BLEVEN NOG TWEE WEKEN. ZE VER-
bleven in Les Immortelles. Ze kwamen op eerste kerstdag
lunchen en brachten bijna iedere ochtend een bezoekje van
een uur, waarna ze weer naar La Houssinière vertrokken. Op
nieuwjaarsdag verlieten Franck en Loïc elk met een fiets van
drieduizend frank het pand, die mijn vader speciaal voor hen
van het vasteland had laten komen.

Op de loopplank van de *Brismand 1*, toen GrosJean de
kinderjuf hielp de koffers aan boord te brengen, nam
Adrienne me eindelijk terzijde. Ik had er al op zitten wachten en me afgevraagd hoe lang het zou duren voor ze terza-
ke kwam.

'Het gaat over papa,' zei ze vertrouwelijk. 'Ik heb niets gezegd waar de jongens bij waren, maar ik maak me heel erg
zorgen.'

'O ja?' Ik probeerde mijn stem niet sarcastisch te laten
klinken.

Adrienne keek gekrenkt. 'Ik weet dat je me niet gelooft,
maar ik ben erg dol op papa,' zei ze. 'Het bevalt me niet dat
hij hier zo geïsoleerd woont, zo afhankelijk van één persoon.
Het lijkt me niet goed voor hem.'

'Nou,' zei ik, 'hij is juist vooruitgegaan.'

Adrienne glimlachte. 'Niemand zegt dat jij niet je best
hebt gedaan,' zei ze, 'maar je bent geen verpleegster, en je

bent niet gekwalificeerd om met zijn problemen om te gaan. Ik heb altijd gedacht dat hij hulp nodig had.'

'Wat voor hulp?' Ik hoorde mijn stem omhooggaan. 'Het soort hulp dat hij in Les Immortelles kan krijgen? Zegt Claude Brismand dat?'

Mijn zuster keek gekwetst. 'Mado, doe niet zo. Ik weet dat je nog van streek bent door mama's begrafenis. Ik vind het vreselijk dat ik er niet bij was. Maar mijn toestand...'

Ik reageerde er niet op. 'Heeft Brismand gezegd dat je terug moest komen?' wilde ik weten. 'Vertelde hij dat ik niet meewerkte?'

'Ik wilde dat papa de jongens zag.'

'De jongens?'

'Ja. Ik wilde hem laten zien dat het leven verdergaat. Het is niet goed voor hem dat hij hier woont, terwijl hij bij zijn familie zou kunnen zijn. Het is egoïstisch – en gevaarlijk – van je dat je hem zo stimuleert.'

Ik staarde haar aan, stomverbaasd en diep getroffen. Was ik misschien zelfzuchtig geweest? Was ik zo opgegaan in mijn plannen en fantasieën dat ik voorbij was gegaan aan de behoeften van mijn vader? Kon het zijn dat GrosJean het rif niet nodig had, of het strand, of al die dingen die ik voor hem had gedaan? Dat hij in feite alleen maar de kleinzoons had gewild die Adrienne had meegenomen?

'Dit is zijn thuis,' zei ik ten slotte. 'En ik ben ook familie.'

'Doe niet zo naïef,' zei mijn zuster, en even was ze weer helemaal de oude Adrienne, de minachtende oudere zuster die op het terras van het café in La Houssinière zat en lachte om mijn jongensachtige haar en tweedehands kleren. 'Misschien vind jij het romantisch om hier in de negorij te wonen, maar het is het laatste waar die arme papa behoefte aan heeft. Moet je het huis zien: het is een zootje. Er is niet eens een behoorlijke badkamer. En wat doe je als hij ziek wordt? Er is niemand die hem kan helpen behalve die ouwe dierenarts, hoe heet-ie ook alweer. Wat doe je als hij naar het ziekenhuis moet?'

'Ik dwing hem niet te blijven,' zei ik. Ik haatte de verdedigende klank in mijn stem. 'Ik heb voor hem gezorgd, dat is alles.'

Adrienne haalde haar schouders op. Ze had het net zo goed hardop kunnen zeggen: *zeker zoals je voor moeder hebt gezorgd*. Die gedachte kwam hard aan; mijn hoofd deed zeer.

'Ik heb het in ieder geval geprobeerd,' zei ik. 'Wat heb jij ooit voor hen gedaan? Jij hebt alleen maar in je ivoren toren gezeten. Hoe kun jij weten hoe het was voor ons, al die jaren?'

Ik weet niet waarom moeder altijd volhield dat ik het meest op GrosJean leek. Adrienne lachte alleen maar op die ondoorgrondelijke manier, even sereen als een foto en even stil. Haar zelfingenomen stiltes hadden me altijd woedend gemaakt. De woede bekroop me nu als een leger mieren. 'Hoe vaak heb je ons bezocht? Hoe vaak heb je beloofd te bellen? Jij met je nepzwangerschappen – ik heb je gebeld, Adrienne, ik heb je verteld dat moeder stervende was...'

Mijn zuster staarde me aan; alle bloed was uit haar gezicht weggetrokken. 'Népzwangerschappen?'

Haar gekwelde blik legde me het zwijgen op. Ik voelde dat mijn gezicht rood werd. 'Adrienne, het spijt me...'

'Spijt je?' Haar stem klonk schril. 'Hoe kun jij weten hoe het was? Ik heb mijn kind verloren – mijn vaders kléínkind – en jij denkt dat je je eraf kunt maken met een simpel excuus?'

232

Ik wilde haar arm aanraken, maar ze trok hem weg met een nerveus, hysterisch gebaar dat me op de een of andere manier aan mijn moeder deed denken. Ze keek me woedend aan; haar ogen waren als messen. 'Zal ik je eens zeggen waarom we niet op bezoek zijn gekomen, Mado? Zal ik je eens zeggen waarom we in Les Immortelles zitten in plaats van in papa's huis, waar we hem elke dag zouden hebben kunnen zien?' Haar stem was nu als een vlieger, licht en broos en steeds hoger stijgend.

Ik schudde mijn hoofd. 'Toe, Adrienne...'

'Dat kwam door jóú, Mado! Dat kwam doordat jíj er was!' Ze huilde nu half, ademloos van woede, hoewel ik ook een zweem van genoegdoening meende te horen. Net als moeder was Adrienne nooit vies geweest van een beetje theater. 'Altijd maar zeuren! Altijd maar koeioneren!' Ze snikte luid. 'Jij koeioneerde mama, jij probeerde haar altijd weg te krijgen uit Parijs, de stad waar ze zo van hield, en nu doe je hetzelfde met die arme papa! Jij bent bezeten van dit eiland, Mado, zo zit dat, en je kunt het gewoon niet begrijpen wanneer andere mensen iets anders willen dan jij!' Adrienne veegde haar gezicht met haar mouw af. 'En als we niet terugkomen, Mado, dan is dat niet omdat we papa niet willen zien, maar omdat ik niet bij jóú in de buurt wil zijn!'

De fluit van de veerboot klonk. In de daaropvolgende stilte hoorde ik achter me een schuifelend geluid, en ik keerde me om. Het was GrosJean, die zwijgend op de loopplank stond. Ik stak mijn handen uit.

'Vader...'

Maar hij had zich al omgedraaid.

33

Januari bracht meer zand naar La Goulue. Half januari was het al goed te zien: dunne, witte randjes langs de rotsen, nog lang geen strand, maar toch zand, gespikkeld zand
met flinters mica, die bij eb opdroogden tot poeder.

Flynn hield zich aan zijn woord. Met de hulp van Damien
en Lolo haalde hij zakken gruis uit de duinen, dat hij neer-
gooide op de bemoste steentjes aan de voet van de rots. In
deze grijze grond werden plukjes grof *oyat*-gras geplant om
te voorkomen dat het zand werd weggespoeld, en tussen de
lagen fijn puin werd zeewier uitgespreid, dat op zijn plaats
werd gehouden met stokken en stukken oud visnet. Ik sloeg
alles nieuwsgierig en vaag hoopvol gade. La Goulue zag er
met zijn ophoping van rommel, aarde, zeewier en netten nog
minder uit als een strand dan daarvoor.

'Dit is slechts de fundering,' stelde Flynn me gerust. 'Je
wilt toch niet dat je zand wegwaait?'

Hij was tijdens Adriennes verblijf vreemd bedeesd geweest; hij was maar een- of tweemaal langsgekomen in plaats
van bijna elke dag. Ik miste hem, nu nog meer vanwege
GrosJeans gedrag, en ik begon te begrijpen hoezeer zijn
aanwezigheid ons allen in de afgelopen had beïnvloed, hoezeer hij ons allen gekleurd had.

Ik had hem over mijn ruzie met Adrienne verteld. Hij
luisterde zonder zijn gebruikelijke lichtvoetigheid, met een

rimpel tussen zijn ogen. 'Ik weet dat ze mijn zus is,' zei ik, 'en ik weet dat ze het moeilijk heeft gehad, maar...'

'Je familie kan je niet kiezen,' zei Flynn. Hij had Adrienne tijdens haar verblijf nog maar één keer, vluchtig, ontmoet, en ik herinnerde me dat hij ongewoon stil was geweest. 'Dat jullie zusters zijn wil nog niet zeggen dat jullie goed met elkaar moeten kunnen opschieten.'

Ik glimlachte. Had ik moeder dat maar kunnen laten begrijpen. 'GrosJean had een jongen willen hebben,' zei ik, terwijl ik een stengel duingras plukte. 'Twee dochters viel hem rauw op zijn dak.' Adrienne had dat nu wel goedgemaakt, vermoedde ik. Al mijn moeite – het korte haar, de jongenskleren, de uren in mijn vaders werkplaats waarin ik alleen maar naar hem zat te kijken, het vissen, de gestolen uurtjes – dat alles was nu overschaduwd, van zijn betekenis beroofd. Flynn moet iets aan mijn gezicht hebben gezien, want hij hield op met werken en keek me met een vreemde uitdrukking op zijn gezicht aan.

'Je bent niet hier om aan de verwachtingen van GrosJean te voldoen, of van wie dan ook. Als hij niet kan zien dat wat hij heeft, duizendmaal meer waard is dan de een of andere fantasie...' Hij hield op en haalde zijn schouders op. 'Je hoeft niets te bewijzen,' zei hij met ongewone norsheid. 'Hij boft dat hij jou heeft.'

Dat had Brismand ook gezegd. Maar mijn zus had me van egoïsme beticht, gezegd dat ik mijn vader gebruikte. Ik vroeg me nogmaals af of ze misschien gelijk had gehad, of mijn aanwezigheid niet meer kwaad dan goed deed. Misschien wilde hij alleen maar in de buurt van Adrienne zijn en elke dag de jongens zien.

'Jij hebt een broer, hè?'

'Een halfbroer. Mijn moeders oogappel.' Hij prikte een stuk net vast dat had losgelaten. Ik probeerde me Flynn als iemands broer voor te stellen.

'Je mag hem niet zo graag.'

'Hij had enig kind moeten zijn.'

Ik dacht aan mezelf en Adrienne. Zij had de enige dochter moeten zijn. Alles wat ik probeerde te doen, had mijn zuster al gedaan, en beter gedaan.

Flynn inspecteerde de aanwas van *oyat*-gras op het duin. Een ander had misschien niets aan hem gemerkt, maar ik zag de spanning om zijn mondhoeken. Ik onderdrukte de neiging te vragen wat er met zijn broer was gebeurd, wat er met zijn moeder was gebeurd. Wat het ook was, het had hem pijn gedaan. Misschien net zoveel pijn als Adrienne mij gedaan had. Ik voelde een rilling door me heen gaan, iets dat dieper ging dan tederheid. Ik stak mijn hand uit en raakte zijn haar aan.

'Dus we hebben iets gemeen,' zei ik luchtig. 'Moeilijke familieverhoudingen.'

'Vergeet dat maar,' zei Flynn, terwijl hij me met zijn plotselinge brutale en stralende lach aankeek. 'Jij bent teruggekomen. Ik ben ontsnapt.'

In Les Salants leken weinig mensen belangstelling te hebben voor het groeiende strand. Toen de winter ten einde liep, hadden ze het te druk met het opmerken van andere dingen: dat de veranderde stroming de poon terugbracht, zelfs in nog grotere hoeveelheden dan eerst, dat de netten vaker vol dan leeg waren, dat de kreeften en zeespinnen en de vette *dormeur*-krabben zeer gesteld waren op de beschutte baai en zo ongeveer vochten om in de fuiken te mogen kruipen. Het wintertij had geen overstromingen gebracht. Zelfs de velden achter Omers huis waren zich aan het herstellen, na bijna drie jaar onder water te hebben gestaan.

De Guénolés voerden eindelijk hun plan uit om een nieuwe boot te kopen. De *Eleanore 2* was op het vasteland gebouwd, op een werf bij Pornic. Wekenlang hoorden we alleen maar verslagen over de voortgang van de bouw. Het zou een eilandboot worden, net als zijn voorganger, snel en met een hoge kiel, met twee masten en het vierkante zeil van de eilanden. Alain onthulde niet hoeveel hij zou kosten, maar omdat de stromingen veranderd waren, leek hij erop te vertrouwen dat hij hem snel terug zou verdienen. Ghislain leek minder enthousiast – ze hadden hem naar het scheen moeten wegtrekken bij de opstelling van de speedboten en Zodiacs – maar het vooruitzicht geld te kunnen gaan verdienen vrolijkte hem wel op. Ik hoopte dat deze nieuwe boot ondanks de naam geen nostalgische associaties voor mijn vader zou hebben; ik had heimelijk gehoopt dat de Guénolés iets anders zouden kiezen. De verslagen over de vorderingen van de *Eleanore 2* leken GrosJean echter niet te deren, en ik begon te denken dat ik de zaak te zwaar opvatte.

Het rif had een eigen naam gekregen – *Bouch'ou* – en twee lichtbakens, een aan elk uiteinde, om 's nachts de positie aan te geven.

De Bastonnets, die nog steeds met de witte vlag naar de Guénolés zwaaiden, maar wel hun rug in de gaten hielden, kenden recordvangsten. Aristide kondigde triomfantelijk aan dat Xavier die week zestien kreeften had gevangen en ze aan een Houssin had verkocht – de neef van de burgemeester en eigenaar van La Marée, een visrestaurant bij het strand – voor vijftig frank per stuk.

'In juli verwachten ze de grote toestroom van toeristen,' vertelde hij met grimmige voldoening. 'Over niet al te lang zit dat restaurant van hem stampvol. In het hoogseizoen raakt hij wel een half dozijn kreeften per avond kwijt, hij denkt dat hij ze nu kan opkopen, in zijn *vivier* stoppen en gewoon wachten tot de prijzen de pan uitrijzen.' Aristide grinnikte. 'Nou, wat hij kan, kan ik ook. Ik laat de jongen er een voor onszelf aanleggen, daar in de kreek. Dat is goedkoper dan aquariums en als je er het juiste gaas in doet, kunnen de kreeften niet weg. We kunnen ze er levend in houden, ook de kleintjes – dan hoeven we er niet één terug te gooien – en ze voor topprijzen verkopen wanneer het zover is. We binden de scharen dicht, zodat ze niet kunnen vechten. Het tij brengt hun voedsel zó voor ons de *étier* in. Slim denkwerk, hè?' De oude man wreef zich in de handen. 'Die Houssins kunnen van ons Salannais op zakengebied nog wel het een en ander leren.'

'Dat kunnen ze zeker,' zei ik verbaasd. 'Dat is heel ondernemend hoor, monsieur Bastonnet.'

'Ja, hè?' Aristide keek blij. 'Ik vond het tijd worden dat we zelf eens begonnen na te denken. Wat geld verdienen voor de jongen. Je kunt niet van zo'n jongen verwachten dat hij van de wind leeft, vooral niet als hij over trouwen denkt.'

Ik dacht aan Mercédès, en glimlachte.

'En dat is nog niet alles,' zei Aristide. 'Je raadt nooit wie er mijn partner wordt wanneer zijn boot klaar is.' Ik keek hem verwachtingsvol aan. 'Matthias Guénolé.'

Hij grijnsde toen hij mijn verbazing zag. Zijn oude, blauwe ogen glansden. 'Ik dacht wel dat je zou schrikken,' zei hij, terwijl hij een sigaret pakte en die aanstak. 'Er waren vast niet veel mensen op het eiland die hadden gedacht dat ze de

Bastonnets en Guénolés nog eens zouden zien samenwerken. Maar het gaat hier om zaken. Als we samenwerken, met twee boten en vijf man, kunnen we heel wat poon, oesters en kreeft binnenhalen. Dik verdienen. Als we voor onszelf werken, nemen we elkaar alleen maar de wind uit de zeilen... Dan lachen de Houssins ons achter onze rug uit.' Aristide nam een trek van zijn sigaret en leunde achterover. Hij zette zijn houten been in een comfortabeler stand. 'Daar sta je wel even van te kijken, hè?'

Dat was te zacht uitgedrukt. Dat de vete beëindigd zou worden die er jarenlang tussen de families had bestaan en dat hun manier van zakendoen radicaal zou veranderen, dat was iets dat ik een half jaar geleden niet voor mogelijk had gehouden.

Dat overtuigde me er uiteindelijk van dat de Bastonnets niets te maken hadden met het verloren gaan van de *Eleanore*. Toinette had het gesuggereerd, Flynn had mijn vermoedens versterkt en het was voor mij sindsdien altijd een twijfelgeval gebleven. Maar nu kon ik het eindelijk loslaten. Ik deed dat met genoegen en enorme opluchting. Wat de oorzaak van het verlies van de *Eleanore* ook geweest mocht zijn, Aristide had er niets mee te maken gehad. Ik voelde een plotselinge sympathie voor de barse, oude man en ik gaf hem vol genegenheid een klap op zijn schouder. 'Je verdient een *devinnoise*,' zei ik tegen hem. 'Ik trakteer.'

Aristide maakte zijn sigaret uit. 'Daar zeg ik geen nee op.'

Het bezoek van mijn zus met kerstmis had enige opschudding veroorzaakt. Niet in het minst vanwege de jongens, die van Pointe Griznoz tot Les Immortelles bewonderd waren, maar vooral omdat het hoop schonk aan degenen die nog wachtten. Hoewel mijn terugkeer met achterdocht bekeken was, werd die van haar vanwege het tijdstip, de jongens en de belofte van een betere toekomst, goedkeurend bekeken. Zelfs haar huwelijk met een Houssin werd niet afgekeurd: Marin Brismand was rijk – althans, zijn oom was dat – en bij gebrek aan andere familie zou Marin alles erven. Men vond over het algemeen dat Adrienne haar zaakjes goed voor elkaar had.

'Het zou geen gek idee zijn als je haar voorbeeld volgde,' raadde Capucine me aan, toen we gebak zaten te eten in haar caravan. 'Een gesetteld bestaan. Dat is wat het eiland gaande houdt: trouwen, kinderen krijgen, niet dat vissen en die handel.'

Ik haalde mijn schouders op. Hoewel ik niets meer van mijn zus gehoord had sinds ons gesprek op de loopplank van de *Brismand 1*, had ik me niet op mijn gemak gevoeld en zitten twijfelen aan mijn eigen motieven en die van haar. Gebruikte ik mijn vader als een excuus om me aan allerlei zaken te onttrekken? Was Adriennes manier de beste?

'Je bent een beste meid,' zei Capucine, terwijl ze comfortabel in haar stoel hing. 'Je hebt je vader al veel geholpen. En Les Salants ook. Nu wordt het tijd dat je iets voor jezelf doet.' Ze ging rechtop zitten en keek me kritisch aan. 'Je ziet er leuk uit, Mado. Ik heb gezien hoe Ghislain Guénolé naar je kijkt, en ook een paar anderen...' Ik probeerde haar te onderbreken, maar ze wuifde het goedmoedig geërgerd weg. 'Je snauwt de mensen niet meer zo af,' vervolgde ze. 'Je loopt niet meer zo uitdagend rond, alsof je verwacht dat ze ruzie met je zullen zoeken. Je wordt niet meer "La Poule" genoemd.'

Dat was maar al te waar, zelfs ik had het gemerkt.

'Bovendien ben je weer gaan schilderen. Toch?'

Ik keek naar de okerkleurige verfrandjes onder mijn nagels, en ik voelde me absurd schuldig. Het stelde tenslotte niet zoveel voor: een paar kleine dingetjes en een halfvoltooid groter doek in mijn kamer. Flynn was een onverwacht goed onderwerp om te schilderen. Ik merkte dat ik zijn gelaatstrekken beter onthield dan die van anderen. Dat was ook logisch: ik had nogal vaak in zijn gezelschap verkeerd.

Capucine glimlachte. 'Het doet je in ieder geval goed,' verklaarde ze. 'Denk eens een keer aan jezelf. Draag niet de hele tijd de last van de hele wereld op je schouders. Het tij keert ook zonder jouw toestemming.'

34

IN FEBRUARI BEGONNEN DE VERANDERINGEN BIJ LA GOULUE
voor ons allemaal zichtbaar te worden. De omgeleide stroming die afkomstig was van La Jetée bleef er zand vandaan
brengen, een geleidelijk proces dat alleen de kinderen en ik
met enige mate van belangstelling volgden. Een dunne laag
zand bedekte nu een groot deel van de stenige ondergrond
en het gruis dat Flynn had meegebracht uit de duinen, en
het *oyat*-gras en baardgras dat hij had geplant, hielden het
zand goed vast. Toen ik op een ochtend naar La Goulue ging,
trof ik er Lolo en Damien Guénolé aan, die sportief samen
een kasteel aan het bouwen waren. Geen gemakkelijke taak:
de zandlaag was te dun en eronder bevond zich alleen maar
modder, maar met een beetje vernuft was het te doen. Ze
hadden een soort dam van drijfhout gemaakt en duwden nat
zand ervandaan door een kanaal dat ze in de modder gegraven hadden.

Lolo grijnsde naar me. 'We krijgen een echt strand,' zei
hij. 'Met zand van de duinen en zo. Dat zei Rouget.'

Ik glimlachte. 'Dat zou je wel leuk vinden, hè, een strand?'

De kinderen knikten. 'Je kunt nergens spelen, behalve
hier,' zei Lolo. 'Zelfs bij de *étier* mag je nou niet meer komen door dat nieuwe kreeftending.'

Damien trapte tegen een steen. 'Dat was niet mijn vaders
idee. Het kwam van die Bastonnets.' Hij keek me vanonder

zijn donkere wimpers uitdagend aan. 'Mijn vader mag dan misschien vergeten zijn wat ze onze familie hebben aangedaan, maar ik ben het niet vergeten.'

Lolo trok een gezicht. 'Dat kan jou niks schelen,' zei hij. 'Je bent gewoon jaloers omdat Xavier met Mercédès uitgaat.'

'Nietes!'

Het was inderdaad niet officieel. Mercédès bracht nog steeds veel tijd in La Houssinière door, waar volgens haar veel te beleven was. Maar Xavier was met haar in de bioscoop en in de Chat Noir gezien, en Aristide was beslist opgewekter. Hij sprak vrijuit over investeringen en bouwen aan de toekomst.

Ook de strenge Guénolés waren ongewoon optimistisch. Aan het eind van de maand was de langverwachte *Eleanore 2* eindelijk klaar en kon hij opgehaald worden. Alain, Matthias en Ghislain gingen met de veerboot naar Pornic om hem af te halen. Ze waren van plan vandaaruit met de boot terug te zeilen naar Les Salants. Ik ging mee vanwege het tochtje en om een hutkoffer met spullen op te halen, voornamelijk schildersbenodigdheden en kleren, die mijn hospita vanuit Parijs naar me had opgestuurd. Ik maakte mezelf wijs dat ik nieuwsgierig was naar de nieuwe boot, maar in feite had ik het de laatste tijd in Les Salants nogal benauwend gevonden. Sinds het vertrek van Adrienne was Gros-Jean weer in zijn vroegere, minder responsieve gedrag vervallen. Het weer was somber geweest en zelfs het vooruitzicht van zand bij La Goulue had wat van zijn glans verloren. Ik was aan verandering van omgeving toe.

Alain had de werf in Pornic uitgekozen, omdat die het dichtst bij Le Devin was. Hij kende de eigenaar een beetje; het was een verre bloedverwant van Jojo-le-Goëland, maar als vastelander speelde hij geen rol in de vete tussen La Houssinière en Les Salants. De werf lag aan zee, naast de kleine jachthaven, en toen we binnenkwamen, werd ik getroffen door de onvergetelijke, nostalgische geur van een werf in bedrijf: de verf, het zaagsel en de stank van verbrand plastic, laswerk en in chemicaliën geweekte huiddelen.

Het was een familiebedrijf, lang niet zo klein als dat van GrosJean was geweest, maar wel zo klein dat Alain zich er thuis voelde. Terwijl hij en Matthias wegliepen om met de eigenaar de betaling te bespreken, bleven Ghislain en ik in de werf, waar we naar het droogdok en de bedrijvigheid keken. Je pikte de *Eleanore 2* er meteen uit: het was de enige houten boot in een rij vaartuigen met plastic kiel, waar Ghislain afgunstig bleef staan kijken. Hij was iets groter dan de oorspronkelijke *Eleanore*, maar Alain had hem in dezelfde stijl laten bouwen, en hoewel ik zag dat deze botenbouwer niet het zorgvuldige vakmanschap van mijn vader had, was het toch een mooie boot. Ik bekeek hem van alle kanten; ondertussen slenterde Ghislain naar het water en ik was net de kiel van de *Eleanore 2* aan het inspecteren, toen hij een beetje buiten adem en met een verhit gezicht terug kwam rennen.

'Daar!' zei hij, terwijl hij achter zich naar de grote opslagruimte wees. Het was een afsluitbare loods, waarin onderdelen werden bewaard en een hijsinstallatie en lasapparatuur stonden. Ghislain trok aan mijn hand. 'Kom eens kijken!'

Toen ik de hoek van de hangar omsloeg, zag ik dat er iets groots in aanbouw was. Het was nog niet eens half af, maar het was verreweg het grootste in de werf. Er hing een scherpe geur van olie en metaal in de lucht.

'Wat denk je dat het is?' vroeg ik. 'Een veerboot? Een trei-ler?'

Hij was ongeveer twintig meter lang en had twee dekken en hij werd omringd door steigers. Een stompe neus, een vierkante achterkant; toen ik nog klein was had GrosJean bo-ten als deze 'metalen varkens' genoemd en ze diep veracht. De kleine veerboot die we naar Pornic hadden genomen was ook zo'n metalen varken, vierkant, lelijk en zeer functioneel.

'Het is een veerboot.' Ghislain grijnsde zelfvoldaan naar me. 'Wil je weten hoe ik dat weet? Kijk maar eens aan de an-dere kant.'

De andere kant was nog niet af; grote, metalen panelen waren aaneengeklonken om de buitenbekleding te maken, maar een groot aantal panelen ontbrak nog, als een onaffe en heel saaie puzzel. De panelen waren donkergrijs, maar op één ervan stond met gele kalkletters al de naam van het me-talen varken geschreven: *Brismand 2*.

Ik keek er even naar zonder iets te zeggen.

'Nou?' wilde Ghislain ongeduldig weten. 'Wat denk je?'

'Als Brismand zich dit kan veroorloven, boert hij zelfs nog beter dan we dachten,' zei ik. 'Nog een veerboot in La Houssinière? Er is nauwelijks genoeg ruimte voor één boot.'

Dat was zo; het haventje bij Les Immortelles was al over-vol en de *Brismand 1* voer tweemaal per dag.

'Misschien vervangt hij de oude,' opperde Ghislain.

'Waarom zou hij? Die doet het nog steeds.' Brismand, die zijn fortuin niet had vergaard door geld weg te gooien, zou nooit een schip dat nog bruikbaar was, laten slopen. Nee, als hij een nieuwe veerboot liet bouwen, was hij van plan ze al-lebei in te zetten.

Ghislain leek alleen maar geïnteresseerd in de financiële

details. 'Ik vraag me af wat hij kost,' zei hij. 'Iedereen weet dat die ouwe bulkt van het geld. Het halve eiland is al van hem.' Het was niet ver bezijden de waarheid.

Maar ik luisterde nauwelijks. Terwijl Ghislain maar doorkletste over Brismands miljoenen en zich afvroeg wat hij, Ghislain, zou doen met zoveel geld als hij de kans kreeg (de meeste plannen hadden iets met Amerika te maken, en met snelle auto's), dacht ik na over de *Brismand 2*. Waarvoor had Brismand een tweede veerboot nodig? vroeg ik me af. En waar wilde hij ermee naartoe varen?

35

Ik keerde alleen terug, na een omweg via nantes om mijn hutkoffer op te halen. Misschien kwam het doordat ik al een poos eigenlijk geen aandacht aan La Houssinière had besteed, maar toen ik om me heen keek, leek het alsof er iets ongewoons aan de hand was. Ik kon niet goed zeggen wat het precies was, maar de stad had iets vreemds, iets dat uit de toon viel. In de straten hing een ander licht. De lucht rook anders, zouter leek het wel, als La Goulue bij eb. De mensen staarden me in het langslopen aan; sommigen knikten kort als teken van herkenning, anderen wendden hun ogen af, alsof ze geen tijd hadden om te praten.

De winter is op het eiland altijd komkommertijd. Veel jongeren gaan in het laagseizoen naar het vasteland om werk te zoeken en keren pas in juni terug. Maar dit jaar zag La Houssinière er anders uit; het leek in een ongezonde slaap te zijn, haast een doodsslaap. De meeste winkels aan de straat waren dicht en hadden de rolluiken neergelaten. De Rue des Immortelles was verlaten. Het was eb en de vlakte zag wit van de meeuwen. Waar op een dag als deze normaal gesproken tientallen vissers naar kokkels en strandgapers zochten, stond één iemand met een visnet aan de waterkant doelloos in een kluit wier te porren.

Het was Jojo-le-Goëland. Ik klom over de muur en stak de *grève* over. Er stond een frisse wind op de vlakte, waardoor mijn haar om mijn gezicht woei en ik moest huiveren. Er lagen veel kiezelsteentjes op het strand en dat maakte het lopen pijnlijk. Ik wou dat ik net als Jojo laarzen aan had in plaats van espadrilles met dunne zolen.

Aan de andere kant van het zand zag ik Les Immortelles, een wit blok aan de zeemuur een paar honderd meter verderop. Aan de voet daarvan een smal stuk strand. Verder landinwaarts nog meer steen. Ik kon me niet zoveel steen herinneren, en waar ik stond leek alles anders, kleiner en verder weg. Het strand leek door de hoek waarin ik keek, ingekort, zodat het nauwelijks een strand leek, en de pier stak sterk af tegen het zand. Aan de voet van de muur stond een bord met een tekst erop, maar dat was te ver weg om het te kunnen lezen.

'Dag, Jojo.'

Hij keerde zich met het net in zijn hand om toen hij mijn stem hoorde. Aan zijn voeten stond zijn houten verzamelemmer met slechts een kluit wier en een paar pieren erin. 'O, ben jij het.' Hij grijnsde de tanden om de natte peuk heen bloot.

'Willen ze bijten?'

'Gaat wel. Wat doe jij helemaal hier? Wormen opgraven?'

'Ik wilde gewoon een eindje wandelen. Het is hier mooi, hè?'

'Eh.'

Ik voelde dat hij me bekeek toen ik over de vlakte terugliep naar Les Immortelles. Toen ik dichter bij het strand kwam, leek het steenachtiger dan ik me herinnerde. Op sommige plekken lagen waar het zand was weggevaagd, de keien bloot van de fundering van een oude dijk.

Les Immortelles was zand kwijtgeraakt.

Dit werd me duidelijker toen ik bij de vloedlijn kwam; daar zag ik de houten palen van de strandhutten als rotte tanden uit het zand steken. Hoeveel zand? Ik had geen flauw idee.

'Hé, was je daar weer eens?'

Ik hoorde de stem achter me. Ondanks zijn omvang waren zijn voetstappen nauwelijks hoorbaar op het zand. Ik keerde me om in de hoop dat hij me niet ineen had zien krimpen.

'Monsieur Brismand.'

Brismand maakte verontwaardigde geluidjes en hief verwijtend een vinger. 'Claude, alsjeblieft.' Hij glimlachte, blijkbaar verheugd me te zien. 'Geniet je van het uitzicht?'

Wat had hij toch een charme. Of ik wilde of niet, ik reageerde erop. 'Het is heel mooi. Je gasten zullen het vast en zeker waarderen.'

Brismand zuchtte. 'Voorzover die ooit iets waarderen. Maar dat zal toch wel. Het is triest, maar ouder worden doen we allemaal. Vooral Georgette Loyon begint achteruit te gaan. Maar een mens doet wat hij kan. Ze is tenslotte al over de tachtig.' Hij gooide een arm om mijn schouder. 'Hoe is het met GrosJean?'

Ik wist dat ik moest oppassen. 'Prima. Hij is ongelooflijk vooruitgegaan.'

'Je zuster beweert iets anders.'

Ik probeerde te glimlachen. 'Adrienne heeft niet hier gewoond. Ik zie niet in hoe ze dat kan weten.'

Brismand knikte meelevend. 'Natuurlijk. Een oordeel is zo geveld. Maar tenzij hij daar eeuwig wil blijven...'

Ik hapte niet toe. Ik liet mijn ogen in plaats daarvan naar de verlaten promenade dwalen.

'Er is op het moment niet veel drukte, lijkt het wel?'

'Ach, het is de stille tijd van het jaar. Ik moet toegeven dat ik tegenwoordig meer gesteld ben op de rustige tijd; ik word te oud voor de toeristenbranche. Ik moet eigenlijk plannen maken om over een paar jaar met pensioen te gaan.' Hij glimlachte welwillend. 'Maar hoe is het met jou? Ik hoor de laatste tijd van alles en nog wat over Les Salants.'

Ik haalde mijn schouders op. 'We redden ons.'

Zijn ogen glinsterden. 'Wat ik hoor is dat jullie meer doen dan jullie redden. Er wordt voor de verandering in Les Salants eens echt iets ondernomen. Een kreeftenvivarium in de oude kreek. Als jullie zo doorgaan zou ik nog gaan denken dat jullie mijn handel onderuit willen halen.' Hij grinnikte. 'Je zuster ziet er goed uit,' merkte hij op. 'Het leven ver van ons eiland heeft haar kennelijk goed gedaan.'

Stilte. Aan de andere kant van het zand vloog aan de waterkant een rij meeuwen schreeuwend op.

'En Marin, en de kleintjes! GrosJean zal wel blij geweest zijn dat hij zijn kleinkinderen na al die tijd zag.'

Stilte.

'Ik vraag me wel eens af wat voor grootvader ik geweest zou zijn.' Hij zuchtte diep. 'Maar ik heb nooit echt de kans gekregen om een vader te zijn.'

Dat gepraat over Adrienne en haar kinderen maakte me onrustig en ik wist dat Brismand het voelde. 'Ik heb gehoord dat je een nieuwe veerboot bouwt,' zei ik abrupt.

Even zag ik echte verbazing op zijn gezicht. 'Echt? Wie heeft dat gezegd?'

'Iemand in het dorp.' Ik wilde niet vertellen dat ik op de werf was geweest. 'Is het waar?'

Brismand stak een Gitane op. 'Ik heb er wel over gedacht,'

zei hij. 'Ik voel er wel wat voor. Maar het heeft niet veel zin, hè? Er is nu al zo weinig ruimte.' Hij had zich volledig hersteld; zijn leigrijze ogen stonden vrolijk en geamuseerd. 'Ik zou deze geruchten niet stimuleren,' adviseerde hij me. 'Dat geeft alleen maar teleurstelling.'

Even later nam hij afscheid, met een vage glimlach en een hartelijke aanmoediging om hem vaker te komen opzoeken. Ik vroeg me af of ik me had verbeeld dat hij even niet op zijn gemak was geweest, echt verbaasd. Als hij een veerboot bouwde, waarom zou hij dat dan geheimhouden? En waarom zou hij hoe dan ook een veerboot bouwen als hij hem, zoals hij zelf zei, nergens kon laten?

Ik was halverwege de terugweg naar Les Salants, toen het tot me doordrong dat noch hij, noch Jojo iets had gezegd over het geërodeerde strand. Misschien was het toch iets natuurlijks, bedacht ik. Misschien ging het 's winters altijd zo.

Maar misschien ook niet. Misschien kwam het wel door óns.

De gedachte maakte me een beetje misselijk, verontrustte me. Er waren in ieder geval geen zekerheden; mijn uren van studie, mijn proeven met de drijvers, de dagen dat ik Les Immortelles had geobserveerd betekenden niets. Zelfs de Bouch'ou, protesteerde mijn verstand, hoefde er niets mee te maken hebben. Om een kustlijn te veranderen heb je iets meer nodig dan een beetje amateurtechniek. Om een strand te stelen heb je iets meer nodig dan een beetje afgunst.

36

Flynn deed luchtig over mijn vermoedens. 'wat zou het anders kunnen zijn dan het tij?' vroeg hij, toen we de kust vanaf Pointe Griznoz volgden. De wind kwam pal uit het westen, zoals ik prettig vind, met duizend kilometer open zee als startbaan. Terwijl we het kustpad af liepen, kon ik de lichte sikkel zand – dertig meter lang en misschien vijf meter breed – vanaf de top van de kleine klip al zien.

'Er is hier veel nieuw zand,' schreeuwde ik boven de wind uit.

Flynn boog zich voorover om een stuk drijfhout te bekijken dat rechtop tussen twee rotsen stond. 'Nou, en? Dat is toch mooi?'

Maar toen ik het pad verliet en het strand op liep, ontdekte ik tot mijn verbazing dat het droge zand wegzakte onder mijn laarzen, alsof er niet een flinterdun laagje zand over de stenen lag, maar een flinke hoeveelheid. Ik stak mijn hand erin. De dikte was zo'n drie à vier centimeter – misschien niet zo heel veel voor een strand dat al lang bestaat, maar in onze omstandigheden bijna een wonder. Het was ook van zee tot duin aangeharkt, als een keurig zaaibed. Er was iemand hard aan het werk geweest.

'Wat is het probleem?' vroeg Flynn, toen hij mijn verbazing zag. 'Het is gewoon een beetje sneller gegaan dan we zeiden, meer niet. Maar dit is toch wat je wilde?'

Natuurlijk was het dat. Maar ik wilde weten hoe het kwám.

'Je bent te achterdochtig,' zei Flynn. 'Je moet eens wat relaxter doen. In het hier en nu leven. De geur van het zeewier opsnuiven.' Hij lachte en gebaarde met het stuk drijfhout. Hij leek zo op een rare tovenaar met zijn wilde haar en fladderende zwarte jas dat ik werd overspoeld door genegenheid voor hem en ook begon te lachen.

'Moet je zien!' schreeuwde hij boven de wind uit. Hij trok aan mijn mouw, zodat ik naar de baai gekeerd stond, met mijn gezicht naar de bleke, ononderbroken horizon. 'Duizend kilometer oceaan; niets tussen ons hier en Amerika. En van die oceaan hebben wij het gewonnen, Mado. Is dat niet geweldig? Is dat geen feestje waard?'

Zijn enthousiasme werkte aanstekelijk. Ik knikte, nog ademloos van het lachen en de wind. Zijn arm lag nu om mijn schouder; zijn jas sloeg tegen mijn dij. De geur van de zee, die ozongeur vermengd met zilte mist, was overweldigend. De vreugdevolle wind deed mijn longen opzwellen, zodat ik zin kreeg om het uit te schreeuwen. Maar in plaats daarvan keerde ik me impulsief naar Flynn en kuste hem; een lange, ademloze kus die naar zout smaakte en waarbij mijn mond zich als een napslak vastzoog aan de zijne. Ik lachte nog steeds, hoewel ik niet meer wist waarom. Even was ik weg, was ik iemand anders. Mijn mond brandde, mijn huid prikte. Ik voelde statische elektriciteit in mijn haar. Zo voelt het, dacht ik, een seconde voordat je door de bliksem getroffen wordt.

Er kwam een golf aangerold, tussen ons in, die me tot de knieën doorweekte. Ik sprong achteruit, naar adem snakkend van de verrassing en de kou. Flynn keek me met een eigenaardige blik aan, zich blijkbaar niet bewust van zijn drijfnatte laarzen. Voor het eerst sinds maanden voelde ik me in zijn bijzijn niet op mijn gemak, alsof de grond tussen ons was verschoven en er iets zichtbaar was geworden waarvan ik het bestaan tot dan toe niet had vermoed.

Toen wendde hij zich heel plotseling af.

Het was alsof hij me een klap had gegeven. Ik werd helemaal warm van verlegenheid en schaamte. Hoe had ik zo dom kunnen zijn? Hoe had ik hem zo verkeerd kunnen begrijpen?

'Het spijt me,' zei ik, terwijl ik een poging deed te lachen, hoewel mijn gezicht gloeide. 'Ik weet niet wat me zojuist bezielde.'

Flynn keek me even aan. Het licht leek uit zijn ogen verdwenen. 'Het geeft niet,' zei hij op neutrale toon. 'Niks aan de hand. We vergeten het gewoon, oké?'

Ik knikte, wensend dat ik kon verschrompelen en door de wind kon worden meegenomen.

Flynn leek zich een beetje te ontspannen. Hij drukte me even met één arm tegen zich aan, zoals mijn vader wel eens deed wanneer hij blij met me was. 'Oké,' zei hij weer. Het gesprek kwam op een veiliger onderwerp.

Toen de lente naderde, begon ik het strand dadelijk te inspecteren op tekenen van schade of verandering. Ik was vooral bezorgd toen de maand maart aanbrak; de wind draaide weer naar het zuiden, wat betekende dat er opnieuw zware zee op komst was. Maar die richtte in Les Salants weinig schade aan. De kreek hield het, de boten waren voor het overgrote deel veilig opgeborgen en zelfs La Goulue leek geen nadelige gevolgen te ondervinden, behalve dat er hopen onaantrekkelijk zwart zeewier op het strand achterbleven, die Omer elke ochtend weghaalde om op zijn velden te gebruiken. De Bouch'ou was stabiel. Toen het water even rustig was tussen twee hoogwaterstanden in ging Flynn met zijn boot naar La Jetée. Hij verklaarde dat het rif geen schade van betekenis had geleden. Het zat ons nog steeds mee.

Beetje bij beetje keerde er een soort optimisme in Les Salants terug. Het kwam niet alleen doordat het ons wat meer meezat en ook niet door de geruchten over La Houssinière. Het was meer. Je zag het aan de manier waarop de kinderen niet meer met slepende tred naar school gingen, aan de zwierige nieuwe hoed van Toinette, aan Charlottes roze lippenstift en losse haar. Mercédès bracht niet meer zoveel tijd in La Houssinière door. Aristides geamputeerde been deed op regenachtige dagen niet meer zoveel pijn. Ik bleef de werf voor GrosJean opknappen: ik ruimde de oude loods op, legde alle materialen die bruikbaar waren opzij en groef scheepsrompen op die half in het zand begraven lagen. In alle huizen in heel Les Salants werden bedden gelucht, tuinen omgespit, logeerkamers opnieuw ingericht om langverwachte gasten op te kunnen vangen. Niemand sprak over hen – over deserteurs wordt in het dorp zelden gepraat, zelfs nog minder dan over de doden – maar toch werden er foto's uit laden gehaald, brieven herlezen en telefoonnummers uit het hoofd geleerd. Capucines dochter Clo was van plan met Pasen te komen. Désirée en Aristide hadden een kaart van hun jongste zoon ontvangen. Deze veranderingen kwamen niet alleen door Bouch'ou. Het leek wel of de lente vroeg was begonnen en nieuwe scheuten uit stoffige hoeken en zoute spleten tevoorschijn toverde.

Ook mijn vader werd aangestoken. Ik begon mijn eerste

vermoedens te krijgen toen ik van La Goulue thuiskwam en een stapel bakstenen voor de portiek zag liggen. Erachter lagen ook gasbetonblokken en zakken cement.

'Je vader is van plan iets te gaan bouwen,' zei Alain toen ik hem in het dorp zag. 'Een douchehok, denk ik, of een aanbouwtje.'

Het verbaasde me niets; vroeger was GrosJean altijd bezig geweest met het een of andere bouwproject. Pas toen Flynn aan kwam zetten met een laadschop, een betonmixer en nog een lading stenen en betonblokken, begon ik er aandacht aan te besteden. 'Wat is dit?' informeerde ik.

'Een klus,' zei Flynn. 'Je vader wil een paar dingen laten doen.'

Hij leek er niet graag over te willen praten, wat ik vreemd vond; een nieuwe badkamer, zei hij, die de doucheruimte achter in de loods moest vervangen. En misschien nog een paar dingen. GrosJean had hem gevraagd het werk volgens zijn eigen ontwerp uit te voeren.

'Mooi, hè?' vroeg Flynn, toen hij mijn uitdrukking zag. 'Dat betekent dat hij ergens in geïnteresseerd is.'

Ik vroeg me zo het een en ander af. De paasvakantie zou over een paar maanden beginnen en er was sprake geweest van een bezoek van Adrienne, dat samen zou vallen met de vakantie van de jongens. Dit zou een truc kunnen zijn om haar naar het eiland te lokken. Verder waren daar nog de kosten: de materialen, de huur van machines en het arbeidsloon. GrosJean had me nooit aanleiding gegeven te denken dat hij geld opzij gelegd had.

'Hoeveel?' vroeg ik.

Flynn vertelde het me. Het was een schappelijke prijs, maar ik wist zeker dat het meer was dan mijn vader zich kon veroorloven. 'Ik betaal het wel,' zei ik.

Hij schudde zijn hoofd. 'Dat hoeft niet. Het is al geregeld. Bovendien,' voegde hij eraan toe, 'ben je blut.' Ik haalde mijn schouders op. Dat was niet waar; ik had nog steeds wat spaargeld over. Maar Flynn wilde niet van wijken weten. Alles wat geleverd was, was betaald. Het werk deed hij gratis.

De bouwmaterialen namen bijna alle ruimte in de werf in beslag. Flynn verontschuldigde zich. Maar, zo zei hij, er was echt geen andere plek waar hij ze kwijt kon, en het zou maar voor een week of twee zijn. Dus liet ik mijn werk daar voorlopig voor wat het was en ging met mijn schetsboek in de hand naar La Houssinière. Toen ik daar aankwam, stond Les Immortelles echter in de steigers, misschien een vochtprobleem, veroorzaakt door het hoge water.

Het was vloed aan het worden; ik ging naar het verlaten strand en ging met mijn rug naar de zeemuur zitten kijken. Ik zat daar zo een paar minuten, terwijl ik mijn potlood bijna lui over het papier liet gaan, toen me een bord opviel dat op de rots hoog boven me gespijkerd was – een wit bord met zwarte letters waarop stond:

LES IMMORTELLES. Privé-strand.
Het is VERBODEN van dit strand ZAND te verwijderen.
Wie dit doet zal GERECHTELIJK VERVOLGD worden.
Besluit getekend door P. Lacroix (Gendarmerie Nationale)
C. Pinoz (Burgemeester)
C. Brismand (Eigenaar)

Ik stond op en staarde verbaasd naar de woorden. Er was natuurlijk wel eens zand gepikt, een paar zakken hier en daar, meestal voor bouwwerkzaamheden, of voor het opschonen van de tuin. Zelfs Brismand had dan een oogje dichtgeknepen. Waarom hing hij dan nu een waarschuwing op? Toch, schoot me te binnen, terwijl ik terugdacht aan mijn laatste bezoek, was het strand veel zand kwijtgeraakt. Veel meer dan door een incidentele diefstal verklaard kon worden. De strandhutten die de winter hadden overleefd, leken op houten stelten te staan, een meter of meer boven strandniveau. In augustus had hun buik nog het zand geraakt. Ik begon snel te schetsen: de strandhutten op hoge poten, de curve van het water, de rij steentjes achter de pier, het opkomende tij met zijn voorhoede van wolken.

Ik ging zo op in mijn werk dat het even duurde voordat ik me ervan bewust werd dat soeur Extase en soeur Thérèse vlak boven mijn hoofd op de zeemuur zaten. Geen ijsjes deze keer. Wel had soeur Extase een zak snoep bij zich die ze af en toe aan soeur Thérèse gaf. Beide zusters leken verheugd me te zien.

'Hé, het is Mado GrosJean, *ma soeur...*'

'Madootje met haar schetsblok. Kom je naar de zee kijken? De zuidenwind opsnuiven?' vroeg soeur Thérèse.

'Dat heeft de eerste keer ons strand genekt. De zuidenwind,' verkondigde soeur Extase. 'Dat zegt Claude Brismand.'

'Slimme man, Claude Brismand.' Ik vond het altijd vermakelijk dat ze elkaar steeds zo nazeiden en dat hun uitspraken altijd naadloos in elkaar overgingen, als bij kwetterende vogels. 'Heel-heel slim.'

'Mij iets té slim,' zei ik glimlachend.

De nonnen lachten. 'Of niet slim genoeg,' zei soeur

Thérèse. Ze verlieten hun plekje hoog op de zeemuur en liepen naar me toe, hun habijt opschortend toen ze bij het zand kwamen.

'Wacht je op iemand?'

'Er is daar helemaal niemand, Mado GrosJean, helemaal niemand.'

'Wie zou er bij dit weer op zee moeten zijn? Dat zeiden we altijd tegen je vader...'

'...want hij keek altijd uit over zee...'

'...maar ze is nooit teruggekomen.'

De oude nonnen ging op een platte steen in de buurt zitten en tuurden met hun kraaloogjes op me neer. Geschrokken keek ik terug. Ik wist dat er in mijn vader wel enige romantiek school, de namen van zijn boten waren het bewijs, maar de gedachte dat hij hier zou hebben zitten wachten, zou hebben zitten kijken of mijn moeder terugkeerde, was onverwacht en wonderlijk ontroerend.

'Maar, *ma soeur*,' zei soeur Extase, terwijl ze een snoepje pakte, 'in ieder geval is Madootje teruggekomen.'

'En staan de zaken er in Les Salants veel beter voor. Dankzij de heilige, natuurlijk.'

'Inderdaad, ja, de heilige.' De nonnen grinnikten.

'Maar bij ons staan ze er minder goed voor,' zei soeur Extase, terwijl ze naar de steigers bij Les Immortelles keek. 'Hier boffen we minder.'

Het werd snel vloed. Dat gebeurt altijd op Le Devin; Het water snelt met bedrieglijke snelheid over de vlakten. Meer dan eens heeft een visser zich genoodzaakt gezien zijn vangst achter te laten en voor zijn leven te zwemmen, toen hij verrast werd door dat stil oprukkende water. Ik zag een stroming, krachtig zo te zien, oprukken naar het strand. Niets ongewoons op een eiland dat op zandbanken gebouwd is. De kleinste verschuiving kan een stroming verleggen, een beschutte inham in één winter veranderen in een desolate landtong, en in slechts een paar jaar tijd ondiepten veranderen in slib, in strand en daarna in duinen.

'Waar is dit voor?' vroeg ik de zusters, terwijl ik naar het bord wees.

'O, dat was monsieur Brismands idee. Hij denkt...'

'...dat iemand zand heeft gepikt.'

'Gepikt?' ik dacht aan de nieuwe laag zand bij La Goulue.

'Misschien per boot, of met een tractor.' Soeur Thérèse zat blij lachend op haar steen. 'Hij heeft een beloning uitgeloofd.'

'Maar dat is idioot,' zei ik lachend. 'Hij weet toch ook wel dat niemand zoveel zand kan weghalen. Dat komt door het tij. De getijden en de stromingen. Meer niet.'

Soeur Extase tastte weer in haar zak snoep. Toen ze zag dat ik keek, stak ze hem naar me uit. 'Tja, Brismand vindt het niet idioot,' zei ze kalm. 'Brismand denkt dat iemand zijn strand heeft gestolen.'

Soeur Thérèse knikte. 'Waarom niet?' kirde ze. 'Het is wel vaker gebeurd.'

37

MAART BRACHT ONS HOGE ZEEËN, MAAR MOOI WEER. DE ZA-
ken liepen goed. Omer had flink winst gemaakt met zijn
wintergroenten en was van plan volgend jaar een meer am-
bitieuze oogst binnen te halen. Angélo was na zijn bar een
opknapbeurt te hebben gegeven, weer opengegaan en deed
goede zaken, zelfs met Houssins; het Guénolé-Bastonnet-
partnerschap leverde hem zijn oesters. Xavier was begonnen
een klein, verlaten huisje bij La Bouche te repareren en werd
diverse malen hand in hand met Mercédès Prossage gezien.
Zelfs Toinette verdiende goed aan tochtjes naar de schrijn
van de heilige op La Griznoz, die sinds de overstromingen
populair was geworden bij een aantal oudere Houssins.

De veranderingen waren echter niet allemaal positief. Het
Guénolé-Bastonnet-verbond had tijdelijk te lijden van een
gebeurtenis. Toen Xavier met het geld dat hij voor een zending kreeft had ontvangen, uit La Houssinière kwam, werd
hij overvallen. Drie mannen op motorfietsen hielden hem
vlak buiten het dorp staande, maakten zijn bril kapot en bra-
ken zijn neus, en gingen er met de opbrengst van twee weken vandoor. Xavier had geen van zijn aanvallers herkend,
daar ze motorhelmen hadden gedragen.

'Dertig kreeften van vijftig frank per stuk,' kreunde
Matthias tegen Aristide. 'En jouw kleinzoon heeft hen ervandoor laten gaan!'

Aristides zette zijn stekels op. 'Zou jouw kleinzoon het er beter afgebracht hebben?'

'Mijn kleinzoon zou tenminste gevochten hebben,' zei Matthias.

'Ze waren met zijn drieën,' mompelde Xavier, die verlegener was dan ooit en er vreemd en konijnachtig uitzag zonder bril.

'Nou en?' zei Matthias. 'Je kunt toch wegrennen?'

'Voor een motorfiets?'

'Het moeten Houssins geweest zijn,' zei Omer sussend, die voelde dat er ruzie in de lucht hing. 'Xavier, hebben ze iets tegen je gezegd? Iets wat ons zou helpen hen te herkennen?'

Xavier schudde zijn hoofd.

'En de motorfietsen? Die zou je toch wel herkennen?'

Xavier haalde zijn schouders op. 'Misschien.'

'Misschíén?'

Ten slotte gingen Xavier, Ghislain, Aristide en Matthias naar La Houssinière om met Pierre Lacroix te praten, de enige politieagent, omdat geen van beide partijen erop vertrouwde dat de ander het verhaal goed zou vertellen. De agent leek meelevend, maar toonde weinig optimisme.

'Er zijn zoveel motorfietsen op het eiland,' zei hij, terwijl hij Xavier vaderlijk op zijn schouder klopte. 'Het kunnen zelfs vastelanders zijn geweest die met de *Brismand 1* een dagje hierheen gekomen zijn.'

Aristide schudde zijn hoofd. 'Het waren Houssins,' zei hij koppig. 'Ze wisten dat de jongen geld bij zich had.'

'Dat zou iedereen in Les Salants ook geweten hebben,' zei Lacroix.

'Ja, maar dan zou hij de motoren herkend hebben.'

'Het spijt me.' Het klonk beslist.

Aristide keek Lacroix aan. 'Een van de motoren was een rode Honda,' zei hij.

'Een merk dat veel voorkomt,' zei Lacroix, zonder hem aan te kijken.

'Heeft jouw zoon Joël niet een rode Honda?'

Er was een plotselinge, dreigende stilte. 'Suggereer je, Bastonnet, dat mijn zoon – dat míjn zoon...' Het gezicht van Lacroix werd rood onder zijn snor. 'Dat is een boosaardige beschuldiging,' zei hij. 'Als je niet een oude man was, Bastonnet, en als je niet je eigen zoon had verloren...'

Aristide sprong overeind en omklemde zijn stok. 'Mijn jongen heeft hier niets mee te maken!'

'En de mijne ook niet!'

Ze stonden tegenover elkaar, Aristide wit, Lacroix rood, en beiden trilden van woede. Xavier pakte de arm van de oude man vast om te voorkomen dat hij zou vallen. 'Pépé, het heeft geen zin...'

'Laat me lós, eh?'

Zachtjes pakte Ghislain de andere arm. 'Toe, monsieur Bastonnet, laten we maar gaan.'

Aristide keek hem kwaad aan. Ghislain doorstond zijn blik. Er viel een lange, woedende stilte.

'Oké,' zei Aristide eindelijk. 'Het is een hele poos geleden dat een Guénolé mij "monsieur" heeft genoemd. De jonge generatie kan toch niet zo achteruit zijn gegaan als ik altijd dacht.'

Ze verlieten La Houssinière zo waardig als ze maar konden. Joël Lacroix sloeg hen vanuit de deuropening van de Chat Noir gade, een Gitane tussen zijn tanden en een lachje om zijn mond. De rode Honda stond buiten geparkeerd.

Aristide, Matthias, Ghislain en Xavier liepen langs zonder hem een blik waardig te keuren, maar ze hoorden allemaal dat Joël tegen het meisje dat aan zijn arm hing, zei: 'Daar gaan die Salannais weer! Willen zeker weer een rel trappen. Ze zouden nu toch wel beter moeten weten.'

Xavier keek verlangend naar de ingang van het café, maar Matthias greep zijn arm en siste in zijn oor: 'Waag het niet, jongen! We krijgen hem nog wel, we krijgen hen allemaal nog wel – ooit.'

Xavier keek Matthias verbluft aan. Misschien kwam het doordat hij 'jongen' werd genoemd door de rivaal van zijn grootvader, of misschien kwam het door de uitdrukking op het gezicht van de oude man, maar het hield hem lang genoeg tegen om hem weer bij zinnen te brengen. Geen van hen twijfelde er nog aan dat Joël achter de aanval en de diefstal zat, maar dit was zeker niet het moment om dat te zeggen. Ze liepen langzaam terug naar Les Salants en toen ze eindelijk thuis waren, was het ondenkbare gebeurd: voor het eerst sinds generaties waren de Bastonnets en de Guénolés het roerend met elkaar eens.

Deze keer, zo stelden ze eensgezind vast, zouden ze het niet pikken.

Aan het eind van de week gonsde het in het dorp van de geruchten en speculaties; zelfs de kinderen moesten het verhaal horen en het ging van mond tot mond, met veel tegenstrijdigheden en verfraaiingen, totdat het epische vormen had aangenomen. Op één punt was iedereen het echter eens: het was genoeg geweest.

'We hadden het laten rusten,' zei Matthias bij een gezellig spelletje *belote* in Angélo's bar. 'We vonden het mooi dat we handel met hen dreven, maar ze hebben vals gespeeld, en daar draait het altijd op uit wanneer je met Houssins te maken hebt.'

Omer knikte. 'Het wordt tijd dat we wat terugdoen,' stemde hij in. 'Hun iets geven om over na te denken.'

'Dat is gemakkelijker gezegd dan gedaan,' zei Toinette, die aan het winnen was, over haar stapel briefjes en munten heen. 'Maar het komt altijd op hetzelfde neer: uiteindelijk wordt er alleen maar gepraat. Je kunt net zo goed tegen de wind in spugen als...'

'Pff!' Matthias maakte een verontwaardigd geluid. 'Ditmaal niet. Ditmaal zijn ze te ver gegaan.'

38

ER VOLGDE EEN HARDE CAMPAGNE TEGEN DE HOUSSINS. ONS pas hervonden gemeenschapsgevoel eiste het van ons. De prijs van kreeft en krab steeg flink; Angélo vroeg van nu af aan meer, telkens wanneer er een Houssin in het café kwam. De zelfbediening in La Houssinière kreeg een zending schimmelige groente van de Prossage-boerderij (Omer gaf het weer de schuld) en op een avond drong iemand de loods binnen waarin Joël Lacroix zijn kostbare Honda stalde en werd er zand in zijn benzinetank gedaan. Iedereen in Les Salants wachtte tot de politieagent verontwaardigd ten tonele zou verschijnen, maar dat gebeurde niet.

'Die Houssins hebben al veel te lang wind mee,' verklaarde Omer. 'Ze denken dat, alleen maar omdat ze een poos het geluk aan hun kant hebben gehad, er nooit iets zal veranderen.'

Dat niemand hem tegensprak, gaf aan hoeveel vooruitgang er geboekt was. Zelfs Matthias, die niet zo erg in verandering geloofde, knikte heftig. 'Je bent nooit te oud om te veranderen,' beweerde hij.

'Ja, en soms moet je het tij een handje helpen.'

'We zouden moeten adverteren,' stelde Capucine voor. 'Op de kade van La Houssinière gaan staan met een sandwichbord wanneer de toeristen komen. Dat zou handel brengen. En die Houssins een lesje leren!'

Een halfjaar geleden zou zo'n vergezocht idee – en dan nog wel van een vrouw – gelach en gehoon hebben opgeroepen. Nu keken Aristide en Matthias geïnteresseerd. Anderen sloten zich bij hen aan.

'Ja, waarom niet?'

'Lijkt mij een goed idee.'

'Daar zullen de Houssins niet blij van worden.'

'Ik zou Brismands gezicht wel eens willen zien!'

Er werd met hoofden geschud. Er vloeide veel *devinnoise*. Het was voor Les Salants een hele stap om La Houssinière zo rechtstreeks uit te dagen. het zou – terecht – geïnterpreteerd worden als een oorlogsverklaring.

'Wat is daar trouwens mis mee?' vroeg Aristide, die de aanval op zijn kleinzoon nog niet was vergeten. 'Het ís ook oorlog. Er is altijd al oorlog geweest. Alleen hebben zij tot nu toe gewonnen.'

De rest dacht hier even over na. Het was niet de eerste keer dat iemand die gedachte had geuit, maar het idee met de Houssins te moeten concurreren op voet van gelijkheid had altijd absurd geleken. Nu leek het voor het eerst mogelijk de overwinning te behalen.

Matthias zei wat we allemaal dachten. 'Onze vis extra duur verkopen is allemaal goed en wel,' zei hij langzaam, 'maar wat jij zegt komt erop neer...'

Aristide snoof. 'La Houssinière is niet iemands oesterbed,' zei hij met iets van zijn oude gramschap. 'De toeristen zijn geen beschermd wild. Ze zijn niet van La Houssinière. Ze zouden net zo goed van ons kunnen zijn.'

'En we hebben er recht op,' voegde Toinette eraan toe. 'We zijn het aan onszelf verplicht het in ieder geval te proberen. Ben je bang voor de Houssins, Matthias? Is dat het?

Denk je dat ze beter zijn dan wij?'

'Natuurlijk niet. Ik vraag me alleen maar af of we er wel aan toe zijn.'

De oude vrouw haalde haar schouders op. 'Dat zouden we kunnen zijn. Het seizoen begint over vier maanden. Dat zou tot september zo'n vijf à zes dagjesmensen per dag kunnen zijn die we alleen maar binnen hoeven te halen. Misschien meer. Stel je eens voor!'

'Dan moeten we gastenverblijven hebben,' zei Matthias. 'We hebben geen hotel. En nauwelijks plek om te kamperen.'

'Daar heb je weer die bangelijkheid van de Guénolés,' merkte Aristide scherp op. 'Leer maar eens wat ruimer denken van de Bastonnets. Je hebt toch een logeerkamer?'

Toinette knikte. 'Nou dan! Iedereen heeft wel een of twee kamers die leeg staan. De meesten van ons hebben wel een stukje land waarop gekampeerd kan worden. Voeg er een paar ontbijtjes en diners bij het gezin aan toe, en je bent even goed als iedere andere kustplaats. Misschien nog wel beter. Die stadsmensen hebben er heel wat voor over om in een echt eilandhuis te slapen. Laat de open haard branden, hang een paar koperen pannen aan de muur.'

'Bak wat *devinnoiseries* in een oven van aardewerk.'

'Haal de eilandgewoonten uit de mottenballen.'

'Traditionele muziek – ik heb mijn *biniou* ergens op zolder liggen.'

'Handgemaakte spullen, borduurwerk, vistochtjes.'

Toen we eenmaal begonnen waren, waren we niet te stuiten. Ik probeerde mijn lachen in te houden toen de algehele opwinding toenam, maar ondanks mijn geamuseerdheid was ik inwendig ontroerd. Zelfs de sceptische Guénolés lieten zich nu meeslepen; er werd van alles geopperd, er werd op tafels geslagen, de glazen rammelden. Iedereen was het erover eens dat de zomertoeristen alles kochten dat voor typisch lokale producten of handwerk kon doorgaan. Jarenlang hadden we het betreurd dat Les Salants zo weinig moderne faciliteiten had, hadden we La Houssinière benijd om zijn hotel, gokhal en bioscoop. Voor het eerst zagen we hoe onze schijnbare zwakte kon worden omgezet in een voordeel. Het enige dat eraan te pas kwam was een beetje initiatief en wat investeringen.

Toen Pasen dichterbij kwam, stortte mijn vader zich met hernieuwd enthousiasme op zijn bouwproject. Hij was niet de enige: in het hele dorp waren tekenen van activiteit. Omer begon zijn ongebruikte schuur om te bouwen; anderen plantten bloemen in de kale tuin of hingen leuke gordijnen voor het raam. Les Salants was als een onknappe vrouw die verliefd is en voor het eerst ziet dat ook zij schoonheid kan bezitten.

Sinds haar vertrek na Kerstmis hadden we niets meer van Adrienne gehoord. Ik was opgelucht; haar terugkeer had een stortvloed van onaangename herinneringen meegebracht en wat ze bij het afscheid had gezegd, zat me nog steeds dwars. Als GrosJean teleurgesteld was, liet hij het nauwelijks merken. Hij leek helemaal op te gaan in zijn nieuwe project, en daar was ik dankbaar voor, hoewel hij zich afzijdig bleef houden. Daar gaf ik mijn zuster de schuld van.

Ook Flynn leek de laatste weken afstandelijker. Dat kwam deels doordat hij hard werkte; naast de klus voor GrosJean had hij ook hulp geboden in het dorp. Hij had bij Toinette een washuis voor kampeerders geïnstalleerd en Omer geholpen zijn schuur om te bouwen tot een vakantieappartement. Hij maakte nog dezelfde grappen, kaartte en schaakte nog met dezelfde dodelijke accuratesse, vleide Capucine, plaagde Mercédès, imponeerde de kinderen met onwaarschijnlijke verhalen over zijn reizen in den vreemde, en wist zich met zijn charme, gevlei en bedotterij een nog grotere plaats in het hart van de Salannais te verwerven. Maar voor langetermijnplannen en -veranderingen toonde hij geen belangstelling. Hij waagde zich niet meer aan ideeën of opwellingen. Misschien hoefde dat ook niet meer, nu de Salannais zelf hadden leren denken.

Ik had nog steeds last van de herinnering aan wat er tussen ons was voorgevallen bij La Goulue. Flynn leek het echter totaal vergeten te zijn. Nadat ik de gebeurtenis in het deel van mijn hoofd dat ik voor dit soort dingen bestem, vele malen had doorgenomen, besloot ik ten slotte hetzelfde te doen. Ik vond hem zeker aantrekkelijk. Toen ik me dat voor het eerst had gerealiseerd, had het me overvallen, en ik had mezelf belachelijk gemaakt. Maar zijn vriendschap was me veel meer waard, vooral nu. Ik zou het nooit aan iemand bekend hebben, maar sinds Les Salants zo aan het veranderen was en mijn vader zo aan het bouwen was geslagen, had ik me op een vreemde manier buitengesloten gevoeld.

Ik kon er niet echt mijn vinger achter krijgen. De mensen waren vriendelijk en aardig. Er was geen huis in het dorp, zelfs niet dat van Aristide, waarin ik niet altijd welkom was. En toch bleef ik op een subtiele manier een buitenstaander. Hun omgang met mij had iets formeels, wat ik vreemd benauwend vond. Als ik even een kop thee kwam drinken, werd die in de beste kopjes geserveerd. Als ik bij Omer groente kocht, gaf hij altijd een beetje meer dan waar ik voor had betaald. Het gaf me een ongemakkelijk gevoel. Het maakte me anders. Toen ik het er met Capucine over had, lachte ze alleen maar. Flynn was naar mijn idee de enige die het zou kunnen begrijpen.

Dat had tot gevolg dat ik meer dan ooit met hem optrok. Hij kon goed luisteren en toonde het vermogen om mijn problemen met een grijns en een spottende opmerking in het juiste perspectief te plaatsen. Maar wat nog belangrijker was: hij begreep mijn andere leven, mijn jaren in Parijs. Wanneer ik er met hem over praatte, hoefde ik nooit naar een eenvoudiger woord te zoeken of moeite te doen om een lastig begrip uit te leggen, zoals ik bij sommige Salannais vaak moest doen. Ik zou hun dat nooit gezegd hebben, maar soms gaven mijn vrienden in het dorp me het gevoel dat ik een schooljuf met een drukke klas was. Ik vond hen beurtelings schattig en irritant; ze gingen soms ontzettend kinderlijk met elkaar om, en soms ontzettend wijs. Konden ze hun horizon maar verbreden...

'We hebben nu een echt strand,' zei ik op een dag tegen hem bij La Goulue. 'Misschien komen er ook nog echte toeristen.'

Flynn lag op zijn rug in het zand naar de lucht te kijken.

'Wie weet,' ging ik door. 'Misschien worden we nog een populaire badplaats.' Het was een luchtige opmerking, maar hij lachte niet eens. 'We geven in ieder geval Brismand een koekje van eigen deeg. Het zit hem al jaren mee en nu is Les Salants aan de beurt.'

'Is dat wat er volgens jou gebeurt?' zei hij. 'Dat jullie aan de beurt zijn?'

Ik ging rechtop zitten. 'Wat is er? Wat heb je me niet verteld?'

Flynn bleef naar de lucht staren. Zijn gezicht betrok. 'Hé!'

'Jullie vinden jezelf zo fantastisch. Een of twee overwinninkjes en jullie denken dat jullie alles kunnen. Nog even en er gaat iemand over het water lopen.'

'Nou, en?' De klank van zijn stem beviel me niet. 'Wat is er mis met een beetje ondernemingszin?'

'Wat er mis is, Mado, is dat het allemaal een beetje té goed gaat. Het is te veel en het gaat te snel. Hoe lang duurt het voor iedereen het weet, denk je? Hoe lang duurt het voordat iedereen een graantje mee wil pikken?'

Ik haalde mijn schouders op. 'Je kunt een nieuw strand niet eeuwig voor jezelf houden. Op een eiland komt de waarheid altijd bovendrijven. Je kunt hier niets eeuwig geheimhouden. En bovendien, wat zou je ertegen kunnen doen?'

Flynn sloot zijn ogen. 'Wacht maar af,' zei hij onverwacht somber. 'Je komt er gauw genoeg achter.'

Maar ik had het te druk om tijd te verspillen met dat soort pessimisme. Over drie maanden zou het toeristenseizoen aanbreken en het hele dorp werkte nog harder en bereidwilliger dan toen we de Bouch'ou aan het maken waren. Het succes had ons stoutmoedig gemaakt en bovendien begonnen we plezier te krijgen in het gevoel dat het project ons gaf dat alles mogelijk was.

Flynn, die nog het hele jaar op zijn triomf had kunnen teren als hij dat had gewild, die bij iedereen in Les Salants om een gunst had kunnen vragen en nooit een drankje had hoeven te betalen, bleef afstand houden. De heilige ging met de eer strijken en de schrijn die door Toinette was ingericht, lag tjokvol offergaven. Op 1 april veroorzaakten Damien en Lolo een klein schandaal door het altaar met een dode vis te verfraaien, maar over het geheel genomen werd de in ere herstelde Sainte-Marine met eerbied bejegend, en kreeg Toinette haar deel.

In het jaar ervoor zou geen enkele Salannais zelfs maar overwogen hebben geld te investeren, laat staan het te lenen. Er is op Le Devin geen bank en als die er was, zou er niemand zijn die bij leningen borg kon staan. Maar nu was alles anders. Uit kisten en kasten kwam spaargeld tevoorschijn. We begonnen mogelijkheden te zien waar die eerst niet geweest waren. Omer nam voor het eerst de term 'kortlopende lening' in de mond en die werd met voorzichtige bijval begroet. Alain onthulde dat ook hij in die richting gedacht had. Iemand had van een organisatie op het vasteland gehoord – icmand die iets te maken had met het ministerie van Landbouw of zoiets – die misschien voor subsidie benaderd kon worden.

Toen de bal eenmaal ging rollen, werden de voorbereidingen ambitieuzer. Ik kreeg opdracht diverse borden te maken van houten planken en artistieke stukken wrakhout:

Ter plaatse gewonnen zeezout (zak van vijf kilo - 50F)
Bastonnet voor uw eilandknoopwerk
Café-restaurant Angélo (dagschotel 30F)
Pension – Kamers te huur – Gemoedelijke sfeer
Galerie Prasteau – Plaatselijke schilderes
Schrijn van Sainte-Marine-de-la-Mer (bezoek
onder leiding van gids - 10F)

Wekenlang werd er in het dorp druk getimmerd, gewied, geroepen, geharkt, geschilderd, gewit, gedronken (het is dorstig werk) en gekrakeeld.

'We moeten iemand naar Fromentine sturen om reclame te maken,' opperde Xavier. 'Folders uitdelen, het aan mensen vertellen.'

Aristide was het hiermee eens. 'Dan gaan we samen. Ik ga op de kade staan en houd een oogje op de veerboot. Jij kunt de rest van de stad doen. Mado kan een sandwichbord voor je maken, misschien ook een paar folders. We kunnen een paar dagen in een pension slapen. Succes verzekerd!' Hij lachte kakelend van voldoening.

Xavier was minder enthousiast. Misschien kwam dat doordat hij Mercédès niet alleen wilde laten, al was het maar voor een paar dagen. Maar wanneer Aristide eenmaal ergens warm voor liep, was hij niet te stuiten. Hij pakte een paar dingen in, waaronder het sandwichbord, en verspreidde het gerucht dat hij weg moest voor een familieaangelegenheid.

'Het is beter als de Houssins er niet te vroeg achter komen,' merkte hij op.

Ik maakte met de hand een honderdtal kleine posters, omdat ik niet de mogelijkheid had te kopiëren of te printen. Xavier had instructies om ervoor te zorgen dat er een in elke etalage en elk café in Fromentine kwam te hangen.

> KOM NAAR LES SALANTS
> *Een eeuw lang niet veranderd*
> *Heerlijke eilandgerechten*
> *Een onbedorven strand*
> *Warme en vriendelijke gastvrijheid*
> LES SALANTS – ONTDEK HET VERSCHIL

De tekst was door de Bastonnets, de Guénolés en de Prossages overdacht en herzien totdat iedereen tevreden was.

Ik corrigeerde de spelling. We vertelden rond dat de Bastonnets naar de kust gingen om een familielid in moeilijkheden in Pornic te helpen, en we zorgden ervoor dat de mededeling op de juiste plaats werd opgevangen. Als je Jojo-le-Goëland iets vertelt, is het voor je het weet in heel La Houssinière rondverteld. De Salannais waren van mening dat de Houssins er pas achter zouden komen wanneer het al te laat was.

Onze aanval zou hen totaal verrassen. Wanneer het zomer werd, zei Aristide triomfantelijk, zou de oorlog al voorbij zijn nog voordat hij begonnen was.

39

HET WERD PASEN EN DE *BRISMAND I* BEGON WEER TWEEMAAL
per week te varen. Dat was voor Les Salants maar goed ook,
want door al dat renoveren en herinrichten was er een tekort
aan materialen ontstaan, en niemand wilde het risico lopen
iets te verraden door materialen in La Houssinière te bestellen. Aristide en Xavier waren in Fromentine uitstekend ontvangen. Ze hadden alle folders uitgedeeld en bij het plaatselijke toeristenbureau informatie achtergelaten. Een paar weken later gingen ze opnieuw; deze keer reisden ze helemaal
naar Nantes, met tweemaal zoveel folders om uit te delen.
Wij wachtten vol spanning op nieuws en legden de laatste
hand aan ons handwerk. We waren op onze hoede voor
spionnen uit La Houssinière. Want die wáren er. Jojo-le-
Goëland was een paar maal achter La Goulue gezien, loe-
rend met een verrekijker, er waren motorfietsen gezien rond
het dorp en Joël Lacroix zwierf de laatste tijd 's avonds rond
in de duinen, althans, totdat iemand met een dubbelloops
geweer steenzout op hem afvuurde. Er werd een halfslachtig
onderzoek gestart, maar, zoals Alain met een uitdrukking
van opperste eerlijkheid aan Pierre Lacroix uitlegde, zoveel
eilanders hadden een zoutgeweer, zodat het onmogelijk was
de schuldige te vinden, uiteraard aangenomen dat het om
een Salannais ging.
    'Het kan net zo goed iemand van de kust geweest zijn,'

viel Aristide hem bij. 'Of zelfs iemand uit La Houssinière.'

De mond van Lacroix werd smal van ongenoegen. 'Let op je woorden, Bastonnet,' waarschuwde hij.

'Wie, ik?' zei Aristide geschokt. 'Je denkt toch niet dat ík iets met de aanval op je zoon te maken heb?'

Er kwamen geen represailles. Misschien had Lacroix met zijn zoon gepraat, of misschien hadden de Houssins het te druk met de voorbereidingen voor hun eigen toeristensei-zoen, maar het was in La Houssinière griezelig stil voor de tijd van het jaar. Zelfs de motorbende was tijdelijk uit het zicht verdwenen.

'Dat is maar goed ook,' zei Toinette, wier eigen zoutge-weer achter de voordeur was weggestopt, naast de houtsta-pel. 'Als een van die vandalen hier komt rondsnuffelen, krijgt hij twee lopen vol eersteklas zout in zijn reet!'

Er ontbrak aan Aristides triomf nu nog maar één ding: de officiële aankondiging van de verloving van zijn kleinzoon met Mercédès. Er was enige reden om die te verwachten: de twee waren altijd samen – Xavier sprakeloos van bewonde-ring, en het voorwerp van zijn genegenheid koel flirterig in een wisselende uitdossing van opvallende kledingstukken. Dit was op zich al genoeg om in het dorp vermoedens los te maken. Wat er echter meer toe deed, was het feit dat Omer de band goedkeurde. Als bezorgde vader maakte hij daar geen geheim van. De jongen had goede vooruitzichten, ver-klaarde hij voldaan. Een Salannais, met het hart op de goe-de plaats. Respect voor ouderen. En genoeg geld om een ei-gen leven te beginnen. Aristide had Xavier al een onbekend bedrag gegeven – er waren wilde geruchten en men zei dat de oude man ergens spaargeld verstopt moest hebben – om voor zichzelf te beginnen, en Xavier was al een eind gevorderd met het opknappen van het verlaten huisje, ooit weinig meer dan een karkas, waar hij in wilde trekken.

'Het wordt tijd dat hij op eigen benen gaat staan,' verklaarde Aristide. 'We worden allemaal een dagje ouder en ik zou graag voor mijn dood nog een paar kleinkinderen willen zien. Xavier is de enige die mij nog met mijn arme Olivier verbindt. Ik reken erop dat hij de naam levend houdt.'

Mercédès was een knappe meid en een Salannaise. Omer en de Bastonnets waren al jaren bevriend. Bovendien was Xavier van top tot teen verliefd op haar, zei Aristide met een wellustige glans in zijn ogen; er zouden kleinkinderen komen.

'Ik reken op een stuk of tien,' zei hij steeds voldaan, terwijl hij met zijn handen de contouren van een vrouw met slanke taille aangaf. Brede heupen, stevige hammen; Aristide kende zijn beesten even goed als iedere andere eilander. Devinnois, zo placht hij te zeggen, moesten hun vrouw beoordelen op haar fokkwaliteiten. En als ze dan ook nog knap was, was dat mooi meegenomen.

'Een stuk of tien,' herhaalde hij blij, terwijl hij zich in zijn handen wreef. 'Misschien wel meer.'

Ondanks alles was onze vrolijkheid echter vermengd met een soort wanhoop. Het voeren van een oorlog behelst meer dan het uitslaan van oorlogszuchtige taal. Onze tegenstanders in La Houssinière leken te koel, te weinig geïnteresseerd. Claude Brismand werd diverse malen bij La Goulue gezien, met Jojo-le-Goëland en burgemeester Pinoz. Als hij al verontrust was over wat hij gezien had, gaf hij daar geen blijk van. Hij bleef onbekommerd en begroette iedereen die hij tegenkwam met de gebruikelijke welwillende, vaderlijke glimlach. Desondanks had ons reeds een aantal geruchten bereikt. De zaken schenen niet al te best te lopen in La Houssinière. 'Ik heb gehoord dat Les Immortelles een aantal reserveringen heeft moeten schrappen,' zei Omer. 'Vocht in de muren.'

Aan het eind van de week kreeg mijn nieuwsgierigheid de overhand. Ik ging naar Les Immortelles met een smoes – schildersbenodigdheden bestellen op het vasteland – maar mijn hoofdreden was de steeds wilder wordende geruchten natrekken over de vermeende schade aan het hotel.

Ze waren natuurlijk overdreven. Toch was Les Immortelles sinds mijn vorige bezoek achteruitgegaan. Het hotel leek nog hetzelfde, op de steigers aan de zijkant na, maar de zandlaag was nog dunner geworden en het strand daalde sterk naar de steenachtige kust.

Ik zag hoe dat gekomen was: de keten van gebeurtenissen die ons tot dit punt had gebracht, al het werk dat we in Les Salants hadden verzet, de combinatie van traagheid en arrogantie bij de Houssins die de waarheid vertroebelde, ook al was die duidelijk zat. De omvang, de gewaagdheid van ons bedrog maakte het moeilijk voorstelbaar. Zelfs Brismand zag ondanks al zijn peilingen niet wat zich vlak voor zijn neus afspeelde.

Nu hij eenmaal had ingezet, zou de achteruitgang snel en definitief zijn. De golven die tegen de zeemuur sloegen zouden het resterende zand meezuigen en rotsen en stenen blootleggen, totdat alleen nog maar de gladde zijkant van de oude dijk over zou zijn. Het zou misschien in een paar jaar helemaal gepiept zijn. Een paar zomers, als de wind meezat.

Ik keek om me heen of ik Jojo, Brismand of anderen zag die me nieuws zouden kunnen vertellen, maar er was niemand te zien. De Rue des Immortelles was bijna verlaten. Ik zag een paar toeristen ijs kopen aan een stalletje, waar een verveeld meisje kauwgom zat te kauwen onder een verbleekte Choky-parasol.

Toen ik dichter bij de zeemuur kwam, zag ik een groepje vroege toeristen op het magere strand, zo te zien een gezin, met een baby en een hond. Ze zaten dicht bij elkaar te huiveren onder een flapperende parasol. April is op deze eilanden een onberekenbare maand en die dag stond er een gure zeewind die de warmte uit de lucht haalde. Een meisje van een jaar of acht met veel krullen en grote, donkere ogen klom aan het eind van het strand over de rotsen. Ze zag me kijken en zwaaide. 'Ben jij hier op vakantie?' riep ze.

Ik schudde mijn hoofd. 'Nee, ik woon hier.'

'Ben je wel eens op vakantie geweest? Ga je in de stad op vakantie wanneer wij hiernaartoe komen? Zwem je in het weekeind in zee en ga je naar het zwembad wanneer je echt wilt zwemmen?'

'Laetitia,' zei haar vader berispend. Hij had zich omgedraaid om te kijken wat er gebeurde. 'Stel geen onbeleefde vragen.'

Laetitia nam me taxerend op. Ik knipoogde naar haar. Meer aanmoediging had ze niet nodig. In een wip was ze het pad opgeklauterd en stond ze op de promenade. Even later zat ze naast me op de rand van de zeemuur met één been onder zich gevouwen.

'Heb jij een strand naast je huis? Is het groter dan dit strand? Kun je op het strand lopen wanneer je maar wilt? Kun je met kerst zandkastelen bouwen?'

Ik glimlachte. 'Als je dat wilt.'

'Zen!'

Gabi was haar moeder, ontdekte ik. Philippe was haar vader. Pétrole was de hond. Hij werd op boten altijd misselijk. Laetitia had een grote broer, Tim, die in Rennes studeerde. Ze had nog een broer, Stéphane, maar die was nog maar een baby. Ze maakte een kleine, afkeurende beweging.

'Hij doet nooit wat. Soms slaapt hij. Hij is stom-ver-velend. Ik ga elke dag naar het strand,' kondigde ze aan, opvrolijkend. 'Ik ga net zo lang graven tot ik bij de klei kom. Dan ga ik er van alles mee maken. Dat hebben we vorig jaar in Nice gedaan,' legde ze uit. 'Dat was *zen*. Super-*zen*.'

'Laetitia!' riep een stem in de verte op het strand. 'Laetitia! Wat had ik nou gezegd?'

Laetitia zuchtte theatraal. '*Bof. Maman* houdt er niet van als ik zo ver klim. Ik ga maar terug.'

Ze gleed de zeemuur af zonder zich ook maar één seconde druk te maken om al het kapotte glas dat zich onderaan had verzameld.

'Dag!' Even later was ze aan de waterkant zeewier aan het gooien naar de meeuwen.

Ik zwaaide terug en zette mijn onderzoek naar de promenade voort. Sinds mijn vorige bezoek waren er aan de Rue des Immortelles weer een paar winkels opengegaan, maar afgezien van Laetitia en haar ouders leken er geen potentiële klanten te zijn. Soeur Thérèse en soeur Extase, streng in hun oude zwarte habijt, zaten op een bank naar de zee te kijken. De motor van Joël Lacroix was achteloos aan de overkant geparkeerd, maar de eigenaar was nergens te zien. Ik zwaaide naar de twee nonnen en ging naast hen zitten.

'Hé, daar hebben we Madootje weer,' zei een van de zusters – ze droegen vandaag allebei hun witte *coiffe*, en ik kon hen nauwelijks uit elkaar houden. 'Wordt er vandaag niet geschetst?'

Ik schudde mijn hoofd. 'Te winderig.'

'Ongunstige wind, hè, voor Les Immortelles,' zei soeur Thérèse, met haar voeten zwaaiend.

'Minder ongunstig voor Les Salants,' voegde soeur Extase eraan toe. 'We hebben zoveel...'

'...gehoord. Je zou verbaasd staan als...

'...je eens wist wat wij allemaal horen.'

'Ze denken dat we net als die arme oude bewoners hier zijn, te oud en te getikt om te weten wat er allemaal gebeurt. We zijn natuurlijk wel zo oud als de wereld, *soeur*, of als de bergen, dat wil zeggen als er...'

'...hier bergen waren, maar die zijn hier niet, alleen duinen...'

'...maar niet zoveel zand als vroeger, *ma soeur*, nee, lang niet zoveel.'

Een stilte, waarin de twee nonnen me als vogeltjes aankeken van onder hun witte kap.

'Ik heb gehoord dat Brismand reserveringen heeft moeten annuleren dit jaar,' zei ik voorzichtig. 'Is dat waar?'

De zusters knikten eenparig. 'Niet alle reserveringen. Een paar...'

'Ja, een paar. Hij was heel-heel geïrriteerd. Er was een overstroming, toch, *ma soeur*? Dat zal vlak na...'

'...het hoge water van het voorjaar geweest zijn. Alle kelders stonden onder water en aan de voorkant kwam het ook binnen. De architect zegt dat er vocht in de muur zit, door de...'

'...zeewind. Daar moet de komende winter iets aan gedaan worden. Tot die tijd...'

'...zijn er alleen maar achterkamers voor de toeristen, geen uitzicht op zee, geen strand. Het is...'

'...heel-heel triest.'

Met een ongemakkelijk gevoel stemde ik daarmee in.

'Maar, als de heilige het wil...'

'O ja, als de heilige het wil...'

Toen ik wegliep, zwaaiden ze me na. In de verte leken ze nog meer op vogels: hun *coiffes* veranderden in een paar meeuwen die op een geduldige golf deinden.

Toen ik de weg overstak, zag ik Joël Lacroix me vanuit de deuropening van de Chat Noir gadeslaan. Hij rookte een Gitane en hij hield de brandende punt als een visser in de kom van zijn hand. Onze blikken kruisten elkaar en hij knikte kort – eh – maar hij zei niets. Vlak achter hem ontwaarde ik de door rook versluierde gedaante van een meisje – lang zwart haar, rode jurk, slanke paardenbenen op hooggehakte sandalen – die me vaag bekend voorkwam. Maar terwijl ik keek, ging Joël weg bij de deur en liep het meisje met hem mee. Ik vond de manier waarop hij wegdraaide en het meisje aan het zicht onttrok, iets stiekems hebben.

Later pas, toen ik terugliep naar Les Salants, wist ik weer waarom het meisje me zo bekend voorkwam.

Het was – daar was ik bijna zeker van – Mercédès Prossage.

40

NATUURLIJK ZEI IK ER TEGEN NIEMAND IETS OVER. MERCÉDÈS was achttien en vrij om te gaan en te staan waar ze wilde. Maar het gaf me geen prettig gevoel: Joël Lacroix was Les Salants niet goed gezind en ik moest er niet aan denken wat Mercédès in haar onschuld allemaal over onze plannen zou kunnen vertellen.

Niet lang daarna waren er echter andere dingen die me bezighielden. Toen ik uit La Houssinière terugkwam zat mijn vader aan de keukentafel met Flynn een paar tekeningen op slagerspapier te bekijken. Even waren ze onbevangen – mijn vader een en al enthousiasme, Flynn helemaal verdiept, als een jongen die een mierenhoop bestudeert – maar toen keken ze op en zagen ze dat ik naar hen keek.

'Dit is een nieuwe klus,' legde Flynn uit. 'Je vader wil dat ik help bij een verbouwing. De botenloods.'

'O ja?'

GrosJean moet mijn afkeuring gevoeld hebben, want hij maakte een ongeduldig gebaar. Mijn bemoeienis werd niet op prijs gesteld. Ik wendde me tot Flynn, maar die haalde zijn schouders op.

'Wat kan ik eraan doen?' zei hij. 'Het is zijn huis. Ik heb hem niet aangemoedigd.'

Dat was natuurlijk waar. GrosJean kon met zijn eigen huis doen wat hij wilde. Maar ik vroeg me af waar het geld vandaan kwam. En de werf, hoe weinig hij ook gebruikt werd, was toch nog een schakel met het verleden. Ik vond het vreselijk die kwijt te raken.

Ik bekeek de tekeningen aandachtiger. Ze waren goed. Mijn vader had oog voor detail en ik zag duidelijk wat zijn bedoeling was: een zomerhuis, of een appartement misschien, met een woongedeelte, een keukentje en een badkamer. De loods was groot. Als je er een vloer, een luik en een ladder in maakte, kon er ook nog een leuke slaapkamer gemaakt worden.

'Het is voor Adrienne, hè?' zei ik, omdat ik wist dat het zo was. Die slaapkamer met het luik, de keuken, de brede huiskamer met zijn lange raam. 'Adrienne en de jongens.'

GrosJean keek me aan, zijn ogen zo nietszeggend als blauw porselein, en richtte zich toen weer op zijn tekeningen. Ik keerde me stijfjes om en ging weer naar buiten. Ik voelde me ziek. Even later voelde ik dat Flynn achter me stond.

'Wie gaat dit allemaal betalen?' vroeg ik, zonder hem aan te kijken. 'GrosJean heeft geen geld.'

'Hij heeft misschien spaargeld waar je niets van weet.'

'Je kon altijd beter liegen, Flynn.'

Stilte. Ik voelde dat hij nog achter me stond, naar me keek. Van het duin steeg een wolk meeuwen met veel vleugelgefladder op.

'Misschien heeft hij het geld geleend,' zei hij ten slotte. 'Mado, het is een volwassen man. Je kunt zijn leven niet regelen.'

'Dat weet ik.'

'Je hebt gedaan wat je kon. Je hebt hem geholpen...'

'En waarvoor?' keerde ik me boos om. 'Wat heeft het allemaal voor zin gehad? Het enige wat hem interesseert is huisgezinnetje spelen met Adrienne en die jongens.'

'Welkom in de wereld, Mado,' zei Flynn. 'Had je soms verwacht dat hij dankbaar zou zijn?'

Stilte. Met mijn voet trok ik een lijn in het harde zand. 'Wie heeft hem het geld geleend, Flynn? Was het Brismand?'

Flynn keek ongeduldig. 'Hoe moet ik dat weten?'

'Was het Brismand?'

Hij zuchtte. 'Waarschijnlijk. Maakt het wat uit?'

Ik liep weg zonder hem aan te kijken.

Ik toonde verder geen belangstelling voor het werk in de loods. Flynn kwam met een vrachtwagen vol spullen uit La Houssinière en was een weekend lang bezig de loods kaal te strippen. GrosJean was de hele tijd bij hem om te kijken en schema's te raadplegen. Onwillekeurig begon ik jaloers te worden op alle tijd die hij met Flynn doorbracht. Het leek wel of mijn vader me was gaan mijden, omdat hij voelde dat ik het er niet mee eens was.

Ik vernam dat Adrienne van plan was tijdens de zomervakantie terug te keren en de jongens mee te nemen. Het nieuws veroorzaakte opwinding in het dorp, waar diverse families zelf lang uitgestelde bezoeken verwachtten.

'Ik denk echt dat ze het deze keer doet,' zei Capucine. 'Het is geen slechte meid, mijn Clo. Ze denkt niet zo na, maar ze heeft een goed hart.'

Désirée Bastonnet leek ook vol hoop; ik zag haar op de weg naar La Houssinière met een nieuwe groene jas en een hoed met bloemen op de band. Ik vond dat ze er jonger uitzag in haar lenteklerren: haar rug was recht, haar gezicht ongewoon blozend en ze lachte naar me toen ik haar passeerde. Het was zo verbazingwekkend dat ik omkeerde en haar weer inhaalde, alleen maar om me ervan te vergewissen dat zij het was.

'Ik ga mijn zoon Philippe afhalen,' zei ze met haar kalme stem. 'Hij is met zijn gezin al een tijdje in La Houssinière. Hij wordt in juni zesendertig.'

Even dacht ik aan Flynn en ik vroeg me af of ook hij een moeder als Désirée had, die op zijn terugkeer wachtte. 'Ik ben blij dat je hem gaat afhalen,' zei ik. 'En ik hoop dat hij vrede zal kunnen sluiten met zijn vader.'

Désirée schudde haar hoofd. 'Je weet hoe koppig mijn man is,' zei ze. 'Hij doet net alsof hij niet weet dat ik contact met Philippe heb gehad; hij denkt dat Philippe na al die jaren alleen maar terugkomt omdat hij op zijn geld uit is.' Ze zuchtte. 'Maar toch,' zei ze beslist, 'als Aristide deze kans wil verknoeien, moet hij dat zelf weten. Ik heb de heilige horen spreken, die avond op de Pointe. Van nu af aan, zei ze, bewerkstelligen we ons eigen geluk. En dat ben ik ook van plan.'

Ik glimlachte. Vals wonder of niet, Désirée was er zeker door getransformeerd. Zelfs als de Bouch'ou niet gewerkt had, zou Flynns bedrog in ieder geval dit hebben opgeleverd. Ik voelde een plotselinge warmte voor hem. Ondanks zijn voorgewende cynisme, dacht ik, was hij niet onverschillig.

Ik wilde dat ik mijn zusters komst positiever tegemoet kon zien. Naarmate de verbouwing van de loods vorderde, leek GrosJean iedere dag meer aanwezig te zijn. Je zag het aan alles wat hij deed: zijn energie kwam terug. Hij was alerter en hij zat niet meer in de keuken naar de zee te staren. Hij begon ook meer te praten, hoewel het vaak ging over Adriennes terugkeer, en het vrolijkte me niet zo op als anders het geval zou zijn geweest. Het leek wel of iemand een schakelaar bij hem had omgezet, hem tot leven had gebracht. Ik probeerde blij voor hem te zijn, maar kon het niet.

Ik wierp me dus maar met groot enthousiasme op mijn schilderijen. Ik schilderde het strand bij La Goulue, de witte huizen met hun rode pannendaken, de bunker bij Pointe Griznoz met de roze tamarisken, die teer deinden op de zeewind, de duinen met de hazenstaartjes, de boten bij eb, de vogelkolonies die op de golven dreven, de langharige vissers met hun roze, verbleekte *vareuse*, en Toinette Prossage met haar witte *coiffe* en zwarte weduwenkleding, die naar slakken onder de houtstapel zocht. Ik hield mezelf voor dat wanneer de toeristen kwamen, er kopers voor mijn werk zouden zijn en dat mijn onkosten – doek, verf en andere materialen – een investering waren. Ik hoopte het; ik had nog maar gevaarlijk weinig spaargeld. Hoewel GrosJean en ik betrekkelijk weinig uitgaven aan het huishouden, maakten de kosten van de bouwwerkzaamheden me ongerust. Ik informeerde hier en daar en nam contact op met een kleine galerie in Fromentine. De eigenaar wilde wel een aantal schilderijen van me tegen een bepaald percentage verkopen. Ik had liever iets gehad dat dichter bij huis was, maar het was een begin. Ik wachtte angstvallig op de start van het seizoen.

Niet lang daarna zag ik het toeristengezin weer. Ik was bij La Goulue met mijn schetsblok en probeerde vast te leggen hoe de zee er bij eb uitzag. Ze kwamen ineens aangelopen. Laetitia rende voorop met de hond Pétrole, haar ouders Gabi en Philippe een eindje daarachter met de baby in een draagzitje. Philippe droeg een picknickmand en een strandtas vol speelgoed.

Laetitia zwaaide fanatiek naar me. '*Salut!* We hebben een strand gevonden!' Ze kwam met een stralend gezicht ademloos op me afgerend. 'Een strand, en er is helemaal niemand! Het is net een onbewoond eiland. Het is het *zen*-ste onbewoonde eiland dat je óóit gezien hebt.'

Glimlachend moest ik toegeven dat dat zo was.

Gabi zwaaide vriendelijk naar me. Ze was een kleine, mollige, bruine vrouw en ze droeg een gele *paréo* over haar badpak. 'Is het hier veilig?' vroeg ze. 'Om te zwemmen, bedoel ik? Ik zie geen groene vlag of zo.'

Ik lachte. 'Het is veilig, hoor,' zei ik tegen haar. 'Er komen gewoon niet zoveel mensen naar deze kant van het eiland.'

'We vinden deze kant het leukst,' kondigde Laetitia aan. 'We vinden het hier het leukst om te zwemmen. En ik kan zwemmen, hoor,' voegde ze er waardig aan toe, 'maar ik moet wel mijn voeten op de grond houden.'

'Les Immortelles is voor kinderen niet veilig,' legde Gabi uit. 'De bodem daalt sterk en er staat een stroming.'

'Maar het is hier beter,' zei Laetitia, en ze begon het rotspad af te klauteren. 'Er zijn rotsen en zo. Kóm dan, Petrole!'

De hond volgde haar, opgewonden blaffend. Ineens was bij La Goulue de ongewone klank van een uitgelaten kind te horen.

'Het water is een beetje koud,' waarschuwde ik, terwijl ik naar Laetitia keek, die nu bij het water was en met een stok in het zand zat te roeren.

'Hier kan haar niets gebeuren,' zei Philippe. 'Ik ken deze plek.'

'O ja?' Nu ik hem beter kon bekijken, zag ik dat hij wel een Devinnois kon zijn, met zijn zwarte haar en blauwe eilandogen. 'Sorry, maar ken ik je? Je komt me – bekend voor.'

Philippe schudde zijn hoofd. 'Je kent me niet,' zei hij. 'Maar misschien ken je mijn moeder.' Zijn blik ging naar een punt achter mij en hij glimlachte – een heel bekende glimlach. Automatisch keerde ik me om.

'*Mamie!*' gilde Laetitia aan de waterkant en ze begon naar het strand toe te rennen. Het water spatte alle kanten op. Pétrole begon te blaffen.

'Mado,' zei Désirée Bastonnet met glanzende ogen. 'Ik zie dat je mijn zoon al hebt ontmoet.'

Hij was teruggekomen voor de paasvakantie. Hij, Gabi en de kinderen hadden in een vakantiehuisje achter de Clos du Phare gezeten en sinds onze ontmoeting op de weg naar La Houssinière, was Désirée er al een paar keer op bezoek geweest.

'Het is *zen*,' verklaarde Laetitia, die tevreden haar tanden in een *pain au chocolat* uit de picknickmand zette. 'Ik had al heel lang een *mamie* en ik wist het helemaal niet! Ik heb ook een *papi*, maar die heb ik nog niet gezien. Die zien we later nog wel.'

Désirée keek me aan en schudde even haar hoofd. 'Koppige oude ezel,' zei ze, niet zonder genegenheid. 'Hij is dat van vroeger nog steeds niet vergeten. Maar we geven het niet op.'

De verbouwing van de loods was bijna af. Flynn had er een paar mannen uit La Houssinière bij gehaald om te helpen, en het werk schoot hard op. Er werd nog steeds niets gezegd over de financiering.

Toen ik met Aristide over de kosten praatte, was hij filosofisch. 'De tijden veranderen,' zei hij. 'Als je vader arbeiders uit La Houssinière inhuurt, betekent dat dat hij een goeie deal heeft gesloten. Anders zou hij het niet doen.'

Ik hoopte dat het waar was; het idee dat mijn vader bij Brismand in het krijt stond, vond ik heel vervelend. 'Het heeft nu zin een beetje te lenen,' zei Aristide vrolijk. 'In de toekomst te investeren. Zoals de zaken er nu voorstaan, zullen we het met gemak kunnen terugbetalen.'

Ik maakte hieruit op dat ook hij geld had geleend. Natuurlijk was een bruiloft op een eiland niet goedkoop en ik wist dat hij voor Xavier en Mercédès het beste wilde, wanneer de datum eenmaal was vastgesteld. Maar toch was ik er niet gerust op.

41

IN DE EERSTE PAAR WEKEN VAN JUNI KWAM HET EINDE VAN
het schooljaar en brak de zomervakantie aan. Dit was van
oudsher het teken dat het hoogseizoen was begonnen, en we
zagen de *Brismand 1* met hernieuwde belangstelling bin-
nenvaren. Lolo wilde altijd wel op de uitkijk staan in de haven. Hij en Damien gingen om de beurt met overdreven
nonchalance de promenade observeren. Als mensen hen al
zagen kijken, zeiden ze er niets van. La Houssinière lag stilletjes te bakken in een zon die gloeiend heet was geworden;
de ooit overstroomde Clos du Phare kraakte luid wanneer je
erop liep en maakte het lopen pijnlijk en het fietsen gevaarlijk. De *Brismand 1* bracht elke dag nauwelijks een handjevol dagjesmensen per keer. In Les Salants was men druk en
nerveus, als een bruid die te lang voor het altaar moet wachten. We waren er klaar voor, meer dan klaar; er was tijd om
na te denken over de energie en tijd die we geïnvesteerd hadden in het opknappen van Les Salants en aan wat er op het
spel stond. De gemoederen raakten verhit.

'Je hebt zeker niet genoeg folders uitgedeeld,' beet Matthias Aristide toe. 'Ik wist wel dat we iemand anders hadden
moeten sturen.'

Aristide snoof. 'We hebben ze allemaal uitgedeeld! We
zijn zelfs in Nantes geweest.'

'Dat is waar, je hebt je in het stadsleven gestort in plaats
van onze zaken te regelen.'

'Ouwe bok! Ik zal je laten zien waar je jouw folders kunt stoppen.' Aristide stond overhaast op, zijn stok in de aanslag. Matthias deed alsof hij een stoel wilde oppakken. Het had op de bejaardste vechtpartij ter wereld kunnen uitlopen, als Flynn niet tussenbeide was gekomen en had voorgesteld opnieuw naar Fromentine te gaan.

'Misschien komen jullie er dan achter wat er aan de hand is,' zei hij vriendelijk. 'Of misschien moet je de toeristen een beetje overhalen.'

Matthias keek sceptisch. 'Ik laat die Bastonnets niet op mijn kosten de bloemetjes buitenzetten,' snauwde hij. Hij veronderstelde blijkbaar dat de onschuldige badplaats een poel van verderf en verlokkingen was.

'Jullie zouden allebei kunnen gaan,' stelde Flynn voor. 'Dan kun je elkaar in het oog houden.'

'Het is een idee.'

Het ongemakkelijke verbond was hersteld. Er werd besloten dat Matthias, Xavier, Ghislain en Aristide allemaal de boot van vrijdagochtend naar Fromentine zouden nemen. De vrijdag was een goede toeristendag, zei Aristide, het begin van de weekendgolf. Met sandwichborden was niets mis, maar niets werkte zo goed als mondelinge reclame op de loopplank. Op vrijdagavond, zo beloofden ze ons, zouden al onze problemen voorbij zijn.

Dat betekende dat we nog bijna een hele week moesten doorkomen. We wachtten ongeduldig, de ouderen met een potje schaak en een biertje bij Angélo, de jongeren vissend bij La Goulue, waar altijd meer te vangen viel dan bij de Pointe.

Mercédès begon daar op warme dagen te zonnebaden, haar bevallige rondingen gevat in een badpak met pantermotief. Ik betrapte Damien er diverse malen op dat hij haar door zijn verrekijker bekeek. Ik vermoedde dat hij niet de enige was.

Op vrijdagmiddag stond het halve dorp op de kade te wachten op de binnenkomst van de *Brismand 1*: Désirée, Omer, Capucine, Toinette, Hilaire, Lolo en Damien. Flynn was er ook, een beetje afzijdig zoals altijd, en hij knipoogde naar me toen ik toevallig zijn kant op keek. Zelfs Mercédès was er, zogenaamd om Xavier te verwelkomen, met een korte, oranje jurk aan en onmogelijk hooggehakte sandalen. Omer sloeg haar nauwlettend, met een mengeling van angst en goedkeuring, gade. Mercédès deed alsof ze het niet merkte.

Claude Brismand stond ook te kijken; hij zat boven op het terras van Les Immortelles. Ik zag hem vanaf de steiger, monolitisch met zijn witte hemd en visserspet, een glas in de hand. Hij had een ontspannen, verwachtingsvolle houding. Hij zat zover weg dat ik zijn gezicht niet kon zien. Capucine zag dat ik naar hem keek en lachte schalks.

'Hij zal niet weten wat hem overkomt wanneer de veerboot binnenkomt.'

Daar was ik niet zo zeker van. Brismand wist de meeste dingen op het eiland en hoewel hij misschien niet meteen kon ingrijpen, was ik er bijna zeker van dat hij zich, wat er ook gebeurde, niet zou laten verrassen. De gedachte gaf me een ongemakkelijk gevoel, alsof ik werd geobserveerd. Het was zelfs zo dat hoe meer ik dacht aan de roerloze figuur op het terras, hoe meer ik ervan overtuigd raakte dat hij me inderdaad observeerde, met een eigenaardige, wetende intensiteit. En dat beviel me helemaal niet.

Alain keek op zijn horloge. 'Hij is laat.'

Het was maar een kwartier. Maar terwijl we stonden te wachten, zwetend en knipperend tegen de schittering van het water, leken het wel uren. Capucine zocht in haar zak naar een chocoladereep en at hem met drie snelle, nerveuze happen op. Alain keek weer op zijn horloge.

'Ik had zelf moeten gaan,' mopperde hij. 'Als je er niet bij blijft, verknallen ze het.'

Omer keek kwaad. 'Ik heb je niet horen aanbieden te gaan.'

'Ik zie iets!' gilde Lolo van de waterkant.

Iedereen keek. Een spoortje wit tegen de melkachtige horizon.

'De veerboot!'

'Niet zo duwen, hè.'

'Daar is hij! Vlak achter de *balise*.'

Pas een halfuur later konden we de details onderscheiden. Lolo had een verrekijker, die we om beurten leenden. De drijvende steiger deinde onder onze voeten. De kleine veerboot kwam met een wijde boog op Les Immortelles af, een wit zog achterlatend. Toen hij dichterbij kwam, zagen we dat het dek vol stond.

'Zomergasten!'

'Wat veel!'

'*Onze* gasten.'

Over de leuning hangend, zover dat hij bijna viel, stond Xavier. Zijn iele, verre stem bereikte ons over de haven, terwijl hij woest bij de gammele reling stond te zwaaien.

'Het is gelukt! Het is gelukt! Mercédès! Het is gelukt!'

Op het terras voor Les Immortelles zat Claude Brismand rustig toe te kijken, af en toe het glas aan zijn lippen zettend. De *Brismand 1* liet eindelijk de loopplank neer; toeristen begonnen de steiger op te stromen. Aristide, die zwaar maar triomfantelijk op zijn kleinzoon leunde, stommelde over de plank. Even later werd hij op de schouders getild door Omer en Alain, die zich ook bij het vrolijke groepje hadden gevoegd. Capucine opende een vel papier waarop stond: 'Hierheen voor Les Salants'. Lolo, die altijd overal een slaatje uit sloeg, trok een houten fietskar achter een muur vandaan en begon te roepen: 'Bagage! Voor een luttel bedrag wordt uw bagage naar Les Salants vervoerd!'

Er waren zeker dertig mensen op de veerboot, misschien meer. Studenten, gezinnen, een ouder echtpaar met een hond. Kinderen. Ik hoorde gelach van de steiger komen, luide stemmen, waarvan sommige een vreemde taal spraken. Tussen de omhelzingen en de klappen op de rug door vertelden de helden hoe het kwam dat onze eerste poging om naamsbekendheid te krijgen op zo geheimzinnige wijze mislukt was: onze posters waren verdwenen, degene die het toeristenbureau in Fromentine bemande, was onbetrouwbaar gebleken (hij speelde onder één hoedje met de Houssins) en hij had, hoewel hij aan onze kant leek te staan, elk detail van ons plan aan Brismand doorverteld en zijn best gedaan om de toeristen uit Les Salants weg te houden.

Vanaf mijn plek op straat zag ik Jojo-le-Goëland met open mond staan; een vergeten sigarettenpeuk viel uit zijn vingers. Ook winkeliers hadden zich verzameld om te kijken wat er te doen was. Ik zag burgemeester Pinoz in de deuropening van de Chat Noir staan en Joël Lacroix schrijlings op zijn motor zitten. Beiden staarden met stijgende verbazing naar de kleine menigte.

'Fietsen te huur!' kondigde Omer Prossage aan. 'Een eindje verderop fietsen te huur voor Les Salants!'

Xavier, blozend van zijn overwinning, kwam over de loopplank op Mercédès toe gelopen en draaide haar rond in zijn armen. Als er weinig warmte in haar omhelzing lag, merkte Xavier het niet. Zowel hij als Aristide zwaaide met handen vol papieren.

'Aanbetalingen!' schreeuwde Aristide vanaf Omers schouders. 'Jouw huis, Prossage, en dat van jou, Guénolé, en vijf kampeerders voor jou, Toinette, en...'

'Hé, elf aanbetalingen! En er komen er nog meer!'

'Het heeft gewerkt,' zei Capucine vol ontzag.

'Het is hun gelukt!' kraaide Toinette, terwijl ze haar armen om Matthias Guénolé sloeg en hem een klinkende zoen gaf.

'Het is óns gelukt!' corrigeerde Alain haar, terwijl hij me plotseling uitbundig ronddraaide. 'Les Salants!'

'Les Salants, eh!'

'Les Salants!'

Ik weet niet waarom ik toen achteromkeek. Misschien was het nieuwsgierigheid, of misschien wilde ik een beetje pronken. Het was onze triomf, ons moment. Misschien wilde ik gewoon zijn gezicht zien.

Ik was de enige. Terwijl mijn vrienden zingend, schreeuwend, roepend en scanderend doorliepen, draaide ik me om, even maar, om naar het hotelterras te kijken, waar Brismand zat. Door een speling van het licht was zijn gezicht goed te zien. Hij stond nu, het glas geheven in een stille, ironische toost.

'Op Les Salants!'

En hij keek me recht aan.

Deel drie

Op de toppen van de golven

42

D<small>RIE DAGEN LATER STONDEN MIJN ZUS EN HAAR GEZIN OP</small>
de stoep. De loods, nu de 'studio' genoemd, was bijna klaar,
en GrosJean zat op een bank in de tuin de laatste werkzaamheden te overzien. Flynn was binnen naar de bedrading
aan het kijken. De twee Houssins die aan de verbouwing
hadden meegewerkt, waren al weg.

De werf, nu van de studio gescheiden door een bremhaag,
was in tweeën gedeeld. De helft deed dienst als tuin. Gros-
Jean had hem verfraaid met een paar banken, een tafel en
een paar bloempotten. De rest van de werf werd nog in beslag genomen door bouwmaterialen. Ik vroeg me af hoe lang
het zou duren voordat GrosJean zou besluiten zijn oude
werkplaats helemaal uit te ruimen.

Ik had er niet zo'n last van moeten hebben. Maar ik kon
er niets aan doen; de werf was ons plekje geweest, de enige
plek waar mijn moeder en Adrienne buitengesloten waren
geweest. Er waren daar geesten uit het verleden. Ik, die in
kleermakerszit onder de bok zat, GrosJean die een stuk hout
op de werkbank vormgaf, GrosJean die onder het werken
met de radio meeneuriede, GrosJean en ik die een broodje
deelden, terwijl hij me een van zijn zeldzame verhalen vertelde, GrosJean die me met een lange verfkwast in zijn hand
vroeg: 'Hoe zullen we hem noemen? *Odile* of *Odette*?',
GrosJean die lachte om mijn pogingen zeilen te naaien,

GrosJean die een eindje achteruitliep om zijn werk te bewonderen... Niemand had die dingen met hem gedeeld: Adrienne niet en moeder niet. Ze hadden het nooit begrepen. Moeder had hem onophoudelijk aan zijn kop gezeurd over klussen die nog niet af waren – de halfvoltooide projecten, de planken die nog aangebracht moesten worden, de goot die gerepareerd moest worden. Op het laatst had ze hem als een aanfluiting gezien – een bouwer die aan van alles begon zonder het af te maken, een ambachtsman die slechts één boot per jaar afleverde, een leegloper die zich de hele dag verborg in een doolhof van spullen en wanneer hij daaruit tevoorschijn kwam, verwachtte dat zijn eten op tafel stond. Adrienne schaamde zich voor zijn kleren met verfvlekken en zijn gebrek aan sociale vaardigheden en wilde niet met hem in La Houssinière gezien worden. Ik was de enige van ons die hem aan het werk zag. Alleen ik was trots op hem. De geest van mijn vroegere zelf hing nog vol vertrouwen in de werf rond, in de zekerheid dat we hier tenminste allebei konden zijn wat we elders niet durfden te zijn.

De ochtend waarop mijn zuster arriveerde, was ik in de tuin met de gouachetechniek een portret van mijn vader aan het schilderen. Het was zo'n wolkeloze zomerochtend waarop alles nog groen en vochtig is, en mijn vader had een milde bui en was gemakkelijk te plezieren; hij zat in de zon te roken en koffie te drinken, de klep van zijn visserspet diep over zijn voorhoofd getrokken.

Plotseling hoorden we op de weg achter het huis het geluid van een auto en ik wist met ontmoedigende zekerheid wie het was.

Mijn zus droeg een witte bloes en een soepele, zijden rok die me het gevoel gaf dat ik er groezelig en te onverzorgd gekleed uitzag. Ze kuste me op de wang. De jongens, die dezelfde korte broek en hetzelfde T-shirt aan hadden, hielden zich op de achtergrond, fluisterend, de donkere ogen wijdopen. Marin vormde met het kindermeisje de achterhoede. Mijn vader bleef waar hij was, maar zijn ogen glansden.

Flynn stond in de deuropening van de loods, met zijn overall nog aan. Ik hoopte dat hij zou blijven – om de een of andere reden vrolijkte de gedachte dat hij in de buurt aan het werk was, me een beetje op – maar toen hij Adrienne en haar gezin zag, stond hij heel stil en bleef hij bijna instinctief in de schaduw van de deuropening. Ik maakte met mijn hand een klein gebaar, alsof ik hem daar wilde houden, maar toen was hij al de tuin in gestapt en over de muur op de weg gesprongen. Hij zwaaide even naar me zonder zich om te draaien en klom naar de top van het duin, vanwaar hij in looppas over het pad naar La Goulue begon terug te rennen.

Marin volgde de verdwijnende gestalte met zijn ogen. 'Wat doet hij hier?' vroeg hij. Ik keek hem aan, verbaasd over de scherpe klank in zijn stem.

'Hij heeft voor ons gewerkt. Hoezo, ken je hem?'

'Ik heb hem in La Houssinière gezien. Mijn oom...' Hij hield op met spreken en zijn mond werd een strakke dunne lijn. 'Nee, ik ken hem niet,' zei hij, en hij keerde zich om.

Ze bleven lunchen. Ik had lamsstoofpot gemaakt en Gros-Jean at met zijn gebruikelijke woordeloze enthousiasme, elke lepel naar binnen werkend met een stuk brood. Adrienne zat kieskeurig in haar eten te prikken, maar at weinig.

'Wat leuk om weer thuis te zijn,' zei ze, terwijl ze GrosJean stralend aankeek. 'Mijn jongens hebben zich er ontzettend op verheugd. Ze zijn sinds Pasen al helemaal opgewonden.'

Ik keek even naar de jongens. Geen van tweeën leek bijster opgewonden. Loïc speelde met een stukje brood en verkruimelde het op zijn bord. Franck keek uit het raam.

'En je hebt zo'n enig vakantieappartement voor hen gemaakt, papa,' vervolgde Adrienne. 'Ze zullen het erg naar hun zin hebben.'

Adrienne en Marin, zo vernamen we algauw, zouden echter in Les Immortelles verblijven. De jongens konden met het kindermeisje in de studio logeren, maar Marin moest zaken doen met zijn oom, en hij wist niet hoeveel tijd die zouden vergen. GrosJean leek onaangedaan door dit nieuws en at op zijn langzame, bedachtzame manier door, zijn blik strak op de jongens gericht. Franck fluisterde iets in het Arabisch tegen zijn broer, waarop ze allebei giechelden.

'Het verbaasde me die roodharige Engelsman hier te zien,' zei Marin tegen GrosJean, terwijl hij nog wat wijn voor zichzelf inschonk. 'Ben je met hem bevriend?'

'Hoezo, wat heeft hij gedaan?' vroeg ik, geïrriteerd door zijn zure toon.

Marin haalde zijn schouders op, maar zei niets. GrosJean leek niets te horen.

'Hij heeft in ieder geval een mooie vakantiewoning gemaakt,' zei Adrienne opgewekt. 'We kunnen het hier heel leuk hebben!'

Zwijgend beëindigden we de maaltijd.

43

NU DE JONGENS ER WAREN, WAS GROSJEAN IN ZIJN ELEMENT.
Hij zat zwijgend op de binnenplaats naar hun spelletjes te
kijken, of liet hun zien hoe je van restjes hout en zeildoek
bootjes moet maken, of liep met hen naar de duinen en
speelde verstoppertje in het lange gras. Adrienne en Marin
kwamen af en toe langs, maar bleven zelden lang; Marins zaken waren volgens hen gecompliceerder dan ze hadden verwacht, en zouden waarschijnlijk enige tijd in beslag nemen.

Ondertussen was Les Salants aan de zomercyclus begonnen. Het werk in het dorp was bijna af: de tuinen waren
mooi gemaakt en uit de zanderige bodem schoten stokrozen,
lavendel en rozemarijn op. Luiken en deuren hadden een
nieuw verfje gekregen; de straten waren geveegd en de bor-
ders geharkt; de huizen zagen er met hun okerkleurige dakpannen en pasgewitte muren vrolijk uit. De logeerkamers en
haastig omgebouwde bijgebouwen stroomden al vol. Er was
op het kampeerterrein bij La Houssinière een groep kampeerders aangekomen, maar ze kwamen graag in Les Salants
vanwege de duinen en het landschap. Philippe Bastonnet en
zijn jonge gezin waren teruggekeerd voor de zomer en gingen bijna dagelijks naar La Goulue. Aristide bewaarde nog
steeds afstand, maar Désirée ontmoette hen daar en was er
vaak te zien onder een grote parasol, terwijl Laetitia uitgelaten in de rotspoelen rondplensde.

Toinette had het land achter haar huisje opengesteld als niet-officieel kampeerterrein tegen de helft van de prijs die men in La Houssinière vroeg. Een jong stel uit Parijs had hun tent er al neergezet. De faciliteiten waren primitief – Toinettes buitentoilet en washuis, plus tuinslang en kraan voor vers water – maar bij Omers boerderij was eten te koop, je had Angélo's café en natuurlijk was er het strand, met een nog wel wat dunne zandlaag, maar met elk tij werd dat meer. Nu de stenen overdekt waren, was de grond glad en vlak. De rotsen om het strand gaven wat reliëf en beschutting. Er waren inhammen en poelen, die de kinderen prachtig vonden. Ik merkte dat Laetitia gemakkelijk vriendschap sloot met de kinderen van ons dorp. Er was eerst wat achterdocht – ze zagen zelden toeristen en ze waren op hun hoede – maar haar innemende manier van doen ontdooide hen snel. Binnen een week was het al heel gewoon hen samen te zien. Ze holden blootsvoets door Les Salants, zaten met stokken in de *étier* te roeren en rolden en stoeiden in de duinen, terwijl Pétrole wild achter hen aan rende. Vooral de bolronde, ernstige Lolo was verrukt over haar en het amuseerde me dat hij haar stadsspraak overnam en haar accent nabootste.

Mijn neefjes deden niet met hen mee. Ondanks mijn vaders pogingen hen in de buurt te houden, brachten ze de meeste tijd in La Houssinière door. Er was een gokhal, naast de bioscoop, waar ze graag speelden. Ze verveelden zich snel, zei Adrienne verontschuldigend. In Tanger was voor hen heel veel te doen geweest.

Het enige andere kind dat niet in het strand geïnteresseerd leek, was Damien. Omdat hij de oudste van de jongeren in Les Salants was, was hij ook het meest gereserveerd; ik had hem meer dan eens in zijn eentje sigaretten zien roken en boven op de rots zien rondhangen. Wanneer ik hem dan vroeg of hij ruzie had met Lolo, haalde hij gewoon zijn schouders op en schudde hij zijn hoofd. Kinderachtig gedoe, was zijn geringschattende commentaar. Soms had hij er gewoon behoefte aan alleen te zijn.

Ik geloofde hem maar half. Hij had de gemelijkheid van zijn vader en zijn wrokkige aard. Hij was van nature niet sociabel en hij vond het vast moeilijk te verteren dat Lolo, die vroeger zijn trouwste metgezel was geweest, nu ineens de kant van Laetitia had gekozen, een vastelander van nog geen acht jaar oud. Enigszins geamuseerd zag ik dat Damien zich steeds meer volwassen maniertjes eigen maakte en de nonchalante houding en manier van kleden van Joël Lacroix en zijn makkers uit La Houssinière overnam. Charlotte merkte op dat de jonge Damien meer geld leek te hebben dan bij een jongen van zijn leeftijd paste. Er gingen geruchten in het dorp dat de motorbende gezien was met een nieuw lid op de duozit. Een jong iemand, zo verluidde het.

Mijn vermoedens werden bevestigd toen ik hem later die week in La Houssinière zag rondhangen bij de Chat Noir. Ik was op weg naar de *Brismand 1* om in Fromentine een paar nieuwe schilderijen naar de galerie te brengen. Toen zag ik hem met Joël en een paar andere Houssins in de zon bij de promenade staan roken. Er waren ook meisjes bij; jonge dingen met lange benen en korte rokken. Weer herkende ik Mercédès.

Ze ving mijn blik op toen ik langsliep en hield zich een beetje in toen ze me onderzoekend zag kijken. Ze rookte – dat deed ze thuis nooit – en ik vond haar er ondanks haar rode lippenstift nogal bleek uitzien, en haar donkere ogen stonden vermoeid en leken vlekkerig. Ze lachte – te schril –

toen ik langsliep en nam uitdagend een trek van haar sigaret. Damien keek opgelaten de andere kant op. Ik sprak met geen van beiden.

Het was rustig in La Houssinière. Niet uitgestorven, zoals sommige Salannais handenwrijvend hadden verkondigd, maar slaperig. Cafés en bars waren open, maar bijna allemaal halfleeg; er was op het strand bij Les Immortelles misschien een tiental mensen. Soeur Extase en soeur Thérèse zaten in de zon op de trap van het hotel en zwaaiden naar me.

'Hé, Mado!'

'Wat heb je daar?'

Ik ging naast hen zitten en liet hun de map met mijn werk zien. De zusters knikten waarderend. 'Je zou moeten proberen er een paar te verkopen aan monsieur Brismand, Madootje.'

'Het zou wel leuk zijn om naar iets moois te kunnen kijken, nietwaar, *ma soeur*?' We kijken nu al zo lang...'

'...naar die plaatjes van martelaren.' Soeur Thérèse ging met haar vingers over een van de schilderijen. Het was een gezicht op Pointe Griznoz, met de vervallen kerk afgetekend tegen de avondlucht.

'Een goed schildersoog,' zei ze glimlachend. 'Je hebt het talent van je vader.'

'Doe hem de hartelijke groeten, Mado.'

'En praat eens met monsieur Brismand. Hij zit nu in een bespreking, maar...'

'...hij heeft altijd een zwak voor je gehad.'

Ik dacht erover na. Het was misschien wel waar; maar het idee zaken te moeten doen met Claude Brismand trok me niet aan. Sinds onze laatste ontmoeting had ik hem gemeden. Ik wist al dat hij zich afvroeg hoe lang ik nog bleef en wilde hem niet de gelegenheid geven me vragen te stellen. Ik had de indruk dat hij meer wist over wat er in Les Salants gaande was dan wij vermoedden, en hoewel het hem nooit gelukt was iemand te betrappen op het stelen van zand uit La Houssinière, bleef hij ervan overtuigd dat het gebeurde. Het strand bij La Goulue kon niet voor de Houssins verborgen blijven; het was slechts een kwestie van tijd voordat iemand het geheim van ons drijvende rif zou verklappen. Wanneer dat gebeurde, bedacht ik, wilde ik zover mogelijk bij Brismand uit de buurt zijn.

Ik wilde net gaan, toen mijn blik werd getroffen door een klein voorwerp op de grond. Het was een rode, koralen kraal, zo een als mijn vader op zijn boten aanbracht. Veel eilanders dragen die nog; iemand moest de zijne verloren hebben.

'Je hebt scherpe ogen,' merkte soeur Extase op, toen ze me hem zag oprapen.

'Hou maar, Madootje,' zei soeur Thérèse. 'Draag hem maar, hij zal je geluk brengen.'

Ik nam afscheid van de zusters en was al opgestaan om weg te gaan (de *Brismand 1* had het waarschuwingssignaal voor de laatste tien minuten laten klinken en ik wilde hem niet missen) toen ik een deur hoorde dichtslaan en een plotselinge mêlee van stemmen in de hal van Les Immortelles. Ik kon niet verstaan wat er gezegd werd, maar ik hoorde boze en steeds luider wordende stemmen, alsof iemand driftig aan het weglopen was. Er waren een paar stemmen, Brismands diepe stemgeluid en daartegenin de andere. Daarna kwamen bijna recht boven ons hoofd een man en een vrouw uit de lobby, allebei met dezelfde strakke gezichten van woede. De zusters gingen opzij om hen door te laten en schoven toen

met een grijnzend gezicht weer naar elkaar toe, als gordijnen.

'Lopen de zaken goed?' vroeg ik aan Adrienne.

Maar zij noch Marin verwaardigde zich te antwoorden.

44

DE ZOMER ZEILDE BINNEN. HET WEER BLEEF GOED, ZOALS rond die tijd meestal het geval is op de eilanden, warm en zonnig maar met aangename temperaturen door de zeebries uit het westen. Zeven van ons hadden nu toeristen, onder wie vier gezinnen, in gastenkamers en omgebouwde bijgebouwen. Toinette had het maximum aantal kampeerders. Dat betekende dat we tot dusver achtendertig mensen hadden gehad en bij elke aankomst van de *Brismand 1* werden het er meer.

Charlotte Prossage maakte inmiddels eenmaal per week paella, waarbij ze krabben en langoustines uit het nieuwe vivarium gebruikte. Ze maakte het in een grote pan, die ze naar Angélo bracht. Hij verkocht er porties van in foliebakjes. De toeristen vonden het prachtig en algauw moest ze de hulp van Capucine inroepen. Ze stelde een rooster voor, waarbij elk van hen eenmaal per week een maaltijd bereidde. Algauw hadden we paella op zondag, *gratin devinnois* (gebakken poon, witte wijn en aardappelschijfjes met geitenkaas erover) op dinsdag en bouillabaisse op donderdag. De andere mensen in het dorp kookten vrijwel nooit meer.

Op Sint-Jan (24 juni) kondigde Aristide eindelijk de verloving van zijn kleinzoon en Mercédès Prossage aan, en hij voer met de *Cécilia* een ererondje om de Bouch'ou om het te vieren. Charlotte zong een lied terwijl Mercédès met een witte jurk aan in de boeg zat; ze klaagde mompelend over de zeewierstank en over het water dat telkens wanneer de *Cécilia* in de golven dook, over haar heen spatte.

De *Eleanore 2* had alle verwachtingen overtroffen; Alain en Matthias waren dolblij. Zelfs Ghislain vatte het nieuws van de verloving verbazingwekkend goed op en bedacht zelf een aantal ingewikkelde en onwaarschijnlijke plannen, die bijna allemaal erop neerkwamen dat hij met de *Eleanore 2* ging meedoen aan zeilraces voor de kust en een fortuin aan prijzengeld in de wacht ging slepen.

Toinette zag een droom uitkomen. Vanuit haar huis verkocht ze tientallen scrubzakjes met zeezout erin (waaraan geurige wilde lavendel en rozemarijn waren toegevoegd). 'Het is doodsimpel,' zei ze. Haar zwarte ogen glansden. 'Die toeristen kopen alles. Wilde kruiden met lintjes erom. Zelfs zeemodder.' Ze schudde haar hoofd, omdat ze het zelf nauwelijks kon geloven. 'Je stopt het in een potje en je schrijft op het etiket "thalassotherapeutische voeding voor de huid". Mijn moeder heeft het jaren op haar gezicht gedaan. Het is een oud eilandmiddel.'

Omer La Patate vond op het vasteland iemand die zijn groenteoverschot voor een veel hogere prijs dan hij in La Houssinière gewend was, wilde kopen. Hij reserveerde een deel van zijn herwonnen land voor herfstbloemen, terwijl hij jarenlang van mening was geweest dat zulke frivole dingen tijdverspilling waren.

Mercédès verdween vaak urenlang naar La Houssinière, zogenaamd om naar de schoonheidssalon te gaan. 'Je zit daar zó vaak dat zelfs je winden nu wel naar parfum zullen ruiken. Chanel 5,' zei Toinette grinnikend.

Mercédès gooide geïrriteerd haar haar naar achteren. 'Wat ben je toch grof, mémée.'

Aristide bleef koppig de aanwezigheid van zijn zoon in La Houssinière negeren en stortte zich nog fanatieker – en met een soort wanhoop – op zijn plannen voor Xavier en Mercédès.

Désirée was er droevig onder, maar toonde zich niet verbaasd. 'Het kan me niet schelen,' zei ze steeds, terwijl ze met Gabi en de baby onder de parasol zat. 'We hebben al veel te lang in de schaduw van Oliviers dood geleefd. Ik wil nu alleen nog maar het gezelschap van de levenden.'

Haar ogen gingen naar de top van de klip, waar Aristide vaak zat te kijken naar het binnenvaren van de vissersschepen. Ik merkte dat zijn kijker niet op de zee gericht was, maar op de waterkant, waar Laetitia en Lolo een fort aan het bouwen waren.

'Hij zit daar elke dag,' zei Désirée. 'Hij spreekt nauwelijks meer met me.' Ze pakte de baby op en streek zijn zonnehoedje glad. 'Ik denk dat ik even een wandelingetje langs het water ga maken,' zei ze zonnig. 'Ik heb behoefte aan wat frisse lucht.'

De toeristen bleven komen. Een Engels echtpaar met drie kinderen. Een ouder stel met een hond. Een elegante, oude dame uit Parijs, altijd in het roze en wit gekleed. Een aantal kamperende gezinnen met kinderen.

We hadden nog nooit zoveel kinderen gezien. In het hele dorp hoorde je hen schreeuwen en lachen, zo vrolijk en opzichtig als hun strandspeeltjes, gekleed in het citroengeel en het turkoois en het fuchsiaroze, geurend naar zonnebrandcrème en kokosolie en suikerspin en levenslust.

Niet alle bezoekers waren toeristen. Ik zag lichtelijk geamuseerd dat onze eigen jongeren, onder wie ook Damien en Lolo, als afgeleid effect een onverwachte status kregen en zelfs steekpenningen van de jonge Houssins in ontvangst namen voor toegang tot het strand.

'Ondernemende jongeren,' merkte Capucine op, toen ik er iets over zei. 'Niets mis met een beetje zakendoen. Vooral niet wanneer het om geld van een Houssin gaat.' Ze grinnikte kalm. 'Het is leuk om eens iets te hebben wat zij niet hebben, vind je ook niet? Ik zie niet in waarom we hen er niet voor zouden laten betalen.'

Even bloeide de zwarte handel. Damien Guénolé inde filtersigaretten, die hij naar ik vermoedde met heimelijke afkeer oprookte, maar Lolo nam heel verstandig alleen maar geld aan. Hij vertrouwde me toe dat hij voor een bromfiets aan het sparen was.

'Je kunt met een brommer op allerlei manieren geld verdienen,' deelde hij ernstig mee. 'Klusjes, boodschappen doen, van alles en nog wat. Je hebt altijd poen als je transport hebt.'

Het was wonderbaarlijk wat voor verschil twaalf kinderen maakten. Plotseling leefde Les Salants. De ouderen waren niet meer in de meerderheid.

'Het bevalt me wel,' verklaarde Toinette, toen ik het er met haar over had. 'Het maakt me jong.'

Ze was niet de enige. Ik zag de barse Aristide op de rots met een aantal kleine jongens om zich heen, die hij leerde touwknopen. Alain, die tegen zijn eigen kinderen meestal heel streng was, nam Laetitia mee uit vissen in zijn boot. Désirée stopte stiekem snoepjes in gretige, groezelige handjes. Iedereen wilde natuurlijk zomergasten. Maar de kinderen vervulden een meer primaire behoefte. We kochten hen om en verwenden hen grenzeloos. Harde oude vrouwen

smolten. Harde oude mannen ontdekten opnieuw de ge-
neugten uit hun jeugd.

Flynn was hun favoriet. Hij had onze eigen kinderen natuurlijk ook altijd aangetrokken, misschien omdat hij er
nooit enige moeite voor deed. Maar op de zomergasten
werkte hij als de Rattenvanger van Hamelen: er waren altijd
kinderen om hem heen die met hem praatten, hem gade-
sloegen terwijl hij kunstwerken van drijfhout maakte of
rommel uitzocht die hij op het strand had gevonden. Ze liepen als hondjes achter hem aan, maar hij leek het niet erg te
vinden. Ze brachten hun schatten van La Goulue voor hem
mee en vertelden hem van alles over elkaar. Ze streden
schaamteloos om zijn aandacht. Flynn accepteerde hun bewondering met de vrolijke onverschilligheid die hij voor iedereen aan de dag legde.

Sinds de komst van de toeristen meende ik echter gemerkt
te hebben dat Flynn zich meer terugtrok achter zijn façade
van vrolijkheid. Hij had echter altijd tijd voor me en we
brachten menig uur zittend op het dak van de bunker door,
of pratend aan de waterkant. Ik was er dankbaar om; nu Les
Salants er weer bovenop begon te komen, was ik me wonderlijk overbodig gaan voelen, als een moeder die ziet dat
haar kinderen op eigen benen gaan staan. Het was natuurlijk absurd, want niemand kon zo blij zijn met de verandering die er in het dorp had plaatsgevonden als ik, maar toch
wenste ik soms haast dat er iets zou gebeuren dat onze rust
verstoorde.

Flynn lachte toen ik het tegen hem zei. 'Je bent helemaal
niet in de wieg gelegd voor het eilandleven,' zei hij vrolijk.
'Jij gedijt alleen maar als er een permanente crisistoestand is.'

Het was een oneerbiedige opmerking, en ik moest er op

dat moment om lachen. 'Dat is niet waar! Ik ben dol op een rustig bestaan!'

Hij grijnsde. 'Het rustige bestaan verdwijnt waar jij verschijnt.'

Later dacht ik na over wat Flynn had gezegd. Zou hij misschien gelijk hebben? Kon ik niet zonder het gevoel dat er gevaar dreigde, of een crisis? Had dat me in eerste instantie naar Le Devin getrokken? En naar Flynn?

Rond middernacht was het eb. Ik voelde me rusteloos en ging naar La Goulue om mijn hoofd op te frissen. Het was ruim halve maan; ik hoorde het gedempte *hissj* van de golven op de donkere *grève* en voelde de zachte, draaiende wind. Toen ik van de rand van La Goulue achteromkeek, zag ik de bunker als een donkere vorm tegen de sterrenhemel. Even meende ik met grote stelligheid te zien hoe een gedaante zich losmaakte van het duistere blok en wegglipte, de duinen in. Aan de bewegingen herkende ik Flynn.

Misschien was hij gaan vissen, bedacht ik, hoewel hij geen lantaarn bij zich had gehad. Ik wist dat hij soms nog kreeft stroopte bij de visgronden van de Guénolés, om geoefend te blijven. Dat was een karweitje dat je beter in het duister kon doen.

Na die ene glimp die ik had opgevangen, zag ik hem niet meer en toen ik het kil kreeg, begon ik terug te lopen naar huis. In de verte hoorde ik in het dorp nog zingen en schreeuwen. Op de weg scheen een geel licht dat afkomstig was van Angélo en de huizen verderop. Beneden op het pad stonden een paar gestalten, bijna onzichtbaar in de schaduw van de duin. De ene was breed en had ronde schouders. Hij had zijn handen nonchalant in de zakken van zijn *vareuse* gestoken; de andere was lichtvoetiger. Een streepje licht vanuit het café zette zijn haar plotseling in vuur en vlam.

Ik zag hen maar even. Zachte, onduidelijke stemmen, een opgestoken hand, een omhelzing. Toen waren ze verdwenen, Brismand richting dorp. Zijn langgerekte schaduw viel op de duin. Flynn beende met lange, rustige passen op mij af. Ik had geen tijd om hem te ontlopen; hij was bij me voordat ik het wist. Zijn gezicht werd vaag verlicht door de maan. Ik was blij dat het mijne in de schaduw bleef.

'Jij bent nog laat op pad,' zei hij opgewekt. Hij besefte kennelijk niet dat ik hem met Brismand had gezien.

'Jij ook,' zei ik. Mijn gedachten waren ongeordend; ik wist niet wat ik moest denken van wat ik gezien had – of meende gezien te hebben. Ik moest nadenken over de mogelijke interpretatie.

Hij grijnsde. *'Belote*,' zei hij. 'Ik ben voor de verandering eens vertrokken toen ik aan de winnende hand was. Ik heb een dozijn flessen wijn van Omer gewonnen. Charlotte doet hem wat wanneer hij weer nuchter is.' Hij haalde zijn hand door mijn haar. 'Slaap lekker, Mado.' En weg was hij, fluitend tussen zijn tanden. Hij liep terug zoals ik gekomen was.

Ik vond het onverwacht moeilijk om Flynn op zijn ontmoeting met Brismand aan te spreken. Ik hield mezelf voor dat het een heel toevallige ontmoeting kon zijn geweest: Les Salants was geen verboden terrein voor Houssins. Omer, Matthias, Aristide en Alain bevestigden allemaal dat Flynn die avond inderdaad bij Angélo *belote* had gespeeld. Hij had dus niet tegen me gelogen. Bovendien, zo bracht Capucine maar al te graag onder mijn aandacht, was Flynn geen Salannais. Hij koos geen partij. Misschien had Brismand hem gewoon gevraagd wat werk voor hem te doen. Desondanks bleef mijn achterdocht; een splinter in een oesterschelp, een lichte onrust.

Mijn gedachten bleven teruggaan naar de lobby van Les Immortelles, naar Brismands lawaaiige ontmoeting met Marin en Adrienne, en naar de koralen kraal die ik op de trap van het hotel had gevonden. Veel eilanders dragen die nog; mijn vader had er vaak een om, en ook veel vissers.

Ik vroeg me af of Flynn de zijne nog om had.

45

TOEN JULI TEN EINDE LIEP, MAAKTE IK ME STEEDS MEER ZOR-
gen over mijn vader. Door mijn zusters afwezigheid was mijn
vader nog verder weg dan anders, en nog minder mededeelzaam. Ik was eraan gewend, maar er lag in zijn stilte iets
nieuws. Een soort vaagheid. De studio was af. De rommel
van de werklui was allang opgeruimd. Er was geen reden
meer voor GrosJean om buiten te zijn. Hij hoefde geen toe-
zicht te houden. Tot mijn ontzetting verviel hij weer in zijn
oude apathie, erger nog dan tevoren, en zat hij uit het raam
te staren of koffie te drinken in de keuken, wachtend tot de
jongens thuiskwamen.

Die jongens. Alleen om hen kwam hij nog uit die slaperi-
ge, onverschillige toestand. Hij kwam alleen tot leven wanneer zij er waren en het vervulde me met woede en medelijden. Ik zag hun gezichten, hun bedekte grimassen, hoorde
hun gefluisterde vertrouwelijkheden, hun grappen over
hem. *Pépère Gros Bide* noemden ze hem achter zijn rug. De
Oude Man met de Dikke Buik. Ze deden hem heimelijk na,
imiteerden zijn slepende stap, staken met een ondeugende
vrolijkheid hun voeten en buikjes naar voren. In zijn gezicht
deden ze vormelijk en lacherig. Ze sloegen hun ogen neer en
hielden hun hand op om geld of snoep in ontvangst te nemen. Er kwamen nog meer dure cadeaus. Nieuwe jogging-
pakken – die van Franck rood, die van Loïc blauw – die een-

maal werden gedragen en daarna nonchalant opgerold onder de distels in de achtertuin werden achtergelaten. Heel veel speelgoed: ballen, emmertjes en schopjes, elektronische spelletjes die op het vasteland moesten zijn besteld, daar geen van onze kinderen zich zulke zaken kon veroorloven. In augustus was Loïc jarig en er werd over een boot gepraat. Ik vroeg me nogmaals met toenemende ongerustheid af waar het geld vandaan kwam.

Deels om mijn ongerustheid te verminderen schilderde ik sneller en met meer enthousiasme dan ooit tevoren. Ik had me nooit zo dicht bij mijn onderwerp gevoeld. Ik schilderde Les Salants en de Salannais, de mooie Mercédès met haar korte rokken; Charlotte Prossage die de was binnenhaalde tegen een achtergrond van blauwzwarte stormwolken; jongemannen, naakt tot het middel, die in de zoute kwelders werkten, de hopen sneeuwwit zout rond hen oprijzend als een buitenaards landschap; Alain Guénolé, als een Keltische aanvoerder zittend op de voorplecht van zijn *Eleanore 2*; Omer met zijn ernstige, komische gezicht; Flynn met zijn jutterszak aan de rand van het water, of met zijn kleine boot met één zeil, of kreeftenfuiken uit het water tillend, zijn haar vastgebonden met een stukje zeildoek, één hand boven zijn ogen tegen het felle zonlicht...

Ik heb oog voor detail. Mijn moeder zei dat altijd al. Ik schilderde meestal uit mijn geheugen – niemand had echt tijd om voor me te poseren – en ik liet de doeken tegen de muur van mijn kamer drogen voordat ik ze inlijstte. Toen ze uit La Houssinière overkwam, bekeek Adrienne me met een groeiende belangstelling die, naar ik voelde, niet helemaal welwillend was.

'Je gebruikt veel meer kleur dan vroeger,' merkte ze op.

'Sommige schilderijen zien er zelfs opzichtig uit.'

Het was waar. Mijn vroegere werk was naar verhouding grauw geweest, de kleuren vaak beperkt tot de zachte grijs- en bruintinten van de eilandwinter. Maar nu was de zomer in mijn palet geslopen, zoals hij in het hele dorp geslopen was, en had het stoffige roze van de *tamaris* met zich mee- gebracht, het chroomgeel van de brem, de stekelbrem en de mimosa, het hete wit van het zout en het zand, het oranje van de visboeien, het felle blauw van de strakke lucht en het rood van de zeilen van de eilandboten. Ook deze vrolijkheid had weer een zekere soberheid, maar het was een soberheid waar ik dol op was. Ik had het gevoel dat ik nog nooit zulk goed werk had afgeleverd.

Flynn zei iets van die strekking, met een kort knikje van bewondering dat me deed gloeien van trots. 'Je doet het goed,' zei hij. 'Nog even en je kunt voor jezelf beginnen.'

Hij zat met zijn profiel naar me toegekeerd en zijn rug te- gen de muur van de bunker, zijn gezicht half verborgen on- der de rand van zijn slappe hoed. Boven zijn hoofd schicht- te een hagedisje over de warme steen. Ik probeerde zijn uit- drukking te vangen – de welving van zijn mond, de schuine schaduw bij zijn jukbeen. Achter ons op het zomerblauwe duin klonk het getjirp van krekels. Flynn zag dat ik hem te- kende en ging rechtop zitten.

'Je hebt bewogen,' klaagde ik.

'Ik ben bijgelovig. Wij Ieren geloven dat je met een pot- lood een deel van de ziel steelt.'

Ik glimlachte. 'Het vleit me dat je denkt dat ik zo goed ben.'

'Goed genoeg om een eigen galerie te openen. In Nantes, misschien, of in Parijs. Hier blijven is verspilling.'

Weg uit Le Devin? 'Ik denk het niet.'

Flynn haalde zijn schouders op. 'Niets blijft hetzelfde. Er kan van alles gebeuren. En je kunt je hier niet eeuwig verstoppen.'

'Ik weet niet wat je bedoelt.' Ik droeg de rode jurk die Brismand me gegeven had: de zijde was bijna gewichtloos op mijn huid. Het voelde vreemd na zoveel maanden van broeken en zeildoek hemden, bijna alsof ik weer in Parijs was. Mijn blote voeten waren stoffig van het duin.

'O ja, dat doe je wel. Je hebt talent, je bent slim, mooi...' Hij hield op en even leek hij bijna even perplex als ikzelf. 'Nou ja, dat ben je in ieder geval,' zei hij ten slotte, op een enigszins defensieve toon.

Ver onder ons was de drukte van La Goulue: tientallen bootjes als vlekjes op het water. Ik herkende ze aan hun zeil: de *Cécilia*, de *Papa Chico*, de *Eleanore 2* en Jojo's *Marie Joseph*. Daarachter het grote, blauwe vlak van de baai.

'Je draagt je gelukskraal niet,' merkte ik plotseling op.

Onwillekeurig raakte Flynn zijn keel aan. 'Nee,' zei hij onverschillig. 'Ik maak mijn eigen geluk.' Hij keek achterom over de baai. 'Wat ziet hij er van hier toch klein uit, hè?'

Ik gaf geen antwoord. In me zat iets dat me begon te omklemmen als een vuist, zodat ik geen lucht kon krijgen. Ik stopte mijn hand in mijn zak. De kraal die ik bij Les Immortelles had opgeraapt, zat erin; hij was niet groter dan een kersenpit. Flynn hield zijn hand voor zijn gezicht en sloot zijn vingers, zodat La Goulue verdween.

'Die kleine dorpjes,' zei hij zachtjes. 'Dertig huizen en een strand. Je denkt dat je je ertegen kunt verzetten. Je bent voorzichtig, je bent slim, maar het is net als met zo'n Chinese buis waarin je vinger klem komt te zitten: als je eraan trekt, komt hij alleen maar vaster te zitten. Voor je het weet, ben je erbij betrokken. Eerst zijn het kleine dingen. Je denkt dat ze niet van belang zijn. En dan, op een dag, realiseer je je dat er alleen maar kleine dingen zijn.'

'Ik begrijp het niet,' zei ik tegen hem, terwijl ik een beetje naar hem toe schoof. De geur van het duin was nu sterk; duinroosjes en venkel en de abrikozengeur van de brem verwarmd door de zon. Flynns gezicht ging nog steeds half schuil onder die rare slappe hoed; ik wilde hem wegduwen en zijn ogen zien, de sproeten op de brug van zijn neus aanraken. In de zak van mijn jurk klemden mijn vingers zich weer om de kraal, ontspanden zich toen weer. Flynn vond me mooi. De gedachte benam me de adem, als prachtig siervuurwerk.

Flynn schudde zijn hoofd. 'Ik ben hier al te lang,' zei hij zachtjes. 'Mado, dacht je dat ik eeuwig zou blijven?'

Misschien had ik dat gedacht; ondanks zijn rusteloosheid had ik hem in gedachten nooit zien weggaan. Bovendien was het nu hoogseizoen; het was nog nooit zo druk geweest in Les Salants.

'Noem je dit druk?' zei Flynn. 'Die kustplaatsjes. Ik heb ze eerder meegemaakt, ik heb erin gewoond. 's Winters uitgestorven, 's zomers een handjevol mensen.' Hij zuchtte. 'Kleine plaatsjes. Kleine mensen. Het is deprimerend.'

Zijn mond was het enige wat ik van zijn beschaduwde gezicht zag. Ik was geboeid door de vorm, de kleur, de volheid van de bovenlip, de kleine lachlijntjes bij de hoeken. Mijn verbazing bleef hangen, als beelden die de zon op het netvlies achterlaat. Flynn vond me mooi. Daarbij vergeleken hadden de woorden die hij sprak weinig gewicht – vrolijke, nietszeggende uitlatingen, die me van een grotere waarheid moesten afleiden. Ik stak zacht maar beslist mijn handen uit en nam zijn gezicht tussen mijn handen.

Even voelde ik hem aarzelen. Maar zijn huid was even warm als het zand aan mijn voeten; zijn ogen hadden de kleur van mica. Ik voelde me op de een of andere manier anders, alsof Brismands geschenk iets van de charme van de man herbergde en me even in iemand anders veranderde.

Ik smoorde Flynns protest met mijn mond. Hij smaakte naar perziken en wol, metaal en wijn. Al mijn zintuigen leken tot leven gekomen: de geur van de zee en de duinen, de geluiden van de meeuwen en het water, de verre stemmen op het strand, de kleine knappende geluidjes van gras dat groeide, het licht. Het overweldigde me. Ik draaide zo snel dat mijn midden het niet kon houden; ik kon elk moment ontploffen als een raket, waarna ik in sterren mijn naam zou schrijven aan de oogverblindende hemel.

Het had onhandig moeten zijn. Misschien was het dat ook, maar mij leek het moeiteloos. De rode jurk gleed bijna als vanzelf van me af. Flynns hemd voegde zich erbij. Zijn huid was bleek, niet veel donkerder dan het zand, en hij beantwoordde mijn kussen als een man die water opslurpt nadat hij dagen in de woestijn heeft gedwaald: gulzig, zonder de tijd te nemen om adem te halen, totdat het moment komt waarop het bewustzijn het begeeft. We spraken allebei niet totdat onze dorst gelest was. Toen we min of meer verdwaasd tot de werkelijkheid kwamen, waren we overdekt met zand en zweet. Boven ons hoofd zagen we de droge duingrassen deinen en verderop de hete witte muur van de bunker en de glinsterende zee, als een luchtspiegeling.

Nog steeds verstrengeld keken we ernaar in een lange, beladen stilte. Dit veranderde alles. Ik wist het. En toch wilde ik het moment zo lang mogelijk vasthouden, met mijn hoofd op Flynns maag liggen, één hand losjes om zijn schouders geslagen. Ik wilde duizend vragen stellen, maar ik wist dat ik, als ik ze stelde, de verandering zou bevestigen, dat we dan het feit onder ogen zouden moeten zien dat we niet meer gewoon vrienden waren, maar iets veel bedreigenders. Ik voelde dat hij wachtte tot ik de spanning zou breken, misschien iets zou aangeven; boven ons in de lucht cirkelde een stel meeuwen onder het uitstoten van protestkreten.

We zeiden geen van tweeën iets.

46

DE GETIJDEN VAN HET MIDDEN VAN DE MAAND BRACHTEN
onweersbuien als gevolg van de hitte, maar aangezien die
merendeels beperkt waren tot een extravagant vertoon van
weerlicht en een paar nachtelijke plensbuien, ondervond de
handel er geen hinder van. We vierden ons succes met vuurwerk dat door Flynn was opgesteld en door Aristide bekos-
tigd, met de medewerking van Pinoz, de burgemeester. Het
was misschien niet zo'n groots spektakel als je op de kust ziet,
maar het was in ieder geval de eerste keer dat er in Les Salants
zoiets was, en iedereen kwam ernaar kijken. Er draaiden drie
reusachtige vuurraderen bij de Bouch'ou, die alleen te bereiken waren per boot en bedoeld waren om lichteffecten op
het water te geven. Er was op het duin Bengaals vuur. Vuur-
pijlen beschreven sierlijke bogen in de lucht en waaierden in
vuurbloemen uit. De hele vuurwerkshow duurde slechts een
paar minuten, maar de kinderen waren verrukt. Lolo had
nog nooit vuurwerk gezien; Laetitia en de andere toeristen-
kinderen waren minder onder de indruk, maar iedereen was
het erover eens dat het het beste vuurwerk was dat ooit op
het eiland te zien was geweest. Capucine en Charlotte maakten feestelijke lekkernijen, die als traktatie uitgedeeld werden: kleine *devinnoiseries* en gedraaide broodjes, gefrituurde
lekkernijen die overgoten waren met honing, en crêpes die
dropen van de gezouten boter.

Flynn, die het kleine vuurwerkvertoon bijna helemaal in zijn eentje had gepland en voorbereid, ging vroeg naar huis. Ik hield hem niet tegen; sinds onze ontmoeting bij de bunker had ik zelfs nauwelijks meer met hem gesproken. Toch keek ik elke dag wanneer ik langs de bunker kwam even of ik tekenen van leven zag – rook uit de schoorsteen, wasgoed op het dak – en voelde ik de druk onder mijn ribben een beetje afnemen wanneer ik zag dat hij er nog steeds was. Maar wanneer ik hem bij Angélo aantrof, of zag vissen in de *étier*, of op zijn dak naar de zee zag kijken, voelde ik me nauwelijks in staat zijn groet te beantwoorden. Zo dit hem kwetste of verbaasde, liet hij dat niet merken. Het leven hernam zijn normale loop, althans, voor hem.

Mijn vader was niet op de viering aanwezig. Adrienne kwam wel, met haar jongens, maar ze leken zich te vervelen. De traktaties die de andere kinderen zo heerlijk vonden, lieten hen koud. Ik zag hen later bij een van de vreugdevuren. Damien was bij hen; hij zag er ontevreden en boos uit. Ik begreep van Lolo dat ze gebrouilleerd waren of zoiets.

'Het gaat om Mercédès,' vertrouwde Lolo me troosteloos toe. 'Hij doet alles om indruk op haar te maken. Dat is het enige wat voor hem telt.'

Damien was beslist veranderd. Zijn natuurlijke norsheid leek hem nu helemaal in zijn greep te hebben, en hij meed zijn oude vriend nu totaal. Ook Alain had moeite met hem. Hij gaf dat in zoveel woorden toe, met een mengeling van ergernis en onwillekeurige trots.

'Zo zijn we altijd al geweest, weet je,' zei hij tegen me, 'de Guénolés, een kop vol stenen.' Maar ik merkte dat hij toch wel bezorgd was. 'Ik kan niets met de jongen beginnen,' klaagde hij. 'Hij praat niet met me. Het was altijd dikke mik tussen zijn broer en hem, maar zelfs Ghislain krijgt hem niet meer aan het lachen, of aan het praten. Maar ik was op zijn leeftijd precies zo. Hij komt er wel overheen.'

Alain dacht dat de nieuwe brommer Damien misschien van zijn moeilijkheden zou kunnen afleiden. 'Houdt hem misschien ook uit de buurt van die Houssins,' voegde hij eraan toe. 'Brengt hem misschien weer terug naar het dorp. Geeft hem misschien iets nieuws om aan te denken.'

Ik hoopte het. Ik had Damien altijd graag gemogen, ondanks zijn gereserveerdheid. Hij deed me een beetje aan mezelf op die leeftijd denken – achterdochtig, vol wrok, tobberig. En op je vijftiende is de eerste liefde als de zomerbliksem: witheet, fel en snel voorbij.

Ook Mercédès gaf reden tot zorg. Sinds de aankondiging van haar verloving was ze nog nukkiger geworden. Ze zat uren in haar kamer en weigerde te eten. De ene keer vleide ze haar ongelukkige verloofde en de andere keer katte ze hem af, zodat Xavier niet meer wist hoe hij het haar naar de zin moest maken.

Aristide weet het aan zenuwen. Maar het was meer: ik vond dat het meisje er ziek en nerveus uitzag, te veel rookte en bij het minste of geringste snauwde of huilde. Toinette verklapte dat Mercédès en Charlotte hadden gekibbeld om een trouwjurk en niet meer met elkaar spraken.

'Hij is van Désirée Bastonnet,' legde Toinette uit. Een oude, kanten japon, met een strakke taille, heel mooi. Xavier wilde dat Mercédès hem droeg.' Désirée had de jurk bewaard, sinds haar eigen bruiloft liefdevol opgeborgen tussen naar lavendel geurende lakens. Xaviers moeder had hem gedragen op de dag waarop ze met Olivier trouwde. Maar Mercédès gaf aan hem niet te willen dragen, en toen Charlotte voorzichtig had aangehouden, had ze een gigantische rel getrapt.

Boosaardige geruchten dat Mercédès gewoon te dik was om de jurk aan te kunnen, waren niet bepaald bevorderlijk voor het herstellen van de vrede in het huishouden van de Prossages.

In diezelfde tijd hadden Flynn en ik een bepaalde routine gekregen. We spraken niet over de verandering die zich tussen ons had voorgedaan, alsof de erkenning ervan ons op de een of andere manier meer in de problemen zou brengen dan we allebei wilden. Daardoor leek onze intimiteit bedrieglijk zorgeloos, alsof het een vakantieliefde betrof. We leefden in een web van onzichtbare draden die geen van ons durfde overschrijden. We praatten, we vrijden, we zwommen samen bij La Goulue, we gingen vissen, we grilden onze vangst op de kleine barbecue die Flynn in een holte achter het duin had gemaakt. We respecteerden de grenzen die we zelf hadden gesteld. Soms vroeg ik me af of mijn lafheid ze gesteld had, of de zijne. Maar Flynn sprak niet meer over weggaan.

Niemand had meer geruchten over Claude Brismand vernomen. Hij was een paar maal gezien, met Pinoz en Jojo-le-Goëland, eenmaal bij La Goulue en eenmaal in het dorp. Capucine zei dat ze bij haar caravan hadden rondgehangen en Alain had hen bij de bunker gezien. Maar voorzover men wist, had Brismand het nog steeds te druk met het waterdicht maken van Les Immortelles om iets nieuws op poten te zetten. Er was in ieder geval geen sprake van een nieuwe veerboot en de meeste mensen waren geneigd te geloven dat wat er over een *Brismand 2* werd gezegd door iemand, misschien Ghislain, als grap was bedoeld.

'Brismand weet dat hij verloren heeft,' zei Aristide opgetogen. 'Het werd hoog tijd dat die Houssins eens voelden hoe het is om de pineut te zijn. Hun kansen zijn gekeerd, en ze weten het.'

Toinette knikte. 'Niemand kan ons meer tegenhouden. De heilige staat aan onze kant.'

Maar ons optimisme was voorbarig. Slechts een paar dagen later kwam ik met makreel voor het middageten van GrosJean terug uit het dorp, toen ik Brismand onder de parasol op de binnenplaats aantrof, waar hij op me zat te wachten. Hij droeg nog steeds zijn visserspet, maar hij had de gelegenheid gewichtig genoeg gevonden om zich in een linnen jasje en een das te kleden. Zijn voeten waren zoals gewoonlijk bloot en in vale espadrilles gestoken. Zijn hand omklemde een Gitane.

Mijn vader zat tegenover hem, een fles muscadet binnen handbereik. Er stonden drie glazen klaar.

'Hé, Mado.' Brismand kwam moeizaam overeind. 'Ik hoopte al dat je gauw kwam.'

'Wat doe jij hier?' De verbazing maakte me direct, en hij keek pijnlijk getroffen.

'Ik kom jullie opzoeken, natuurlijk.' Achter de droevige uitdrukking school zoiets als geamuseerdheid. 'Ik blijf graag op de hoogte van de laatste ontwikkelingen.'

'Dat heb ik gehoord, ja.'

Hij schonk nog een glas wijn voor zichzelf in en daarna voor mij. 'Jullie Salannais hebben de laatste tijd ongewoon veel geluk gehad, hè? Jullie zijn zeker heel trots op jezelf?'

Ik hield mijn toon neutraal. 'Het gaat ons niet slecht.'

Brismand grijnsde. Zijn gangstersnor werd borstelig. 'Ik zou iemand als jij wel in het hotel kunnen gebruiken. Iemand die jong en energiek is. Denk er maar eens over na.'

'Iemand als ik? Wat zou ik kunnen doen?'

'Daar zou je nog verbaasd van staan.' Zijn toon was bemoedigend. 'Ik zou een schilder, een ontwerper, op dit moment heel goed kunnen gebruiken. We zouden best tot overeenstemming kunnen komen. Het zou je geen windeieren leggen.'

'Ik ben heel tevreden zo.'

'Misschien. Maar de omstandigheden veranderen, hm? Misschien zou je een beetje onafhankelijkheid toch op prijs stellen. Om de toekomst veilig te stellen.' Hij grijnsde breeduit en duwde het glas naar me toe. 'Hier. Drink wat wijn.'

'Nee, bedankt.' Ik wees op mijn pakje vis. 'Ik moet die in de oven stoppen, het wordt al laat.'

'Makreel, hè?' Brismand kwam overeind. 'Ik weet een heerlijke manier om die klaar te maken, met rozemarijn en zout. Ik help je wel, dan kunnen we nog wat praten.'

Hij liep achter me aan de keuken in. Hij was handiger dan zijn omvang deed vermoeden en met één snelle haal sneed hij de vis open en maakte hem schoon.

'Hoe staan de zaken?' vroeg ik, terwijl ik de oven aanstak.

'Niet slecht,' Brismand glimlachte. 'In feite waren je vader en ik iets aan het vieren.'

'Wat waren jullie aan het vieren?'

Brismand lachte breeduit. 'Een verkoop.'

Ze hadden natuurlijk de jongens gebruikt. Ik wist dat mijn vader alles zou doen om de jongens in de buurt te houden. Marin en Adrienne hadden op zijn gevoelens voor hen gespeeld, over investeringen gesproken, GrosJean ertoe aangezet meer te lenen dan hij kon terugbetalen. Ik vroeg me af hoeveel land hij al had weggecontracteerd.

Geduldig wachtte Brismand tot ik iets zei. Ik voelde zijn enorme en kille geamuseerdheid terwijl hij stond te wachten, zijn leigrijze blik zo intens als die van een kat. Even later begon hij zonder het me te vragen de marinade voor de vis te maken met olie, balsamico-azijn, zout en scheuten rozemarijn van de struiken naast de voordeur.

'Madeleine. We moeten vrienden zijn, weet je.' Zijn blik was droevig – afhangende kaken en trieste snor – maar in zijn stem klonk een lach door. 'We verschillen echt niet zoveel van elkaar. We zijn allebei vechters. Allebei zakenmensen. Je moet niet zo bevooroordeeld zijn waar het om samenwerking met mij gaat. Ik weet zeker dat je een succes zou zijn. En ik wil je oprecht helpen, weet je. Dat is altijd al zo geweest.'

Ik keek hem niet aan toen ik de vis zoutte en in folie verpakte en daarna in de hete oven schoof.

'Je bent de marinade vergeten.'

'Dat is niet de manier waarop ik hem bereid, monsieur Brismand.'

Hij zuchtte. 'Jammer. Je zou het heel lekker gevonden hebben.'

'Hoeveel?' zei ik eindelijk. 'Voor hoeveel heeft hij het aan je gegeven?'

Brismand maakte verontwaardigde geluidjes. 'Aan mij gegéven?' zei hij verwijtend. 'Niemand heeft me iets gegeven. Waarom zou dat zo zijn?'

De akten waren op het vasteland opgesteld. Mijn vader had wel enig ontzag voor gewichtig gedoe met zegels en handtekeningen. Juridische taal ging hem boven de pet. Hoewel Brismand vaag deed over de details, maakte ik eruit op dat hij was overeengekomen het land als onderpand voor een lening te nemen. Zoals gewoonlijk. Dit was gewoon een variant op zijn oude techniek: kortlopende leningen later laten afbetalen met vastgoed.

Per slot van rekening had mijn vader, zoals Adrienne zou zeggen, toch niets aan het land. Een paar kilometer duin tussen La Bouche en La Goulue, een verlaten werf die nergens meer toe diende, tenminste, tot nu toe.

Precies zoals ik de hele tijd al had vermoed, was de studio niet met spaargeld betaald. De reparaties aan het huis, de geschenken voor de jongens, de nieuwe fietsen, de computerspelletjes, de surfplanken...

'Jij hebt dat allemaal betaald, jij hebt hem het geld geleend.'

Brismand haalde zijn schouders op. 'Ja, natuurlijk. Wie anders?' Hij maakte de sla aan met een vinaigrette en *salicorne*, het vlezige eilandplantje dat vaak bij ingelegde gerechten gebruikt wordt, en deed het in de houten schaal terwijl ik de tomaten in plakken begon te snijden. 'Hier horen eigenlijk sjalotten bij,' merkte hij op dezelfde milde toon op. 'Er is niets wat de smaak van rijpe tomaten zo tot zijn recht laat komen. Vertel eens waar je die hebt.'

Ik reageerde niet.

'Ah, daar liggen ze, in de groentela. Lekkere dikke ook. Ik zie dat Omer goed boert. Het is voor Les Salants in alle opzichten een goed jaar geweest, hè? Vis, groenten, toeristen.'

'Het gaat niet slecht.'

'Wat bescheiden. Hm. Het is bijna een wonder.' Hij sneed met snelle, geoefende hand de sjalotten in plakjes. De geur was prikkelend, als die van de zee. 'En dat alles dankzij dat leuke strand dat jullie gestolen hebben. Jij en je slimme vriend Rouget.'

Ik legde voorzichtig het mes op het tafelblad neer. Mijn hand beefde licht.

'Voorzichtig. Snijd je niet.'

'Ik weet niet wat je bedoelt.'

'Wat ik bedoel is dat je wat voorzichtiger met dat mes moet zijn, Mado.' Hij grinnikte. 'Of wou je zeggen dat je niets van dat strand afweet?'

'Stranden verhuizen. Zand verhuist.'

'Ja, inderdaad, en soms verhuist het vanzelf. Maar deze keer niet, toch?' Hij hield zijn handen wijd gebarend voor zich. 'O, denk niet dat ik jullie iets kwalijk neem. Ik ben vol bewondering voor wat jullie gedaan hebben. Jullie hebben Les Salants weer uit zee gevist. Jullie hebben er een succes van gemaakt. Ik kom alleen maar op voor mijn eigen belangen, Mado, en zorg ervoor dat ik mijn deel krijg. Noem het desnoods genoegdoening. Zoveel zijn jullie me wel verschuldigd.'

'Jij bent degene die de overstromingen heeft veroorzaakt,' zei ik boos tegen hem. 'Niemand is jou iets verschuldigd.'

'O, maar dat heb je toch mis, hoor.' Brismand schudde zijn hoofd. Waar dacht je dat al dat geld vandaan kwam, hm? Het geld voor Angélo's café, Omers molen, Xaviers huis?' Wie verschaft volgens jou het kapitaal? Wie heeft de funderingen voor dit alles gelegd?' Hij gebaarde naar het raam, met zijn groezelige handpalm La Goulue, het dorp, de lucht en de fonkelende zee aanduidend.

'Dat mag dan zo geweest zijn,' zei ik, 'maar dat is nu voorbij. We kunnen nu onszelf bedruipen. Les Salants heeft jouw geld niet meer nodig.'

'Sjj.' Met overdreven concentratie schonk Brismand marinade over de tomaten. Het rook verleidelijk en geurig.

Ik rook hoe hij over de warme vis zou hebben gesmaakt, hoe de rozemarijnazijn zou verdampen, de olijfolie zou sissen. 'Je zou verbaasd staan over hoe alles verandert wanneer er geld verdiend kan worden,' zei hij. 'Waarom zou je tevreden zijn met een paar toeristen in een achterkamer, wanneer je met een beetje kapitaal een garage tot vakantiewoning kunt verbouwen, of een rij chalets kunt bouwen op een stuk braakliggende grond? Jullie hebben aan het succes geroken, Mado. Dacht je nu echt dat de mensen zo snel tevreden zullen zijn?'

Ik dacht er zwijgend even over na. 'Misschien heb je gelijk,' zei ik ten slotte. 'Maar ik zie nog steeds niet in wat er voor jou te halen valt. Je kunt op mijn vaders stukje land niet veel bouwen.'

'Madeleine.' Brismands schouders zakten veelzeggend voorover en zijn hele lichaam drukte verwijt uit. 'Waarom moet er altijd een achterliggend motief zijn? Waarom aanvaard je niet gewoonweg dat ik wil helpen?' Hij spreidde smekend zijn handen. 'Er is heel weinig vertrouwen geweest tussen onze gemeenschappen. Heel veel vijandschap. Zelfs jij bent erbij betrokken geraakt. Waar heb ik jouw achterdocht toch aan verdiend? Ik schiet geld voor aan je vader voor land dat hij niet nodig heeft – achterdocht. Ik bied je een baan aan in Les Immortelles – nog meer achterdocht. Ik probeer een brug tussen onze gemeenschappen te slaan omwille van mijn familie – de grootste achterdocht!' Hij hief dramatisch zijn handen ten hemel. 'Zeg me: waar verdenk je me nu eigenlijk van?'

Ik gaf geen antwoord. Zijn charme, die nu volledig in de strijd was geworpen, was voelbaar. En toch wist ik dat ik gelijk had met mijn wantrouwen. Hij had een plannetje – ik moest denken aan de *Brismand 2*, een halfjaar geleden nog halfvoltooid, nu klaar voor de tewaterlating, en ik vroeg me nogmaals af wat hij van plan was. Brismand zuchtte zwaar en trok aan zijn kraag om hem losser te maken.

'Ik ben een oud man, Mado. En ook een eenzaam man. Ik heb een vrouw gehad. Een zoontje. Beiden heb ik geofferd aan mijn ambitie. Ik geef toe dat ik ooit geld voor alles liet gaan. Maar geld wordt oud. Het verliest zijn glans. Nu wil ik dingen die je met geld niet kunt kopen. Familie. Vrienden. Rust.'

'Rust!'

'Ik ben vierenzestig, Madeleine. Ik slaap slecht. Ik drink te graag. De machine begint te slijten. Ik vraag me af of het de moeite waard is geweest, of het verdienen van geld me gelukkig heeft gemaakt. Ik vraag me dat steeds vaker af.' Hij keek even naar de oven. De wekker stond op nul. 'Madeleine, volgens mij is je vis klaar.'

Met de ovenwanten aan haalde hij de vis uit de oven. Hij haalde hem uit de folie en goot de rest van de marinade eroverheen. Hij rook zoals ik me had voorgesteld: zoet, warm en heerlijk. 'Ik zal jullie rustig van jullie maal laten genieten.' Hij zuchtte theatraal. 'Ik eet meestal in mijn hotel, weet je. Ik kan zitten waar ik wil, kiezen wat ik wil eten. Maar mijn eetlust,' hij klopte treurig op zijn maag, 'mijn eetlust is niet meer wat hij geweest is. Misschien komt dat door al die lege tafeltjes.'

Ik weet niet zo goed waarom ik hem uitnodigde. Misschien omdat geen enkele Devinnois ooit ongastvrij is. Misschien omdat zijn woorden toch een snaar hadden geraakt. 'Eet met ons mee,' stelde ik impulsief voor. 'Er is genoeg voor ons alledrie.'

Maar Brismand lachte plotseling en luidruchtig, zijn buik

schuddend van de kolossale pret. Ik voelde mijn wangen rood worden, omdat ik wist dat hij me zover gekregen had dat ik sympathie voelde terwijl dat niet nodig was, en dat mijn gebaar hem had geamuseerd.

'Nee, dank je, Mado,' zei hij ten slotte, terwijl hij met de punt van zijn zakdoek de tranen uit zijn ogen veegde. 'Wat een vriendelijk aanbod. Maar ik moet nu echt weg. Ik heb vandaag nog zo het een en ander te doen.'

47

T OEN IK DE VOLGENDE MORGEN LANGS DE BUNKER LIEP, WAS
Flynn nergens te bekennen. De luiken waren dicht, de generator was uit en er was geen teken dat op zijn aanwezigheid wees. Ik keek door het raam en zag dat er geen ontbijt-
afwas in de gootsteen stond. Op het bed lag geen sprei en op
de grond slingerden geen kleren rond. Ik wierp even een blik
naar binnen – weinig mensen in Les Salants doen hun deur
op slot – maar ik zag slechts een bedompt, leeg huis. Maar
wat nog erger was: het bootje dat hij in de monding van de
étier had liggen, was weg.

'Hij is waarschijnlijk gaan vissen,' zei Capucine, toen ik
bij haar langsging.

Alain was het daarmee eens. Hij dacht dat hij Flynns boot
die ochtend vroeg had zien uitvaren. Ook Angélo leek zich
niet ongerust te maken. Maar Aristide keek bezorgd. 'Er kan
natuurlijk altijd wat gebeuren,' zei hij somber. 'Denk maar
aan Olivier.'

'Ach,' zei Alain, 'Olivier had altijd pech.'

Angélo knikte. 'Rouget is eerder iemand die problemen
geeft dan er zelf in terechtkomt. Hij komt wel op zijn poot-
jes terecht, waar hij ook is.'

Maar de dag verstreek en Flynn kwam niet boven water.
Ik begon een beetje ongerust te worden. Hij had het toch
wel tegen me gezegd als hij lang weg wilde blijven? Toen hij

laat in de middag nog niet terug was, ging ik in La Houssinière kijken, waar de *Brismand 1* net op het punt stond te vertrekken. Een rij toeristen stond in de schaduw van de luifel van de Chat Noir te wachten; koffers en rugzakken stonden op een rij langs de loopplank. Ik keek automatisch of er een man met rood haar bij was.

Natuurlijk was Flynn niet bij de vertrekkende toeristen. Maar ik wilde me net omkeren naar de promenade, toen me een bekende gestalte in de rij wachtenden opviel. Haar lange haar viel voor haar gezicht, maar de strakke spijkerbroek en het bruin-oranje topje herkende ik duidelijk. Aan haar voeten lag als een grote hond een rugzak.

'Mercédès?'

Ze keerde zich om toen ze mijn stem hoorde. Haar gezicht was bleek en onopgemaakt. Ze zag eruit alsof ze gehuild had. 'Laat me met rust,' zei ze, en keerde zich weer naar de *Brismand 1*.

Ik maakte me zorgen. 'Mercédès? Is alles in orde?'

Zonder me aan te kijken, schudde ze haar hoofd. 'Dit gaat je niets aan, La Poule. Bemoei je er niet mee.' Ik verroerde me niet, maar stond stil naast haar te wachten. Mercédès gooide haar haar naar achteren. 'Je hebt altijd al een hekel aan me gehad. Je zult wel blij zijn dat ik verdwijn. En laat me nu met rust, ja?' Haar gezicht was een ongelukkig waas onder het gordijn van haar.

Ik legde mijn hand op haar magere schouder. 'Ik heb nooit een hekel aan je gehad. Ga met me mee, dan krijg je van mij een kop koffie en dan kunnen we even praten. Als je daarna nog steeds weg wilt...'

Mercédès snikte woedend achter haar haar. 'Ik wíl niet weg!'

Ik pakte haar tas. 'Ga dan met me mee.'

'Niet naar de Chat Noir,' zei Mercédès vlug, toen ik me in de richting van het café keerde. 'Een andere tent. Niet die.'

Ik vond een kleine snackbar aan het eind van de Clos du Phare en bestelde voor ons allebei koffie met een donut. Mercédès klonk nog steeds overspannen en huilerig, maar de vijandigheid was verdwenen.

'Waarom wilde je weglopen?' vroeg ik haar ten slotte. 'Ik weet zeker dat je ouders zich zorgen om je maken.'

'Ik ga niet terug,' zei ze koppig.

'Waarom niet? Gaat het allemaal om die stomme trouwjurk?'

Ze keek verschrikt. Toen lachte ze schoorvoetend. 'Zo is het wel begonnen, ja.'

'Maar je kunt toch niet weglopen omdat een trouwjapon niet past,' zei ik, terwijl ik mijn lachen probeerde te houden.

Mercédès schudde haar hoofd. 'Dat is niet de reden,' zei ze.

'Wat dan wel?'

'Ik ben zwanger.'

Het lukte me haar het verhaal te ontfutselen, met een beetje gevlei en nog een pot koffie. Ze was een vreemde mengeling van arrogantie en kleinemeisjesnaïveteit en leek het ene moment veel ouder en het andere veel jonger dan ze was. Ik denk dat dat was wat Joël Lacroix in eerste instantie aangetrokken had, dat flirterige, zelfverzekerde gedoe. Maar ondanks haar korte rokken en seksuele stoerheid was ze vanbinnen een eilandmeisje gebleven dat aandoenlijk en schrikbarend weinig wist.

Ze had er kennelijk op vertrouwd dat de heilige haar wel

zou beschermen. 'Trouwens,' zei ze, 'ik dacht dat je de eerste keer niet zwanger kon worden.'

Het was maar één keer gebeurd, begreep ik. Hij had haar het gevoel gegeven dat het haar schuld was geweest. Eerst hadden ze steeds maar gekust en stiekem ritjes op zijn motorfiets gemaakt, wat haar een heerlijk gevoel van rebellie had gegeven.

'Hij was eerst heel aardig,' zei ze mismoedig. 'Iedereen dacht dat ik met Xavier zou trouwen, gewoon de vrouw van een visser zou worden, dik zou worden, en een sjaal om mijn hoofd zou dragen, net als mijn moeder.' Ze veegde met een punt van het servet haar ogen droog. 'Maar alles is nu verpest. Ik zei dat we konden weglopen, misschien naar Parijs. Dat we samen een etage zouden kunnen huren. Maar hij...' Ze duwde lusteloos haar haar naar achteren. 'Hij lachte alleen maar.'

Op advies van père Alban had ze het meteen aan haar ouders verteld. Tot haar verbazing was de stille, nerveuze Charlotte het boost geworden: Omer La Patate was gewoon geschokt op een stoel gaan zitten. Xavier moest het weten, had Charlotte gezegd; er was een overeenkomst gesloten die nu niet meer nageleefd kon worden. Mercédès snikte stilletjes en wanhopig toen ze me erover vertelde. 'Ik wil niet naar het vasteland. Maar ik zal nu wel moeten. Niemand wil me hier meer, na wat er gebeurd is.'

'Omer zou met Joëls vader kunnen praten,' opperde ik.

Ze schudde haar hoofd. 'Ik wil Joël niet. Ik heb hem nooit gewild.' Ze streek met de rug van haar hand over haar ogen. 'En ik ga niet meer naar huis,' zei ze in tranen. 'Als ik terugga, brengen ze me in contact met Xavier. En ik ga nog liever dóód.'

In de verte klonk de fluit van de veerboot. De *Brismand 1* vertrok.

'Tja, je bent er nu in ieder geval tot morgen,' zei ik monter. 'Laten we maar eens gaan kijken of we je ergens onder dak kunnen brengen,'

48

Ik trof toinette prossage in haar tuin. ze was bollen wilde knoflook uit de zanderige bodem aan het schoffelen. Ze knikte vriendelijk naar me toen ze haar rug rechtte. Haar gezicht ging deze ochtend niet schuil onder een *quichenotte*, maar onder een grote, strooien hoed die met een rood lint om haar hoofd gebonden was. Op het grasdak van haar huisje stond een geit te grazen.

'Zo, en wat wil jij op deze ochtend?'

'Heb ik een reden nodig?' Ik haalde de grote zak lekkere broodjes tevoorschijn die ik in La Houssinière gekocht had en stak hem haar toe. 'Ik dacht dat je misschien wel een *pain au chocolat* zou lusten.'

Toinette pakte de zak en inspecteerde gretig de inhoud. 'Je bent een beste meid,' verklaarde ze. 'Je wilt me natuurlijk omkopen. Vertel maar: ik luister. In ieder geval zolang ik hiermee bezig ben.'

Ik grijnsde terwijl ze haar tanden in het eerste chocoladebroodje zette en vertelde haar over Mercédès. 'Ik dacht dat je misschien een poosje op haar zou kunnen passen,' zei ik. 'Totdat het stof weer op zijn plaats ligt.'

Toinette dacht na of ze een broodje met kaneel en suiker zou nemen. Haar zwarte ogen glansden helder onder de rand van haar hoed. 'Het is toch zo'n vermoeiend kind, die kleindochter van mij,' zei ze met een zucht. 'Op de dag dat ze geboren werd, wist ik al dat het een lastpak zou worden. Ik ben nu te oud voor dat soort gedoe. Die dingen zijn lekker, zeg,' voegde ze eraan toe, terwijl ze met veel animo in het broodje beet.

'Je mag ze allemaal hebben,' zei ik.

'Hmm.'

'Omer heeft je zeker niets over Mercédès verteld?' waagde ik.

'Vanwege het geld?'

'Misschien.' Toinette leeft zuinig, maar er zijn geruchten dat ze veel geld verstopt heeft. De oude vrouw bevestigt noch ontkent dit, maar haar stilzwijgen wordt doorgaans als een soort bekentenis opgevat. Omer houdt veel van zijn moeder, maar is heimelijk ontmoedigd doordat ze zo lang leeft. Toinette is zich hiervan bewust en is van plan eeuwig te blijven leven.

Ze lachte smakelijk. 'Hij denkt dat ik hem zal onterven als er een schandaal is, hè? Arme Omer. Dat meisje lijkt meer op mij dan wie ook, dat kan ik je wel vertellen. Ik was voor mijn ouders ook een vloek.'

'Dan ben je nog niet veel veranderd.'

'Ha!' Ze gluurde weer in de papieren zak. 'Notenbrood. Ik ben altijd dol geweest op notenbrood. Het is maar goed dat ik al mijn tanden nog heb, hè. Maar het is lekkerder met honing. Of met een beetje geitenkaas.'

'Ik zal je wat brengen.'

Toinette keek me even cynisch geamuseerd aan. 'Als je dan toch gaat, kun je net zo goed het meisje meenemen. Ze zal me wel dodelijk vermoeien. Op mijn leeftijd heb je je rust hard nodig. Jongeren begrijpen dat niet. Die zijn alleen maar geïnteresseerd in hun eigen zaken.'

344

Ik liet me geen zand in de ogen strooien door dat vertoon van zwakheid. Ik vermoedde dat Mercédès nog geen tien minuten na haar komst al aan het schoonmaken, koken en opruimen zou zijn gezet. Het zou haar waarschijnlijk goeddoen.

Toinette las mijn gedachten. 'Ik zal haar wel eens even afleiden,' kondigde ze vastberaden aan. 'En als die jongen hier komt rondsnuffelen!' Ze maakte een gebaar in de lucht met haar notenbrood, waardoor ze 's werelds oudste boze fee leek. 'Dan zal hij ervan lusten. Dan zal ik hem eens laten kennismaken met een echte Salannaise!'

Ik liet Mercédès bij haar grootmoeder achter. Het was al na enen en de zon was op zijn heetst. Les Salants lag er in dit glasachtige licht verlaten bij; de luiken waren dicht en aan de voet van de gewitte muren zag je slechts een heel smal randje schaduw. Ik had graag rustig in de schaduw van een parasol willen liggen, misschien met een longdrink, maar de jongens zouden thuis zijn, in ieder geval totdat de speelhal weer open was. Na het bezoek van Brismand vertrouwde ik mezelf niet en bleef ik uit de buurt van mijn vader. Dus ging ik maar de duinen in. Het zou koeler boven La Goulue, en op dit uur van de dag vrij van toeristen. Het was vloed, de zee schitterde helder. De wind zou de muizenissen uit mijn hoofd waaien.

Ik keek onderweg onwillekeurig even bij de bunker naar binnen. Hij was nog even verlaten als eerst. Maar La Goulue was niet helemaal verlaten. Er stond een eenzame gedaante bij het water, een sigaret tussen de tanden geklemd.

Hij negeerde mijn begroeting en toen ik naast hem kwam staan, wendde hij zijn gezicht af, maar niet snel genoeg om zijn rode ogen te verbergen. Het nieuws over Mercédès had snel de ronde gedaan.

'Ik wou dat ze dood waren,' zei Damien zacht. 'Ik wou dat de zee gewoon het hele eiland opslokte. Alles schoonwaste. Geen mensen meer.' Hij raapte een steen op die tussen zijn voeten lag en smeet hem zo hard hij kon naar de aanrollende golven.

'Misschien voelt het nu wel zo,' begon ik, maar hij onderbrak me.

'Ze hadden nooit dat rif moeten bouwen. Ze hadden de zee zijn gang moeten laten gaan. Ze vonden zichzelf zo slim. Geld verdienen. De Houssins uitlachen. Allemaal waren ze zo druk bezig met geld dat ze niet zagen wat zich vlak voor hun neus afspeelde.' Hij schopte met de teen van zijn laars in het zand. 'Lacroix zou haar anders niet eens bekeken hebben, toch? Dan was hij aan het eind van de zomer weggeweest. Dan was er niets geweest dat hem hier kon houden. Maar hij dacht dat hij géld aan ons kon verdienen.' Ik legde mijn hand op zijn schouder, maar hij schudde hem af. 'Hij deed alsof hij mijn vriend was. Dat deden ze allebei. Ze gebruikten me om boodschappen over te brengen. Om voor hen te spioneren in het dorp. Ik dacht dat als ik iets voor haar deed, ze misschien...'

'Damien, het is niet jouw schuld. Je kon het niet weten.'

'Maar dat is het wél!' Damien zweeg plotseling en raapte nog een steen op. 'Ach, wat weet jij er ook van. Je bent niet eens een echte Salannaise. Jij redt je wel, wat er ook gebeurt. Je zus is toch zeker een Brismand?'

'Ik begrijp niet wat...'

'Laat me nou maar met rust, ja? Je hebt er niks mee te maken.'

'Ja, dat heb ik wel.' Ik pakte zijn arm. 'Damien, ik dacht dat we vrienden waren.'

'Dat dacht ik ook van Joël,' zei Damien nors. 'Rouget probeerde me al te waarschuwen. Ik had naar hem moeten luisteren.' Hij raapte weer een steen op en gooide hem in de branding. 'Ik maakte mezelf wijs dat het door mijn vader kwam. Je weet wel, dat met die kreeften en zo. Doordat hij aanpapte met de Bastonnets. Na alles wat ze onze familie hadden aangedaan. Dat ze deden alsof alles weer goed was, alleen maar om een paar goeie vangsten.'

'En toen kwam Mercédès,' zei ik zachtjes.

Damien knikte. 'Toen de Prossages lucht kregen van het geld van de oude Bastonnet – ze zitten nog steeds tot hun nek in de schulden – dúwden ze ze gewoon naar elkaar toe. Ze had daarvoor zelfs nog nooit naar Xavier gekéken. Jezus, ze groeiden samen op.'

'De motorbende,' zei ik. 'Was jij dat? Heb jij hun over het geld verteld? Om wraak te nemen op de Bastonnets?'

Damien knikte ongelukkig. 'Maar Xavier zou niks gebeuren. Ik dacht dat hij het geld gewoon zou afgeven. Maar na wat er gebeurd was, zei Joël dat ik net zo goed met hen mee kon doen. Dat ik toch niks meer te verliezen had.'

Logisch dat hij er zo ongelukkig uitzag. 'En heb je dat de hele tijd voor je gehouden? Heb je het aan niemand verteld?'

'Alleen aan Rouget. Aan hem kun je wel eens wat vertellen.'

'Wat zei hij?'

'Hij zei dat ik het aan mijn vader en de Bastonnets moest opbiechten. Hij zei dat het alleen maar erger zou worden als ik dat niet deed. Ik zei dat hij gek was. Mijn vader zou me een ongenadig pak slaag gegeven hebben als ik hem maar de helft had verteld van wat ik had gedaan.'

Ik glimlachte. 'Maar ik denk dat hij wel gelijk had.'

Damien haalde lusteloos zijn schouders op. 'Misschien. Maar het is nu toch al te laat.'

Ik liet hem op het strand achter en nam dezelfde weg terug. Toen ik achteromkeek, zag ik het eenzame figuurtje woest zand in de zee schoppen, alsof hij op die manier het hele strand terug kon trappen naar La Jetée, waar het thuishoorde.

49

T oen ik thuiskwam, trof ik adrienne, marin en de jongens aan, die net een late lunch beëindigden. Ze keken op
toen ik binnenkwam. GrosJean niet, die hield zijn hoofd
vlak boven zijn bord en at zijn sla met zijn langzame, methodische bewegingen.

Me een indringer voelend zette ik koffie. Er werd gezwe-
gen terwijl ik die opdronk, alsof mijn aanwezigheid een eind
had gemaakt aan het gesprek. Zou het van nu af aan altijd
zo gaan? Mijn zus en haar gezin, GrosJean en zijn jongens,
en ik, de buitenstaander, de ongenode gast die niemand het
huis uit durfde zetten? Ik voelde dat mijn zus, haar blauwe
eilandogen samengeknepen, naar me keek. Af en toe fluisterde een van de jongens zachtjes iets dat ik niet kon verstaan.

'Oom Claude zei dat hij met je had gesproken,' zei Marin
ten slotte.

'Ik ben blij dat hij dat deed,' zei ik. 'Of hadden jullie het
me zelf een keer willen vertellen?'

Adrienne wierp even een blik op GrosJean. 'Papa mag zelf
weten wat hij met zijn land doet.'

'We hadden het al een keer besproken,' zei Marin. 'Gros-
Jean wist dat hij zich geen vernieuwingen kon veroorloven.
Hij dacht dat het verstandiger zou zijn ons dat te laten doen.'

'Ons?'

'Claude en mij. We hebben het over een gezamenlijke onderneming gehad.'

Ik keek naar mijn vader, die verdiept leek in het opdeppen van de olie op de bodem van de slaschaal. 'Wist je hiervan, vader?'

Stilte. GrosJean gaf niet te kennen dat hij het zelfs maar gehoord had.

'Je maakt hem alleen maar van streek, Mado,' mompelde Adrienne.

'En ik?' Mijn stem schoot uit. 'Is het bij iemand opgekomen om mij te raadplegen? Of was dat wat Brismand bedoelde toen hij zei dat hij wilde dat ik aan zijn kant stond? Is dat wat hij wilde? Wilde hij er zeker van zijn dat ik me koest zou houden wanneer jullie het land met één pennenstreek weggaven?'

Marin keek me betekenisvol aan. 'Misschien kunnen we dit op een ander tijdstip...'

'Was het soms voor de jongens?' De woede fladderde in me op als een vogel in een kooi. 'Hebben jullie hem daarmee omgekocht? GrosJean en P'titJean, opgestaan uit de dood?' Ik keek even naar mijn vader, maar die was totaal onbereikbaar en staarde kalm de ruimte in, alsof we er helemaal niet waren.

Adrienne keek me verwijtend aan. 'O, Mado, je hebt toch gezien hoe hij met de jongens is. Ze hebben een heilzaam effect op hem. Ze hebben hem al heel veel goed gedaan.'

'Bovendien was het land nutteloos,' zei Marin. 'We dachten allemaal dat het zinniger was om ons op het huis te concentreren, om er een echt familiezomerhuis van te maken, zodat we er allemaal plezier aan zouden beleven.'

'Bedenk eens wat het voor Franck en Loïc zou betekenen,'

zei Adrienne. 'Een heerlijk vakantiehuis bij de zee.'

'En een goede investering,' voegde Marin eraan toe, 'voor wanneer – nou ja, je weet wel.'

'Een erfenis,' legde Adrienne uit. 'Voor de kinderen.'

'Maar het is geen vakantiehuis,' protesteerde ik, met de angst in mijn hart.

Mijn zus boog zich met een stralend gezicht naar me toe. 'We hopen wel dat het dat zal worden, Mado,' zei ze. 'We hebben papa namelijk gevraagd in september met ons mee te gaan. We willen dat hij het hele jaar bij ons woont.'

50

Ik vertrok zoals ik was gekomen, met mijn koffer en mijn map met werk. Maar deze keer ging ik niet naar het dorp. Ik nam het andere pad, het pad dat naar de bunker bij La Goulue leidde.

Flynn was er nog steeds niet. Ik betrad het huis en ging op het oude veldbed liggen; plotseling voelde ik me heel geïsoleerd, heel ver van huis. Op dat moment had ik er bijna alles voor over gehad om weer in mijn woninkje in Parijs te zijn met de brasserie beneden en het lawaai van de Boulevard Saint-Michel opstijgend in de warme, grijze lucht. Misschien had Flynn gelijk gehad, dacht ik. Misschien werd het tijd dat ik aan iets nieuws begon.

Ik zag nu heel duidelijk hoe mijn vader gemanipuleerd was. Maar hij had zijn keuze gemaakt; ik zou hem niet tegenhouden. Als hij bij Adrienne wilde wonen, kon dat. Het huis in Les Salants zou een vakantiehuis worden. Ik zou er natuurlijk in mogen wanneer ik maar wilde, en Adrienne zou doen alsof ze verbaasd was wanneer ik wegbleef. Zij en Marin zouden er al hun vakanties doorbrengen. Misschien zouden ze het buiten het seizoen verhuren. Ik zag mezelf en Adrienne ineens voor me als kind, ruziemakend om een stuk speelgoed, het samen kapottrekkend; terwijl we om onze bezittingen vochten, merkten we niet dat de vulling eruitviel. Nee, zei ik tegen mezelf, ik had het huis niet nodig.

Ik zette mijn map tegen de muur en mijn koffer onder het bed, en liep toen weer het duin in. Het was inmiddels tegen drieën. De zon was minder heet en het werd eb. Aan het eind van de baai wapperde een zeil tegen de schittering van de zon, ver weg, voorbij de beschermende ring van La Jetée. Ik kon de vorm niet goed waarnemen, of me voorstellen wie er op dit uur van de dag zo ver weg aan het zeilen zou zijn. Ik begon het duin af naar La Goulue te lopen. Af en toe keek ik over de baai. Cirkelende vogels krijsten naar me. Het was moeilijk in het sterke licht het zeil te herkennen; het was in ieder geval niemand van het dorp. Geen Salannais zou zo onhandig sturen, zo slapjes overstag gaan, zo weinig greep op de wind hebben en op drift raken met los en flapperend zeil, meegenomen door de stroming.

Toen ik dichter bij de rotsen kwam, zag ik Aristide op zijn vaste plek zitten kijken. Lolo zat naast hem met een koelbox vol fruit dat hij te koop aanbood, en een verrekijker om zijn nek.

'Wie is dat eigenlijk? Hij komt zo nog op La Jetée terecht.'

De oude man knikte. De afkeuring was op zijn gezicht te lezen. Niet voor de nonchalante zeiler – op de eilanden moet je voor jezelf leren zorgen, en om hulp vragen is een schande – maar vanwege de goede boot die aan zijn lot werd overgelaten. Mensen komen en gaan. Bezit is blijvend.

'Zou het iemand van La Houssinière zijn?'

'Neu. Zelfs een Houssin weet dat je niet zo ver moet gaan. Misschien een toerist, met meer geld dan wijsheid. Of een boot die op drift is geraakt. Je kunt het niet zeggen op deze afstand.'

Ik keek naar beneden, naar het volle strand. Gabi en Laetitia waren er. Laetitia zat op een van de oude palen naast de klip.

'Wil je een stuk meloen?' bood Lolo aan, terwijl hij jaloers naar Laetitia keek. 'Ik heb er nog maar twee.'

'Goed,' zei ik glimlachend. 'Ik neem ze allebei.'

'Zen!'

De meloen was zoet, goed voor mijn droge keel. Nu ik bij Adrienne uit de buurt was, keerde mijn eetlust terug. Ik at langzaam, zittend in de schaduw van het kronkelende rotspad. Het leek wel of het ongeïdentificeerde zeil nu wat dichterbij was, maar dat was waarschijnlijk een speling van het licht.

'Ik heb sterk het gevoel dat ik die boot ken.' Lolo, tuurde door zijn kijker. 'Ik hou hem al een hele tijd in de gaten.'

'Laat mij eens kijken,' zei ik, terwijl ik een paar stappen in zijn richting zette. Lolo overhandigde me de kijker en ik keek erdoor naar het zeil in de verte.

Het had de kenmerkende rode kleur, het was vierkant en er zaten geen zichtbare herkenningstekens op. De boot zelf, lang en slank, eigenlijk niet veel meer dan een skiff, lag diep in het water, alsof er water in stond. Plotseling sloeg mijn hart een slag over.

'Herken je hem?' vroeg Lolo dringend.

Ik knikte. 'Ik denk van wel. Hij lijkt op Flynns boot.'

'Weet je het zeker? We zouden het aan Aristide kunnen vragen. Hij kent alle boten. Hij kan het met zekerheid zeggen.'

De oude man keek een poosje zwijgend door de verrekijker. 'Het is hem, ja,' verklaarde hij ten slotte. 'Hij is ver op zee en dobbert rond, maar ik wil er wat om verwedden dat hij het is.'

'Wat moet hij daar?' vroeg Lolo. 'Hij is helemaal op La Jetée. Denk je dat hij vastgelopen is?'

'Neu.' Aristide snoof. 'Hij niet. Maar toch...' Hij kwam overeind. 'Het ziet ernaar uit dat hij in de problemen zit.'

De identificatie van het vaartuig had alles veranderd. Rouget was geen onbekende toerist, dronken op een gehuurde boot, maar een van ons, bijna een Salannais. Binnen een paar minuten had zich een kleine groep verzameld op de rots, die met angstige nieuwsgierigheid naar de boot in de verte keek. Een Salannais in moeilijkheden? Er moest iets gedaan worden.

Aristide wilde er met zijn *Cécilia* meteen naar toe, maar Alain was hem met zijn *Eleanore 2* te vlug af. Hij was niet de enige. Het nieuws dat er een probleem was bij La Goulue bereikte Angélo en tien minuten later stond er al een half dozijn vrijwilligers op het strand, gewapend met haken, stokken en touwen. Angélo was er ook, glaasjes *devinnoise* verkopend voor vijftien frank het stuk, evenals Omer, Toinette, Capucine en de Guénolés. Verder op het strand keken een paar toeristen speculerend toe. Vanaf de rots was de zee zilvergroen en crêpe-achtig en bewoog hij nauwelijks.

De reddingsactie nam in totaal bijna twee uur in beslag. Het leek langer. Het duurt even voor je bij La Jetée bent, zelfs met een motor op je boot, en Rougets scheepje was daarvoorbij, te dicht bij het ondiepe water rond de zandbanken om er met een grotere boot gemakkelijk bij te kunnen. Alain moest de *Eleanore 2* om de uitlopers van de zandbanken heen in de juiste positie manoeuvreren, terwijl Ghislain Flynns boot naar zich toe trok met behulp van haken en stokken om hem op veilige afstand van de romp van de *Eleanore* te houden. Daarna sleepten ze het geredde scheepje samen naar open zee. Aristide, die per se mee had gewild, bleef aan het roer en uitte nu en dan zijn pessimisme.

De wind was buiten de baai krachtig, de zee stond hoog en ik moest naast Alain achter in de boot staan om de zwaaiende giek tegen te houden terwijl het bootje deinde en slingerde. Tot dusver was er geen spoor van Flynn te bekennen, noch in de boot, noch in het water.

Ik was blij dat niemand commentaar gaf op mijn aanwezigheid. Ik was degene geweest die in eerste instantie het zeil had herkend. Dat gaf me in hun ogen min of meer het recht erbij te zijn. Alain, die voorin zat, kon de hele gang van zaken het best overzien, en gaf voortdurend commentaar terwijl Ghislain Flynns boot dichterbij manoeuvreerde. Hij had een paar oude autobanden aan de zijkanten van de *Eleanore 2* gehangen om de romp tegen botsingen te beschermen.

Aristide was zoals altijd somber. 'Ik wist dat het mis was,' verkondigde hij voor de vijfde keer. 'Ik had zo'n gevoel, net als in de nacht waarin mijn *Péoch ha Labour* ten prooi viel aan de storm. Een soort somber voorgevoel.'

'Eerder een geval van indigestie, als je het mij vraagt,' mompelde Alain.

Aristide reageerde niet. 'We hebben al te veel mazzel gehad, dat is het,' zei hij. 'Het tij moest gewoon eens keren. Waarom zou dit anders uitgerekend Rouget overkomen? Een man die altijd geluk heeft?'

'Er hoeft niet iets te zijn,' protesteerde Alain.

Aristide hief zijn handen ten hemel. 'Ik zeil nu al zestig jaar en ik heb het minstens twintig keer meegemaakt. Man gaat er alleen op uit, wordt zorgeloos, keert zijn rug naar de giek, de wind verandert en – dág man!' Hij legde met een expressief gebaar zijn vinger tegen zijn keel.

'Je weet niet of het dat is,' zei Alain koppig.

'Ik weet mijn weetje,' antwoordde Aristide. 'Is in 1949

ook met Ernest Pinoz gebeurd. Zó overboord geslagen. Dood voor hij in het water lag.'

Eindelijk hadden we het bootje binnen het bereik van de *Eleanore 2* gebracht. Xavier sprong aan boord. Flynn lag roerloos op de bodem. Hij moest er volgens de schatting van Xavier al uren gelegen hebben, want er zat op de zijkant van zijn gezicht een verbrande strook. Met een beetje moeite lukte het Xavier Flynn onder zijn armen te pakken en hem binnen het bereik van de deinende *Eleanore 2* te slepen, terwijl Alain de boot probeerde vast te maken. Het zeil van de kleine boot fladderde en sloeg doelloos heen en weer en de losgeraakte lijnen vlogen gevaarlijk alle kanten op. Hoewel hij het niet herkende, was Xavier zo verstandig het ding – het zag eruit als de doorweekte resten van een plastic tas – dat om Flynns arm gewikkeld was en deels nog door het water sleepte, niet aan te raken.

Eindelijk, na een paar pogingen, zat de boot vast.

'Zei het je toch?' verkondigde Aristide. 'Wanneer het je tijd is, heb je aan een rode gelukskraal niet genoeg.'

'Hij is niet dood,' zei ik met een stem die ik niet herkende.

'Nee,' hijgde Alain, terwijl hij Flynns slappe lichaam van uit het water op de bodem van de zeilboot in de *Eleanore 2* hees. 'Althans, nog niet.'

We legden hem achter in de boot, en Xavier bracht de waarschuwingsvlag aan. Met onvaste handen hield ik me bezig met de zeilen van de *Eleanore*, totdat ik dacht dat ik zonder te beven naar Flynn kon kijken. Hij was gloeiend heet. Af en toe gingen zijn ogen open, maar hij reageerde niet wanneer ik iets tegen hem zei. Door het halfdoorzichtige ding dat aan zijn huid vastzat heen zag ik rode infectiestrepen over zijn arm lopen. Ik probeerde mijn stem niet te la-

ten trillen, maar toch klonk hij me gillerig in de oren, gevaarlijk dicht tegen hysterisch aan. 'Alain, we moeten dat ding
van hem af halen!'

'Dat moet Hilaire maar doen,' zei Alain kortaf. 'Laten wij
de boot maar zo snel mogelijk aan land brengen. Houd hem
uit de zon. Geloof me: we kunnen hier verder niets voor hem
doen.'

Het was een goede raad, en we gehoorzaamden. Aristide
hield een stuk zeildoek over het gezicht van de bewusteloze
Flynn, terwijl Alain en ik de *Eleanore* zo snel we konden naar
La Goulue manoeuvreerden. Toch kostte ons dat, hoewel we
een goede westenwind in de rug hadden, nog bijna een uur.
Inmiddels stonden er nog meer hulpvaardige mensen op de
kust – mensen met thermosflessen, touwen en dekens. Er deden al geruchten de ronde. Iemand ging gauw Hilaire halen.

Niemand wist wat het ding dat nog steeds om Flynns arm
gewikkeld zat, precies was. Aristide dacht dat het een zeewesp (kwallensoort; vert.) uit warmere wateren was, die in
de grillige baan van de Warme Golfstroom terecht was gekomen. Matthias, die met Angélo was meegelopen, schoof
deze gedachte minachtend terzijde.

'Dat is het niet,' snoof hij. 'Zijn jullie blind? Het is een
Portugees oorlogsschip. Weet je nog dat die een keer bij La
Jetée zaten? Dat moet in 1951 geweest zijn, eh, honderden
zaten er toen aan de rand van de Nid'Poule. Sommige kwamen helemaal bij La Goulue terecht, en we moesten ze met
harken van de kust af trekken.'

'Een zeewesp,' zei Aristide ferm, terwijl hij zijn hoofd
schudde. 'Daar verwed ik wat om.'

Matthias pakte de weddenschap op en zette honderd
frank in. Een paar mensen deden mee.

Wat het ook voor beest was, gemakkelijk te verwijderen was het niet. De tentakels, als die vederdunne, varenachtige linten tentakels waren, bleven aan de naakte huid kleven waar ze die raakten. Ze zaten stevig vast en alle pogingen om ze weg te halen, waren vruchteloos.

'Het moet een stuk plastic geleken hebben, eh, dat op het water dreef,' speculeerde Toinette. 'Hij leunde voorover om het op te pakken...'

'Maar goed dat hij niet aan het zwemmen was. Dan zou hij helemaal om hem heen gezeten hebben. Die tentakels zijn wel een paar meter lang.'

'Zeewesp,' herhaalde Aristide met grimmige voldoening. 'Die strepen komen door bloedvergiftiging. Heb ik wel eens eerder gezien.'

'Oorlogsschip,' bracht Matthias ertegenin. 'Heb jij ooit zo ver noordelijk een zeewesp gezien?'

'Sigaretten. Die gebruiken ze ook bij bloedzuigers,' wist Omer La Patate.

'Misschien een scheut *devinnoise*,' opperde Angélo.

Capucine dacht azijn.

Aristide was fatalistisch en zei dat als het inderdaad een zeewesp was, Rouget het wel kon vergeten. Er was geen serum voor dat gif. Hij gaf hem twaalf uur, hooguit. Toen arriveerde Hilaire, met Charlotte, die een fles azijn bij zich had.

'Azijn,' zei Capucine, 'ik zei toch al dat dat zou helpen.'

'Laat me erdoor,' bromde Hilaire. Hij was barser dan anders en verborg zijn ongerustheid achter een masker van ergernis. 'Iedereen denkt altijd dat ik niks beters te doen heb. Ik moet Toinettes geiten nakijken, en de paarden uit La Houssinière. Waarom letten de mensen toch niet op? Denken ze soms dat ik dit leuk vind?' Ongerust keek de kleine groep toe terwijl Hilaire de klemmende tentakels met een pincet en azijn verwijderde.

'Zeewesp,' zei Aristide bijna onhoorbaar.

'Kop vol stenen,' antwoordde Matthias.

Ze namen Flynn mee naar Les Immortelles. Het was de verstandigste plek, zei Hilaire met klem. Daar waren bedden en verpleegmateriaal. Een adrenaline-injectie, ter plaatse gegeven, was alles wat Hilaire kon doen, en hij wilde in dit stadium geen prognose geven. Vanuit zijn praktijk belde hij naar de kust, eerst om een arts over te laten komen – er lag een snelle motorboot in Fromentine klaar voor noodgevallen – en vervolgens naar de kustwacht om een waarschuwing voor de kwallen te doen uitgaan. Tot op dat moment waren er bij La Goulue niet nog meer gesignaleerd, maar er waren op het nieuwe strand al maatregelen genomen, met een touw en drijvers dat bij het zwemgedeelte was gespannen en een net om ongewenste gasten tegen te houden. Later zouden Alain en Ghislain naar La Jetée varen om een inspectie te houden. Dat is een procedure die we na de herfststormen soms volgen.

Ik bleef aan de rand van het groepje hangen en voelde me overbodig, nu er voor mij niets nuttigs meer te doen viel. Capucine bood aan Rouget te begeleiden naar Les Immortelles. Er werd over père Alban gesproken.

'Is het zo erg?'

Hilaire, die van geen van beide genoemde kwallensoorten iets af wist, kon het niet met zekerheid zeggen. Lolo haalde zijn schouders op.

'Aristide zegt dat we het morgen hoe dan ook weten.'

51

I̶K̶ ̶GELOOF NIET IN VOORTEKENS. DAARIN BEN IK GEEN TYPI-
sche eilander. En toch was de lucht er die avond vol mee: ze
hingen als meeuwen boven de golven. Ergens was een tij aan
het keren, een duister tij. Ik voelde het gebeuren. Ik probeerde me voor te stellen hoe het zou zijn als Flynn stierf, als
Flynn dood was. Het was ondenkbaar. Hij was van ons, van
het eiland, een deel van Les Salants. We hadden hem vormgegeven, en hij ons.

Toen de avond dichterbij kwam, ging ik naar de schrijn
van Sainte-Marine op de Pointe, die inmiddels onder het
kaarsvet en de guano zat. Iemand had bij de offergaven op
het altaar een kop van een plastic pop achtergelaten. Het
hoofd was erg roze, het haar blond. Er brandden al kaarsen.
Ik stopte mijn hand in mijn zak en haalde er de bloedkoralen kraal uit. Ik draaide hem even om en om in mijn hand
en legde hem toen op het altaar. Sainte-Marine keek neer,
haar stenen gezicht onleesbaarder dan ooit. Lag er een glimlach op het ruw vormgegeven gelaat? Was die arm geheven
in een zegenend gebaar?

*Santa Marina, neem het strand terug, als u dat wilt. Neem
alles, als u dat wilt. Maar niet dit. Alstublieft. Niet dit.*

In het duin schreeuwde iets, misschien een vogel. Het
klonk als een lach.

Toen Toinette Prossage kwam zat ik er nog steeds. Ze raak-te mijn arm aan en ik keek op; achter haar zag ik nog meer mensen naar me toe komen op de Pointe. Sommigen had-den een lantaarn bij zich. Ik herkende de Bastonnets, de Guénolés, Omer, Angélo en Capucine. Achter hen zag ik père Alban met zijn staf van drijfhout, en soeur Thérèse en soeur Extase, hun *coiffes* op en neer bewegend in de laatste zonnestralen.

'Het kan me niet schelen wat Aristide zegt,' zei Toinette tegen me. 'Sainte-Marine is hier al langer dan wij allemaal, en je weet nooit welke wonderen ze nog meer kan verrich-ten. Ze heeft ons toch ook het strand gegeven?'

Ik knikte, omdat ik niet durfde spreken. Achter Toinette kwamen de dorpelingen in een rij, sommigen met bloemen in de hand. Ik zag een eindje verder ook Lolo, en in het dorp sloegen een paar toeristen ons nieuwsgierig gade.

'Ik heb nooit gezegd dat ik wílde dat hij doodging,' pro-testeerde Aristide. 'Maar als dat gebeurt, heeft hij zijn plek op La Bouche verdiend. Dan zorg ik ervoor dat hij naast mijn zoon komt te liggen.'

'Het is helemaal niet nodig om het nu al over doodgaan en begraven te hebben,' zei Toinette. 'De heilige laat het vast niet gebeuren. Zij is Marine-de-la-Mer en ze is de speciale heilige van Les Salants. Ze laat ons niet in de steek.'

'Ja, maar Rouget is geen Salannais,' bracht Matthias naar voren. 'Sainte-Marine is een eilandheilige. Misschien kun-nen vastelanders haar niet schelen.'

Omer schudde zijn hoofd. 'De heilige mag ons dan het strand gegeven hebben, maar Rouget heeft de Bouch'ou ge-bouwd.'

Aristide bromde. 'Je zult het zien,' zei hij. 'In Les Salants ligt pech altijd op de loer. Dit bewijst het. Kwallen in de baai, na al die jaren. Je wilt toch niet zeggen dat dat de handel bevordert?'

'Handel?' Toinette was verontwaardigd. 'Is dat het enige dat jou interesseert? Dacht je dat de heilige erin geïnteresseerd was?'

'Misschien niet,' zei Matthias, 'maar het is toch een slecht teken. De vorige keer dat dat gebeurde was in het Zwarte Jaar.'

'Het Zwarte Jaar,' herhaalde Aristide onheilspellend. 'En het geluk keert als het tij.'

'Ons geluk is níét gekeerd!' protesteerde Toinette. 'In Les Salants maken wij ons éígen geluk. Dit bewijst niets.'

Père Alban schudde afkeurend zijn hoofd. 'Ik weet niet waarom jullie wilden dat ik helemaal hierheen kwam,' zei hij. 'Als jullie willen bidden, moet je naar een kerk gaan die nog overeind staat. Zo niet – eh! Al dat bijgelovige gedoe. Ik had het nooit moeten aanmoedigen.'

'Alleen maar een gebed,' drong Toinette aan. 'Alleen maar het Santa Marina.'

'Goed, goed. En dan ga ik naar huis. Van mij mogen jullie hier kou staan vatten, maar volgens mij gaat het regenen.'

'Je mag zeggen wat je wilt,' mompelde Aristide, 'maar handel is wel belangrijk. En als zij onze heilige is, dan zou ze dat moeten begrijpen. Dat is waaruit het geluk van Les Salants bestaat.'

'*Monsieur Bastonnet!*'

'Stil maar, eh, stil maar.'

We bogen als kinderen ons hoofd. Eilandlatijn is potjeslatijn, zelfs naar kerkmaatstaven gemeten, maar alle pogingen om de mis te moderniseren zijn op niets uitgelopen. De oude teksten hebben iets magisch, iets dat verloren zou gaan als je het vertaalt. Père Alban probeert allang niet meer uit te leggen dat de kracht niet in de woorden zelf schuilt, maar in het gevoel erachter. Die gedachte is voor de meeste Salannais onbegrijpelijk, zelfs een beetje godslasterlijk. Katholicisme is hier op de eilanden iets natuurlijks geworden en grijpt terug naar zijn voorchristelijke wortels. Amuletten, symbolen, bezweringen, rituelen blijven hier in deze gemeenschappen het sterkst geworteld, waar zo weinig boeken worden gelezen, zelfs de bijbel haast niet. De orale traditie is sterk, bij elke versie worden er meer details toegevoegd, maar we houden meer van wonderen dan van getallen en regels. Père Alban weet dat en speelt het spelletje mee, in de wetenschap dat de kerk zonder hem misschien helemaal overbodig zou worden.

Hij vertrok zodra het gebed beëindigd was. Ik hoorde het knerpende geluid van visserslaarzen op het zand toen hij uit de kleine kring van lantaarns verdween. Toinette zong met haar oudevrouwenstem; ik ving een paar woorden op, maar het was in een oud eilanddialect dat ik, net als het Latijn, niet verstond.

De twee oude nonnen waren niet weggegaan. Aan weerskanten van het drijfhouten altaar staand zagen ze toe op het gebed. Stilletjes wachtten de dorpelingen in een rij hun beurt af. Diverse mensen, onder wie Aristide, namen hun gelukskraal van hun hals en legden hem op het altaar onder de donkere, ondoorgrondelijke, starende blik van Sainte-Marine.

Ik liet hen bidden en ging op weg naar la Goulue, dat breed en rood in de nagloed van de zon lag. Ver weg, bij de waterkant, bijna verloren in de glanzende vlakte, stond iemand. Ik liep erheen, genietend van de koelte van het natte zand onder mijn voeten en het zachte gekabbel van het afgaande water. Het was Damien.

Hij keek me aan met ogen waarin het rode spektakel van de zon zich weerspiegelde. In de verte hing een donkere lijn in de lucht die regen voorspelde. 'Zie je nou wel?' zei hij. 'Alles loopt mis. Alles houdt op.'

Ik huiverde. Achter ons was in de verte het spookachtige gekweel van Toinette te horen.

'Ik denk dat het zo erg niet wordt,' zei ik.

'O nee?' Hij haalde zijn schouders op. 'Mijn vader is met de *platt* naar La Jetée gegaan. Hij zegt dat hij er nog meer heeft gezien. Die zijn door stormen in de Golfstroom terechtgekomen. Mijn opa zegt dat het een voorteken is. Dat er barre tijden komen.'

'Ik dacht dat je niet bijgelovig was.'

'Nee. Daar trekken ze zich aan op wanneer er verder niks is. Dat doen ze om te laten zien dat ze niet bang zijn. Zingen en bidden en de heilige met bloemenslingers versieren. Alsof Rou-Roug...' Zijn stem begaf het en hij staarde met hernieuwde felheid naar het water.

'Hij redt het wel,' zei ik. 'Hij redt het altijd.'

'Het kan me niet schelen,' antwoordde Damien onverwachts, zonder zijn stem te verheffen. 'Hij is er allemaal mee begonnen. Het kan me niet schelen als hij doodgaat!'

'Dat meen je niet!'

Damien leek zich tot iets aan de horizon te richten. 'Ik dacht dat hij mijn vriend was. Ik dacht dat hij anders was dan Joël en de anderen. Nou, hij kon alleen maar beter liegen.'

'Wat bedoel je?' wilde ik weten. 'Wat heeft hij gedaan?'

'Ik dacht dat hij en Brismand elkaar haatten,' zei Damien.

'Zo deed hij altijd. Maar het zijn vríénden, Mado. Hij en de Brismands. Ze werken allemaal samen. Hij was gisteren voor ze aan het werk, toen hij dat ongeluk kreeg. Daarom was hij zo ver op zee. Ik heb het Brismand horen zeggen!'

'Werken voor Brismand? Wat deed hij dan?'

'Hij maakte berekeningen ergens bij de Bouch'ou,' zei Damien. 'Dat doet hij al de hele tijd. Brismand heeft hem betaald om ons aan het lijntje te houden. Ik heb hem bij de Chat Noir met Marin horen praten.'

'Maar Damien,' protesteerde ik. 'Wat hij allemaal voor Les Salants heeft gedaan...'

'Wat hééft hij dan gedaan?' Damiens stem brak; plotseling klonk hij erg jong. 'Dat ding in de baai gemaakt?' Hij gebaarde naar waar de Bouch'ou lag; ik kon nog net de twee waarschuwingslichten onderscheiden die als kerstboomlichtjes knipperden. 'Waarvoor? Voor wie? Echt niet voor mij. En ook niet voor mijn vader, die tot zijn nek in de schulden zit en nog steeds hoopt dat hij het een keer gaat maken. Denkt dat-ie een fortuin gaat maken met een paar vissies. Stom toch? En niet voor de Grossels, of de Bastonnets, en ook niet voor de Prossages. Of voor Mercédès!'

'Dat is niet eerlijk. Het strand kan daar niets aan doen. En Flynn ook niet.'

De zon was ondergegaan. De lucht was één grote bloeduitstorting, bleek aan de randen. 'En dan nog wat,' zei Damien, terwijl hij me aankeek. 'Hij heet geen Flynn. En ook geen Rouget. Hij heet Jean-Claude, net als zijn vader.'

Deel vier

Alles keert terug

52

Ik holde over het rotspad. mijn gedachten rammelden in mijn hoofd als zaden in een kalebas. Het sloeg nergens op. Flynn Brismands zoon? Dat kon niet. Damien had
het vast verkeerd gehoord. En toch was er iets in me dat riep
dat het klopte: mijn gevoel dat er gevaar dreigde, eindelijk
wakker geworden, liet een luidere waarschuwing horen dan
La Marinette.

Er waren aanwijzingen geweest, als ik ze maar had willen
zien: de clandestiene ontmoeting, de omhelzing, Marins
vijandigheid, Flynn die loyaal was aan meerdere kampen.
Zelfs zijn spotnaam, Rouget – Rooie – deed denken aan die
van Brismand – Brismand de Vos. Als je het op de eilandmanier bekeek, deelden ze dezelfde naam.

Maar Damien was nog maar een jongen, een jongen die
midden in een tienerverliefdheid zat. Niet echt de betrouw-
baarste informant die er was. Nee, ik moest meer weten
voordat ik Flynn in mijn hart veroordeelde. En ik wist waar
ik daarvoor moest zijn.

De lobby van Les Immortelles was verlaten op één persoon na. Joël Lacroix had zijn cowboylaarzen op de receptie
gelegd en zat een Gitane te roken. Hij leek van zijn stuk toen
hij me zag.

'Hé, Mado.' Hij grijnsde zwakjes en doofde zijn sigaret in
de asbak. 'Wil je een kamer?'

'Ik heb gehoord dat mijn vriend hier is,' zei ik.

'De *Angliche*? Ja, die is hier.' Met een zwierig gebaar stak hij een nieuwe op en blies in een lange, luie stroom de rook uit, als op de film. 'De dokter zei dat hij niet vervoerd mag worden. Wil je 'm zien?'

Ik knikte.

'Nou, dat kan niet. Monsieur Brismand zei: niemand, en dat, *ma belle*, betekent dus ook jij niet.' Hij knipoogde naar me en kwam wat dichterbij. 'De dokter is met een speciale boot gekomen, zo ongeveer een uur geleden. Zei dat het een Portugese kwallenbeet was of zo. Naar, hoor.'

Dus Aristides sombere prognose was niet juist. Een aarzelende opluchting trok door me heen.

'Dus niet een zeewesp?'

Joël schudde zijn hoofd, spijtig, leek het wel. 'Neu. Maar toch niet zo best.'

'Hoeveel niet zo best?'

'Och. Wat weten die dokters nou helemaal, hè?' Hij nam een trek van zijn Gitane. 'Het helpt niet bepaald dat hij urenlang bewusteloos in de zon heeft gelegen. Een zonnesteek kan echt heel gemeen zijn als je niet oplet. Dat weten die vastelanders natuurlijk niet.' Joëls toon impliceerde dat hij, Joël, veel te gehard was om van dat soort dingen last te hebben.

'En de kwal?'

'De stommerd heeft hem uit het water gepakt.' Joël schudde ongelovig zijn hoofd. 'Dat is toch niet te geloven? De dokter zegt dat het een etmaal duurt voor het gif uit het lichaam is.' Hij grijnsde. 'Dus als je vriendje er morgenochtend nog is, eh...' Hij knipoogde weer en kwam nog wat dichterbij.

Ik deed een stap opzij. 'In dat geval wil ik Marin Brismand spreken. Is hij er?'

'Eh, waar heb je die voor nodig?' Joël keek bedroefd. 'Vind je mij niet aardig?'

'Ik vind je aardig, Joël, maar dan van niet al te dichtbij. Zie het maar als visrechten. Territoriale wateren. Zolang je maar niet in die van mij komt, vind ik het best.'

Joël bromde. 'Denkt dat ze Santa Marina zelf is,' mompelde hij. 'Marin is een uur geleden weggegaan. Met je zus.'

'Waarheen?'

'Geen idee.'

Ten slotte vond ik Marin en Adrienne in de Chat Noir. Het was al laat aan het worden en het café was gevuld met rook en lawaai. Mijn zus zat aan de bar; Marin speelde kaart aan een tafeltje vol Houssins. Hij leek verbaasd me te zien.

'Mado! We zien jou niet vaak hier. Is er iets aan de hand?' Hij keek me met toegeknepen ogen aan. 'Er is toch niet iets met GrosJean?'

'Nee, het gaat om Flynn.'

'O?' Hij leek geschrokken. 'Hij is toch niet dood?'

'Natuurlijk niet.'

Marin haalde zijn schouders op. 'Dat zou te mooi geweest zijn om waar te zijn.'

'Hou op met die spelletjes, Marin,' zei ik scherp. 'Ik weet alles over hem en je oom. Over jullie zaken.'

'O,' hij grijnsde. Ik zag dat hij dat niet echt erg vond. 'Oké. We gaan wel ergens heen waar meer privacy is. Houden het in de familie, eh?' Hij legde zijn kaarten op tafel en stond op. 'Ik was toch aan het verliezen,' zei hij. 'Ik heb niet zoveel geluk met kaarten als je vriend.'

We gingen naar buiten, de promenade op, waar het koeler was en minder druk. Adrienne volgde ons. Ik ging op de zeemuur zitten en keerde me naar hen toe; mijn hart klopte luid, maar mijn stem was kalm. 'Vertel me alles over Flynn,' zei ik. 'Of beter gezegd: vertel me alles over Jean-Claude.'

53

'Ik zou het worden, weet je.' Marins gezicht stond on-danks de glimlach zuur. 'Ik was de enige bloedverwant die die ouwe nog had. Ik ben meer dan een zoon voor hem ge-weest. In ieder geval meer dan zíjn zoon ooit geweest was. Het zou voor mij zijn: Les Immortelles, het bedrijf, alles.'

Jarenlang had Brismand hem in die verwachting gelaten. Een lening hier, een geschenkje daar. Hij had Marin binnen zijn gezichtsveld gehouden, net als hij met mij had gedaan. Hij had zijn opties opengehouden, rekening houdend met toekomstige mogelijkheden. Hij had nooit gesproken over de echtgenote van wie hij vervreemd was, nooit over de zoon die hij kwijt was geraakt. Hij had Marin laten denken dat hij niets meer van hen wilde weten, dat ze naar Engeland waren verhuisd, dat de jongen geen Frans kende en net zo min een Brismand was als iedere andere *Angliche* op dat grote eiland van *rosbif* en bolhoeden.

Maar hij had natuurlijk gelogen. Brismand de Vos had nooit echt de hoop verloren. Hij had contact gehouden met Jean-Claudes moeder, geld voor zijn opleiding gestuurd, jarenlang een dubbelrol gespeeld terwijl hij rustig afwacht-te. Het was altijd zijn bedoeling geweest, mocht de tijd ooit komen, om zijn bedrijf over te doen aan Jean-Claude. Maar zijn zoon had niet meegewerkt; hij had maar al te graag het geld aangenomen dat Brismand stuurde, maar was minder enthousiast geweest wanneer hij het had over samen het bedrijf runnen. Brismand had geduld betracht, de jongen moest zijn wilde haren eerst kwijtraken. Hij had geprobeerd niet te denken aan de tijd die begon te dringen. Jean-Claude was inmiddels over de dertig, maar nog steeds waren zijn plannen, zo hij die had, onduidelijk. Brismand begon te denken dat zijn zoon nooit meer terug zou komen.

'En daarmee zou het dan klaar zijn geweest,' zei Marin zelfvoldaan. 'Claude mag dan geobsedeerd zijn door familie, maar hij zou zijn geld nooit hebben nagelaten aan iemand die het niet had verdiend. Hij maakte duidelijk dat als Jean-Claude een cent van zijn erfenis wilde zien, hij eerst hierheen zou moeten komen.'

Natuurlijk had Brismand tegen Marin en Adrienne niets over zijn zorgen gezegd. In deze onzekere tijd wilde hij Marin meer dan ooit in een goede stemming houden. Marin was zijn verzekering, degene op wie hij terug kon vallen als Jean-Claude niet meer opdook. Marin was trouwens ook een waardevol contactpersoon, daar hij getrouwd was met Gros-Jeans dochter.

'Hij wilde de band met Les Salants aanhalen. Hij wilde vooral GrosJeans huis en het land dat erbij hoorde, kopen. Maar GrosJean weigerde te verkopen. Er was een soort ruzie tussen hen, ik weet niet wat. Of misschien was het gewoon koppigheid van hem.'

Omdat Adrienne en Marin erfgenamen waren wanneer het zover was, hoefde Brismand alleen maar af te wachten. Hij was zeer gul jegens het jonge stel geweest, had hen met een flink bedrag een bedrijf helpen opzetten.

Ik zag dat Adrienne steeds rustelozer werd terwijl Marin sprak. 'Wacht eens even. Wou je soms zeggen dat je oom je

374

heeft ómgekocht om met mij te trouwen?'

'Doe niet zo absurd.' Marin leek niet op zijn gemak. 'Hij heeft gewoon een kans benut. Meer niet. Ik zou heus wel met je getrouwd zijn. Ook zonder het geld.'

De landprijzen in het welvarende La Houssinière waren schrikbarend hoog. Les Salants was nog goedkoop. Een poot aan de grond krijgen in Les Salants zou voor Brismand van groot belang zijn. GrosJeans huis met het land dat zich helemaal tot La Goulue uitstrekte, zou een interessant bezit zijn voor een man die slim genoeg was om het te exploiteren. En dus was Brismand aardig tegen Marin en Adrienne geweest. Hij had de jongens cadeautjes gestuurd. Ze hadden in de prettige verwachting geleefd dat ze uiteindelijk een aandeel in zijn rijkdom zouden krijgen, en ze hadden jarenlang ver boven hun stand geleefd.

Toen was Flynn op het toneel verschenen.

'De verloren zoon,' zei Marin giftig. 'Dertig jaar te laat, bijna een buitenlander, maar hij kon bij de ouwe niks fout doen. Het leek Jezus wel.'

Vanaf dat moment was Marin weer alleen maar een neef. Zodra zijn zoon terug was, verloor Claude zijn belangstelling voor de zaak in Tanger, en waren de leningen en investeringen waarop Marin en Adrienne alles hadden gebouwd, ingetrokken.

'O, hij vertelde ons niet meteen waarom. Reparaties aan Les Immortelles, zei hij. Nieuwe constructies om het strand te beschermen. Verbetering van de faciliteiten. En dat was ook in ons belang, omdat wij Les Immortelles uiteindelijk zouden erven.'

Er werd nog steeds niet openlijk over Jean-Claude gerept. Brismands natuurlijke behoedzaamheid had al snel de overhand gekregen, en hij was niet geneigd zijn zaken aan de openbaarheid prijs te geven totdat hij er zeker van was dat de verloren zoon inderdaad zijn zoon was. De eerste onderzoekingen leken het te bevestigen. Jean-Claudes moeder was naar haar vroegere thuis in Ierland teruggekeerd toen ze uit Le Devin vertrok. Ze was opnieuw getrouwd, had een nieuw gezin gesticht en Brismand verteld dat Jean-Claude een paar jaar daarvoor was weggegaan. Sindsdien had ze weinig contact met hem had gehad, hoewel ze Brismands cheques altijd naar hem had doorgestuurd. Dit bevestigde Flynns verhaal tot op zekere hoogte. Maar wat meer zei, was dat er brieven waren die door Brismand waren geschreven, foto's van zijn vroegere vrouw en Jean-Claude, plus een geboorteakte. Ten slotte waren er anekdotes die alleen Jean-Claude en zijn moeder konden hebben geweten. Marin had geadviseerd het bloed te laten testen, maar Brismand wist in zijn hart dat die bevestiging niet nodig was. Flynn had de ogen van zijn moeder.

Hij riep de hulp van Flynn in om hem te helpen met zijn erosieprobleem en hintte er daarbij op dat er een partnerschap viel te verdienen, als hij zich in Les Immortelles nuttig wist te maken. Het was een middel om een oogje op hem te houden en om hem uit te horen.

'Mijn oom is niet op zijn achterhoofd gevallen,' zei Marin met zure voldoening. 'Zelfs als Jean-Claude was die hij voorgaf te zijn, was het duidelijk waarom hij was teruggekomen. Hij wilde geld. Waarom zou hij anders nu pas zijn gezicht hebben laten zien?'

Het was een situatie die Brismand, zoals alle Devinnois, goed kende. Deserteurs worden met open armen maar met gesloten beurs ontvangen, in de wetenschap dat wat terugkeert, niet altijd blijft. 'Hij heeft een baan voor hem gevonden. Zei dat als hij de zaak wilde erven, hij maar beter onderaan kon beginnen.' Marin lachte. 'Het enige dat me in deze hele affaire enige voldoening geeft, is de gedachte hoe hij gekeken moet hebben toen mijn oom hem vertelde dat hij het niet cadeau kreeg.'

Er was ruzie geweest. Marins gezicht klaarde op toen hij eraan terugdacht. 'De ouwe heeft het me allemaal verteld. Hij was uit zijn vel gesprongen. Jean-Claude besefte dat hij te ver was gegaan en probeerde hem te kalmeren, maar toen was het al te laat. Mijn oom zei dat hij geen cent kreeg als hij zich niet verdienstelijk maakte, en stuurde hem naar Les Salants.'

Maar het was aan beide zijden een beheerste uitbarsting geweest. Jean-Claude had zijn vader de tijd gegeven om af te koelen, terwijl hij zijn best had gedaan om weer bij hem in de gunst te komen. Beetje bij beetje was Brismand het belang gaan inzien van een spion in Les Salants.

'Jean-Claude hoorde alles. Wie krap bij kas zat, wiens zaken slecht liepen, wie met wiens vrouw omging, wie in de schulden zat. Hij kan goed met mensen omgaan. Ze vertrouwen hem.'

Binnen een paar maanden wist Brismand elk geheim in het dorp. Dankzij zijn zeewering bij Les Immortelles stagneerden de zaken in Les Salants min of meer. Er werd niet meer gevist. Een aantal mensen had al schulden. Hij kon hen binnenhalen wanneer hij maar wilde.

GrosJean was een van hen. Flynn had hem meteen geadopteerd was in vele opzichten zijn vriend geworden. Hij bemiddelde voor hem, zodat hij het geld kon lenen dat hij nodig had toen zijn spaargeld ten slotte opraakte. Brismand was enthousiast over het plan. Als GrosJean kon worden uitgekocht, zou Les Salants, of wat ervan over was, in twee jaar tijd van hem kunnen zijn.

'Toen kwam jij terug,' zei Adrienne.

Dat had alles veranderd. GrosJean, die eerst zo handelbaar was geweest, werkte niet meer mee. Ik had me er te openlijk mee bemoeid. Flynns subtiele voorwerk was naar de knoppen.

'Dus gooide Jean-Claude het over een andere boeg,' zei Adrienne, met een boosaardige glimlach. 'In plaats van zich op papa te richten, begon hij zich op jou te concentreren. Te kijken wat je zwakke plekken waren. Hij vleide je...'

'Dat is niet waar,' zei ik snel. 'Hij hielp me. Hij hielp ons.'

'Hij hielp zichzelf,' zei Marin. 'Hij lichtte Brismand in over het rif zodra er zand bij La Goulue verscheen. Denk toch eens na, Mado,' zei hij, toen hij mijn uitdrukking zag. 'Je dacht toch niet dat hij het voor jóú deed?'

Ik keek hem moedeloos aan. 'Maar Les Immortelles,' protesteerde ik. 'Hij wist van het begin af aan wat het effect zou zijn op het strand van Claude.'

Marin haalde zijn schouders op. 'Dat kun je ook weer tenietdoen,' zei hij. 'En een beetje druk op Les Immortelles was precies wat Rouget nodig had om mijn oom naar zijn hand te zetten.' Marin keek me met bittere geamuseerdheid aan. 'Gefeliciteerd, Mado. Je vriend heeft zijn naam eindelijk waar gemaakt. Hij is nu een Brismand, met een chequeboek van het bedrijf om dat te bewijzen en een aandeel van vijftig procent in Brismand en Zoon. En dat alles dankzij jou.'

54

HET WAS DONKER IN LES IMMORTELLES. IN DE HAL WAS EEN klein lichtje aan, maar de deur zat op slot, en pas nadat ik vijf minuten herhaaldelijk gebeld had, werd er eindelijk opengedaan. Brismand had zijn mouwen opgerold; er hing een Gitane in zijn mondhoek. Zijn ogen werden even groter toen hij mij door het glas zag, maar daarna nam hij de sleutelbos uit zijn zak en deed de deur van het slot.

'Mado.' Hij klonk moe. Ook uit zijn houding sprak vermoeidheid: de treurige kaken, de afhangende snor, de bijna gesloten ogen. De schouders onder de vormeloze *vareuse* waren opgetrokken. Hij zag er primitiever en keisteenachtiger uit dan ooit, een standbeeld in oud graniet. 'Ik vraag me af of dit wel een geschikt tijdstip is, eh?'

'Ik begrijp het.' De woede rolde over me heen als een hete steen, maar ik duwde die weg. 'U moet kapot zijn.'

Ik dacht dat ik zijn ogen even zag oplichten. 'De kwallen, bedoel je? Ja, dat is slecht voor de zaken, eh. Alsof de zaken trouwens nog slechter konden gaan.'

'De kwallen zullen inderdaad een probleem zijn, ja,' zei ik. 'Maar ik heb het over het ongeluk dat je zoon is overkomen.'

Brismand bekeek me even treurig en zuchtte toen heel diep. 'Dat was zorgeloos van hem,' zei hij. 'Een domme fout. Een echte eilander zou die nooit gemaakt hebben.' Hij glimlachte. 'Ik zei je toch dat ik hem op een dag terug zou krijgen? Het heeft even geduurd, maar hij ís teruggekomen. Ik wist het wel. Een man van mijn leeftijd moet een zoon aan zijn zijde hebben. Iemand op wie je kunt leunen. Iemand die het bedrijf kan runnen wanneer ik er niet meer ben.'

Ik meende de gelijkenis nu te zien: iets in de glimlach, de houding, de manier van doen, de ogen.

'Je zult wel trots zijn,' merkte ik op, met een misselijk gevoel.

Brismand trok een wenkbrauw op. 'Ik mag graag denken dat hij iets van mij heeft, ja.'

'Maar waarom die poppenkast? Waarom heb je hem voor ons verborgen gehouden? Waarom hielp hij ons – waarom hielp jij ons – als hij de hele tijd aan jouw kant stond?'

'Mado, Mado.' Brismand schudde droevig zijn hoofd. 'Waarom heb je het over partij kiezen? Er is toch geen oorlog? Moet er altijd een verborgen bedoeling zijn?'

'Anoniem goede daden doen?'

'Nu kwets je me, Mado.' Zijn houding weerspiegelde wat hij zei; zijn rug kromde zich en hij wendde zich half af, zijn handen diep in zijn zakken gestoken. 'Geloof me, ik wil alleen maar wat het beste is voor Les Salants. Dat heb ik altijd gewild. Kijk maar wat dat 'anonieme' gedoe tot nu toe heeft opgeleverd – groei, handel, zaken, hm? Zouden ze mij de kans hebben gegeven hun dat te geven? Achterdocht, Mado. Achterdocht en trots. Dat is wat Les Salants de das omdoet. Ze klemmen zich vast aan de rotsen, worden oud en zijn zo bang voor verandering dat ze nog liever door de zee worden weggespoeld dan dat ze een verstandige beslissing nemen, een beetje ondernemingslust tonen.' Hij spreidde zijn handen. 'Wat een verspilling! Ze wísten dat het zinloos was, maar niemand wilde verkopen. Ze lieten nog liever de zee over zich heen komen dan dat ze verstandig waren.'

'Nu klink je net als hij,' zei ik.

'Ik ben moe, Madeleine. Te moe voor dit soort ondervragingen.' Plotseling leek hij weer oud, zijn energie weggevloeid. Zijn kaken hingen. 'Ik mag je. Mijn zoon mag je. We zouden er altijd voor gezorgd hebben dat het je goed ging. Ga nu maar naar huis en rust een beetje uit,' adviseerde hij vriendelijk. 'Het wordt een lange dag.'

55

DUS DAAR HAD IK ZONDER HET TE WETEN NAAR GEZOCHT. Brismand en zijn lang-verloren zoon. In het geheim hadden ze elk aan een kant van het eiland samengewerkt, gepland – ja, wat eigenlijk? Ik dacht weer aan Brismands sentimentele gepraat over oud worden. Kon het zijn dat Flynn hem op de een of andere manier ertoe had overgehaald ons leed te verzachten? Deden ze echt hun best voor ons? Nee. Ik wist het. Ergens diep in mijn binnenste, waar niets verborgen blijft, begreep ik dat ik het de hele tijd geweten had.

Ik rende tot ik bij de bunker was. Ik voelde me ver weg van alles, een gevoel dat ik vaag herkende. Ik had het al eens eerder gevoeld, de dag waarop mijn moeder stierf. Het leek alsof een subtiel mechanisme dat alleen voor deze momenten van crisis bedoeld was, in werking was getreden en afstand creëerde tot alles, behalve datgene wat ik moest doen. Ik zou er later voor moeten boeten, met verdriet, misschien met tranen. Maar voorlopig had ik alles onder controle. Flynns verraad was iets dat in de droom van iemand anders had plaatsgevonden; een griezelige kalmte daalde over mijn hart neer, als een golf die over letters in het zand spoelt.

Ik dacht na over GrosJean en de pasgebouwde vakantiewoning. Ik dacht aan al die Salannais die leningen hadden gesloten voor hun renovaties, hun nieuwe bedrijfjes, al die kleine investeringen die we in onze nieuwe toekomst hadden gedaan. Achter de frisse verf, de nieuwe tuinen, de kraampjes, de glanzende toonbanken, de opgeknapte vissersboten, de bevoorrade kelders, de nieuwe zomerjurken, de vrolijk gekleurde luiken, de bloembakken, de cocktailglazen, de barbecuekuilen, de kreeftenaquariums, de emmers en de schopjes lag de verborgen glans van Brismands geld, Brismands invloed.

En dan de *Brismand 2*, een halfjaar geleden nog halfvoltooid. Die was nu wel af, klaar om zijn plaats in het plan in te nemen – Jean-Claudes aandeel in het bedrijf Brismand. Ik zag nu wat Flynns plaats was geweest, een vitaal punt in het Brismand-driemanschap. Claude, Marin, Rouget. La Houssinière, Les Salants, het vasteland. Er was een onontkoombare symmetrie waar te nemen: de leningen, het rif, Brismands belangstelling voor ondergelopen land. Ik had een deel van zijn plannen al vroeg doorzien – het enige dat nog aan de vergelijking had ontbroken was de wetenschap van Flynns verraad geweest.

Als mijn demonstratieve moeder dit overkomen was, had ze meteen haar nieuws verspreid, maar ik had te veel van GrosJean in me. We leken meer op elkaar dan ik me had gerealiseerd, hij en ik; we koesteren onze wrok in het geheim. We kijken vanbinnenuit naar onszelf. Ons hart is even stekelig en dik ingepakt als een artisjok. Ik zou het niet uitschreeuwen, nam ik me voor. Eerst zou ik de waarheid achterhalen. Ik zou hem kalm en analytisch onderzoeken. Ik zou een diagnose stellen.

Maar ik moest wel met iemand praten. Niet met Capucine, naar wie ik normaal gesproken het eerst was toe gegaan. Ze had te veel vertrouwen in de mens, was te veel op comfort gesteld. Achterdocht lag niet in haar aard. Bovendien adoreerde ze Rouget, en ik wilde haar niet nodeloos verontrusten, in ieder geval niet totdat ik had vastgesteld hoever zijn verraad ging. Hij had wel tegen ons gelogen, maar zijn motieven waren nog onduidelijk. Hij zou nog op wonderbaarlijke wijze onschuldig kunnen blijken te zijn. Ik wilde dat natuurlijk. Maar het waarheidslievende deel van mij, het GrosJean-deel, werkte dat onverbiddelijk tegen. Later, hield ik mezelf voor. Later zou daar tijd voor zijn.

Toinette? Door haar leeftijd stond ze bijzonder ver van alles af; ze bekeek de rivaliteit in Les Salants met een lome onverschilligheid, daar nieuwe zaken haar allang niet meer konden amuseren. Het was zelfs mogelijk dat ze Rouget al juist had ingeschat, maar het voor zich had gehouden om er zelf stilletjes van te kunnen genieten.

Aristide? Matthias? Als een van de vissersfamilies ook maar iets te weten kwam, zou de volgende ochtend iedereen in Les Salants het weten. Ik probeerde me de reacties voor te stellen. Omer? Angélo? Ook onmogelijk. En toch moest ik iemand in vertrouwen nemen. Al was het maar om mezelf ervan te overtuigen dat ik niet gek aan het worden was.

Ik hoorde de avondgeluiden van het duin door het open raam. Van La Goulue kwam een geur van opstijgend zout, van afkoelende aarde, van een miljoen kleine dingen die bij het sterrenlicht tot leven kwamen. GrosJean zou nu in de keuken zitten, een kop koffie bij zijn elleboog; hij zou naar buiten zitten kijken, zoals altijd, in stille afwachting...

Natuurlijk. Ik zou het aan mijn vader vertellen. Als hij het niet geheim zou kunnen houden, wie dan wel?

Hij keek op toen ik binnenkwam. Zijn gezicht leek opgeblazen en gespannen, en hij steunde zwaar op de kleine keukenstoel, als een ledenpop. Ik voelde plotseling liefde en me-delijden voor hem opwellen, voor die arme GrosJean met zijn droeve ogen en zijn stiltes. Deze keer gaf het niet, dacht ik. Deze keer had ik genoeg aan zijn luisterend oor.

Ik kuste hem voordat ik tegenover hem aan tafel ging zit-ten. Het was lang geleden sinds ik dat gedaan had, en ik meende even verbazing op zijn gezicht te zien. Ik besefte dat ik sinds de komst van mijn zus nauwelijks meer met mijn va-der had gesproken. Maar ja, hij sprak ook zelden tegen mij.

'Het spijt me, papa,' zei ik. 'Je kunt er ook allemaal niets aan doen, hè?'

Ik schonk koffie voor ons beiden in. Ik deed automatisch de juiste hoeveelheid suiker in de zijne. Toen leunde ik ach-terover in mijn stoel. Hij moest ergens een raam hebben opengelaten, want er fladderden motten om de lamp, waar-door het licht flakkerde. Ik rook de zee in de verte en ik wist dat het tij aan het keren was.

Ik weet niet hoeveel ik hardop zei. In de werfdagen spra-ken we soms zonder woorden, met een soort empathie, al-thans, zo zag ik dat. Een beweging met het hoofd, een glim-lach, geen glimlach. Al die dingen konden iemand die de te-kenen wilde lezen, veel vertellen. Toen ik nog een kind was had zijn stilzwijgen iets mystieks gehad voor mij, bijna iets goddelijks. Ik duidde alle sporen die hij achterliet. Hoe een koffiekop stond of een servet lag was een teken van iets gun-stigs of van ongenoegen, een weggegooide broodkorst kon de loop van de dag veranderen.

Dat was nu voorbij. Ik had van hem gehouden, ik had hem gehaat. Ik had hem nooit echt gezien. Nu wel: een trieste, stille, oude man aan een tafel. Wat maakt liefde toch dwa-zen van ons. Wilden.

Ik maakte de fout te denken dat je het moet verdienen, het waard moet zijn. Dat is natuurlijk het eilandgedeelte in mij: het idee dat alles een prijs heeft, alles betaald moet worden. Maar echte verdienste heeft daar niets mee te maken. Anders zouden we alleen maar van heiligen houden. Het is een fout die ik heel vaak gemaakt heb. Met GrosJean, met mijn moeder, met Flynn. Zelfs misschien met Adrienne. Maar vooral met mezelf: ik had zo mijn best gedaan om het allemaal waard te zijn, om liefde te krijgen, om mijn plekje onder de zon te verdienen, mijn handvol aarde, dat ik over het hoofd had gezien wat het belangrijkste was.

Ik legde mijn hand op de zijne. Zijn huid voelde glad en versleten, als oud drijfhout.

Mijn moeders liefde was uitbundig, de mijne was altijd nors, steels geweest. Dat is weer dat eiland, de GrosJean in mij. We graven ons in als oesters. Openheid verontrust ons. Ik dacht aan mijn vader boven op de rots, uitkijkend over zee. Hij had heel veel uren gewacht of Sainte-Marine haar belofte zou inlossen. GrosJean had nooit echt geloofd dat P'titJean voor altijd weg was. Het lichaam dat met de *Eleanore* uit La Goulue was gehaald, zo glad en blanco als een gevilde zeehond, had van iedereen geweest kunnen zijn. Zijn voornemen nooit meer iets te zeggen, was dat een pact met de zee, een soort offerande geweest? Zijn stem in ruil voor de terugkeer van zijn broer? Was het eenvoudig een gewoonte geworden, een blijvende tic van hem, totdat spreken zo moeilijk was geworden dat het wanneer hij gespannen was, bijna niet meer lukte?

Zijn blik hield de mijne vast. Zijn lippen bewogen geluidloos.

'Wat? Wat zei je?'

Ik dacht dat ik het hoorde: een roestig geluid, nauwelijks een woord. *P'titJean*. Zijn expressieve handen balden zich uit frustratie om de weerbarstigheid van zijn tong.

'P'titJean?'

Hij werd rood van de inspanning die het hem kostte om te proberen het aan me te vertellen, maar er kwam niet meer. Alleen zijn lippen bewogen. Hij wees naar de muren, het raam. Zijn handen fladderden lenig, deden het patroon van het opkomende tij na. Hij mimede met zijn griezelige precisie, stak zijn handen in zijn zakken, zakte weer in elkaar. *Brismand*. Toen wees hij op twee verschillende hoogten in de lucht, telkens weer. *Grote Brismand, kleine Brismand*. Daarna een weids gebaar naar La Goulue.

Ik sloeg mijn armen om hem heen. 'Het geeft niet. Je hoeft niets te zeggen. Het is goed zo.' Hij voelde in mijn armen als een houten pop, een wrede karikatuur van zichzelf, gemaakt door een nonchalante beeldhouwer. Zijn mond bewoog in een reusachtige en onbegrijpelijke nood tegen mijn schouder, zijn adem wat bitter van de Gitanes en de koffie. Zelfs toen ik hem vasthield, voelde ik nog zijn grote handen opzij bewegingen maken, wonderlijk fijne bewegingen, terwijl hij iets wilde overbrengen dat te dringend voor woorden was.

'Het geeft niet,' herhaalde ik. 'Je hoeft niets te zeggen. Het is niet belangrijk.'

Weer mimede hij: *Brismand. P'titJean*. Weer dat gebaar naar La Goulue. Een boot? *Eleanore?* Zijn ogen smeekten. Hij rukte aan mijn mouw, herhaalde het gebaar met nog meer aandrang. Ik had hem nog nooit zo geagiteerd gezien. *Brismand. P'titJean. La Goulue. Eleanore.*

'Schrijf het op als het zo belangrijk is,' zei ik ten slotte. 'Ik haal wel een potlood.' Ik rommelde in de keukenla en vond eindelijk een stompje rood potlood en een stuk papier. Mijn vader keek, maar pakte ze niet. Ik schoof ze over tafel naar hem toe.

GrosJean schudde zijn hoofd.

'Toe dan. Schrijf het alsjeblieft op.'

Hij keek naar het papier. Het stompje potlood leek belachelijk klein tussen zijn grote vingers. Hij schreef met ijver, onhandig, zonder de behendigheid die hij ooit had gehad toen hij zeilen naaide of speelgoed maakte. Nog bijna voordat ik gekeken had, wist ik wat hij geschreven had. Het was het enige dat ik hem voorzover ik wist, ooit had zien schrijven. Zijn naam: Jean-François Prasteau, met grote, onvaste letters. Ik was zelfs vergeten dat zijn volledige naam Jean-François was. Hij was voor mij altijd GrosJean geweest, zoals voor iedereen. Hij had nooit gelezen: hij gaf de voorkeur aan tijdschriften over vissen met kleurenplaatjes. Van schrijven had hij ook nooit gehouden: ik dacht weer aan de onbeantwoorde brieven uit Parijs. Mijn vader, zo had ik altijd aangenomen, was niet in schrijven geïnteresseerd. Nu pas besefte ik dat hij het helemaal niet kon.

Ik vroeg me af hoeveel andere geheimen hij nog voor me verborgen had weten te houden. Ik vroeg me af of mijn moeder dit wel geweten had. Hij zat roerloos; zijn handen hingen slap langs zijn zij, alsof de inspanning van zijn naam opschrijven alle energie die hij nog had, had opgeslokt. Ik begreep dat zijn poging tot communiceren voorbij was. Verslagenheid, of onverschilligheid, streek zijn gelaatstrekken glad en maakte van hem een boeddhabeeld. Opnieuw staarde hij naar buiten, naar La Goulue. 'Het is goed,' herhaalde ik, terwijl ik zijn koele voorhoofd kuste. 'Je kunt er niets aan doen.'

Buiten was de langverwachte regen eindelijk gaan vallen. Een paar tellen later was het duin achter ons gevuld met duizenden tongen die sissend en fluisterend in kleine geultjes door het zand hun weg zochten naar La Bouche. De duindistels glansden, omkransd door regendruppels. Ver aan de horizon ontrolde de nacht zijn zwarte zeil.

56

ZOMERNACHTEN ZIJN NOOIT HELEMAAL DONKER. DE LUCHT begon al lichter te worden, toen ik langzaam terugliep naar La Goulue. Ik zocht me een weg door het duin, terwijl de donzige hazenstaartjes tegen mijn blote enkels sloegen. Ik klom het dak van de bunker op om naar het opkomende tij te kijken. Op de Bouch'ou knipperden twee lichten, een groen en een rood, om de plaats van het rif aan te geven.

Wat zag het er toch stevig uit. Het was veilig verankerd, en Les Salants daardoor ook. En toch was nu alles veranderd. Het was niet meer van ons. Het was nooit echt van ons geweest. Onze droom was met geld van Brismand gebouwd, met het geld van Brismand, met de techniek van Brismand, met de leugens van Brismand.

Maar waaróm hadden ze het gedaan?

Om Les Salants over te nemen. Brismand had dat min of meer gesuggereerd. Land is hier nog goedkoop: wanneer je het op de juiste manier exploiteert, kun je het winstgevend maken. Alleen de inwoners blijven een hinderpaal; hoewel ze het land niet kunnen gebruiken of waarderen, geven ze het niet zomaar niet op; ze blijven zich eraan vastklampen zonder veel meer gedachten of ambities dan de schelp- en schaaldieren die ze oogsten.

Maar het scheermes (schelpdier; vert.) , dat door gourmets zeer op prijs wordt gesteld en dat zich tot drie meter diep in het natte zand ingraaft, is gemakkelijk te vangen bij de overgang van het tij, wanneer het zijn kop naar buiten steekt om de open zee te ruiken. Het enige wat de Brismands, met hun geld, gedaan hadden, was het tij voor ons keren en wachten tot we uit onze schuilplaats kwamen. Net als de kreeften in het vivarium van de Guénolés en Bastonnets werden we dik en hoopvol en vermoedden we geen moment met welk doel we gespaard waren.

Schulden zijn heilig op Le Devin. Ze afbetalen is een ere-plicht. Dat niet doen is ondenkbaar. Het strand had al ons spaargeld opgeslokt, de rollen munten die onder de vloer hadden gelegen en de blikjes met briefjes die als appeltje voor de dorst bewaard werden. Gesterkt door ons succes hadden we onze verwachtingen beleend. We begonnen in ons geluk te geloven. Het was per slot van rekening een goed jaar ge-weest.

Weet dacht ik aan het 'metalen varken' op de werf in Fromentine, en ik herinnerde me dat Capucine me had ge-vraagd waarom Brismand land wilde kopen dat overstroomd werd. Misschien was het hem nooit om bouwland gegaan, bedacht ik ineens. Misschien was hij de hele tijd uit geweest op overstroomd land.

Overstroomd land. Maar waarom wilde hij dat? Wat kon hij daarmee doen?

Toen daagde het me ineens. 'Een aanlegplaats voor een veerboot.'

Als Les Salants overstroomd was, of beter gezegd: als het dorp was afgesneden van La Houssinière en La Bouche, kon de kreek uitgebreid worden, zodat er een veerboot kon bin-nenvaren en afmeren. Als je de huizen met de grond gelijk maakte en het hele gebied onder water zette, zou er ruimte zijn voor twee veerboten, misschien wel meer. Brismand zou een veerdienst naar alle eilanden voor de kust kunnen onderhouden, zodat hij zeker zou zijn van een regelmatige bezoekersstroom op Le Devin. Een pendeldienst van en naar de veerhaven zou betekenen dat de zo kostbare ruimte in La Houssinière niet verloren zou gaan.

Ik keek weer naar de Bouch'ou met zijn kalm knipperende lichten. Brismand was de eigenaar, bedacht ik. Twaalf modules van gebruikte autobanden en vliegtuigkabel, met beton verankerd aan de zeebodem. Ooit had het me zo blijvend geleken, nu trof het me hoe kwetsbaar het was. Hoe hadden we ooit zo op zo'n ding kunnen vertrouwen? Toen geloofden we natuurlijk nog dat Flynn aan onze kant stond. We hadden onszelf heel slim gevonden. We hadden ons stukje Les Immortelles onder Brismands neus vandaan gekaapt. Maar ondertussen had Brismand zijn positie verstevigd, had hij ons in de gaten gehouden, ons uit onze schulp gelokt, ons vertrouwen gewonnen, de inzet verhoogd zodat hij wanneer hij in actie kwam...

Ineens was ik heel moe. Mijn hoofd deed zeer. Ergens beneden bij La Goulue hoorde ik iets, een iel, fluitend geluid van wind die tussen de rotsen door waaide, een verandering in de klank van de lucht, één enkele resonerende klank die haast het geluid van een verdronken klok had kunnen zijn, en even later, tussen twee aanrollende golven in, een spookachtige stilte.

Zoals alle geniale ideeën was Brismands plan eigenlijk heel simpel, toen ik eenmaal wist waar ik moest kijken. Ik zag nu hoe onze voorspoed het middel was geworden om ons te breken, hoe we gemanipuleerd waren, hoe men ons stap voor stap in onze onafhankelijkheid had doen geloven, terwijl we steeds verder de val in liepen. Was dat wat GrosJean me had willen vertellen? Was dat het geheim dat achter die droevige zomerogen lag opgesloten?

De lucht uit het westen was warm en rook naar zout en bloemen. Beneden kon ik de *grève* zien glanzen in de valse dageraad; daarachter was de zee – een donkergrijze streep die een beetje lichter was dan de lucht. De *Eleanore 2* was al op zee en een eind daarachter voer de *Cécilia*. Ze leken door het wolkendek boven hen nietige stipjes, roerloos door de afstand.

Ik dacht aan een andere nacht, lang geleden, de nacht waarin we het rif hadden geïnstalleerd. Ons plan had destijds onmogelijk grootschalig geleken, ontzagwekkend in zijn omvang. Een strand stelen. Als goden de kustlijn veranderen. Maar het plan van Brismand – het idee dat aan alles ten grondslag lag – stelde mijn ambities ver in de schaduw.

Les Salants stelen.

Hij hoefde nu alleen nog maar het laatste schaakstuk te verzetten, en het dorp was van hem.

57

'Ik kan wel raden waarom je hier zo vroeg bent,' zei Toinette.

Ik kwam langs haar huis toen ik het dorp in liep. Van zee was mist komen opzetten toen het vloed werd, en er hing een waas voor de zon dat later in regen zou kunnen veranderen. Toinette droeg haar dikke cape en handschoenen terwijl ze restjes groente aan haar geit voerde. De geit knabbelde onbeschaamd aan de mouw van mijn *vareuse* en ik duwde hem enigszins geïrriteerd weg.

Toinette grinnikte. 'Een zonnesteek, meisje, dat is alles wat hij nu nog heeft, en zelfs dat kan ernstig zijn, met dat dunne noordelijke bloed van hem, maar niet fataal, eh. Niet fataal.' Ze grijnsde. 'Geef hem een dag of wat en hij is weer zijn oude, gladde zelf. Stelt dat je gerust, meisje? Dat kwam je toch vragen?'

Het duurde even voor ik begreep wat ze bedoelde. Ik was zo opgegaan in mijn gedachten dat Flynns ziekte, nu ik wist dat hij geen gevaar meer liep, gereduceerd was tot een soort doffe pijn in mijn achterhoofd. Nu ik er zo onverwacht weer over aangesproken werd, overviel het me, en ik voelde mijn wangen opgloeien.

'Ik kwam eigenlijk kijken hoe het met Mercédès ging.'

'Ik hou haar bezig,' vertrouwde de oude vrouw me toe, een blik achterom op het huis werpend. 'Ik heb er mijn handen vol aan. En dan hebben we nog de bezoekers – de jonge Damien Guénolé sluipt op alle uren van de dag rond, Xavier Bastonnet laat zich niet weghouden en haar moeder komt af en toe een schreeuwpartijtje houden... Ik zweer het je, als die vrouw nog een keer bij haar in de buurt komt... Maar hoe is het met jou?' Ze keek me oplettend aan. 'Je ziet er niet goed uit. Je hebt toch niet iets onder de leden, hè?'

Ik schudde mijn hoofd. 'Ik heb de afgelopen nacht niet veel geslapen.'

'Ik ook niet, moet ik zeggen. Maar ze zeggen dat roodharige mannen meer geluk hebben dan anderen. Wees maar niet bang. Het zou me niets verbazen als hij vanavond alweer thuis was.'

'Hé! Mado!'

Achter me hoorde ik iemand roepen. Ik keerde me om, dankbaar voor de onderbreking. Het waren Gabi en Laetitia met het proviand voor de dag. Laetitia zwaaide gebiedend van de top van het duin. 'Heb je die grote boot gezien?' kirde ze.

Ik schudde mijn hoofd. Laetitia maakte een vaag gebaar in de richting van La Jetée. 'Hij is *zen*! Ga maar kijken!' Toen huppelde ze naar het strand, Gabi achter zich aan trekkend.

'Doe Mercédès de groeten van me,' zei ik tegen Toinette. 'Zeg maar tegen haar dat ik aan haar denk.'

'Eh.' Toinette leek achterdochtig. 'Misschien loop ik een eindje met je op. Even naar de grote boot kijken.'

'Oké.'

Vanuit het dorp konden we hem duidelijk zien: een lange, lage vorm die maar gedeeltelijk zichtbaar was in de witte mist bij Pointe Griznoz. Te klein voor een tanker, de verkeerde vorm voor een passagiersschip; het kon een soort fabrieksschip zijn, maar we kenden ieder vaartuig dat langskwam en het was geen van deze.

'In moeilijkheden, misschien?' opperde Toinette, terwijl ze me aankeek. 'Of wacht hij op het tij?'

Aristide en Xavier waren netten aan het schoonmaken in de kreek. Ik vroeg hun om hun mening.

'Het heeft waarschijnlijk iets te maken met de kwallen,' verklaarde Aristide, terwijl hij een grote *dormeur*-krab uit een van zijn fuiken haalde. 'Hij ligt er al sinds we uitvoeren. Vlak bij de Nid'Poule, een groot ding, met machinerie erop en zo. Van de regering, tenminste, dat zegt Jojo-le-Goëland.'

Xavier haalde zijn schouders op. 'Lijkt mij een beetje veel voor een paar kwallen. De wereld stort niet in.'

Aristide keek hem donker aan. 'Een paar kwallen, eh? Je hebt geen idee. De vorige keer dat het gebeurde...' Hij slikte zijn opmerking in en richtte zich weer op zijn net.

Xavier lachte nerveus. 'In ieder geval komt het met Rouget weer goed,' zei hij. 'Jojo vertelde het me vanmorgen. Ik heb een fles *devinnoise* gestuurd.'

'En ik zei nog tegen je dat je niet met Jojo-le-Goëland moest kletsen,' zei Aristide.

'Ik klétste niet.'

'Bemoei je nou maar met je eigen zaken. Als je dat meteen had gedaan, zou je nu misschien nog kans hebben gemaakt bij dat meisje van Prossage.'

Xavier keek weg en werd rood onder zijn bril.

Toinette richtte haar blik naar de hemel. 'Laat die jongen toch met rust, Aristide,' zei ze waarschuwend.

'Ach,' bromde Aristide. 'Ik had van de zoon van mijn jongen wel wat meer verstand verwacht.'

Xavier ging er niet op in. 'Jij hebt met haar gepraat, hè?'

zei hij rustig tegen me, toen ik me omkeerde om weg te lopen. Ik knikte. 'Hoe zag ze eruit?'

'Wat doet het ertoe hoe ze eruitzag?' wilde Aristide weten. 'Ze heeft ervoor gezorgd dat jij er als een stomme idioot uitzag, dat is een ding dat zeker is. En wat haar grootmoeder betreft...' Toinette stak ineens zo kribbig haar tong uit dat ik erom moest lachen.

Xavier reageerde niet. Hij was zo ongerust dat zijn verlegenheid verdwenen was. 'Ging het goed met haar? Wil ze me zien? Toinette wil het me niet vertellen.'

'Ze is in de war,' zei ik. 'Ze weet niet wat ze wil. Geef haar de tijd.'

Aristide snoof. 'Geef haar niets!' spuugde hij uit. 'Ze heeft haar kans gehad. Er zijn andere meisjes die beter zijn dan zij. Fatsoenlijke meisjes.'

Xavier zei niets, maar ik zag de uitdrukking op zijn gezicht.

Toinette toomde hem in: 'Niet fatsoenlijk? Mijn Mercédès?'

Snel legde ik mijn arm om haar schouders. 'Kom mee. Dit is zinloos.'

'Hij moet dat eerst terugnemen.'

'Toe, Toinette. Ga nu mee.' Ik keek weer even naar de boot, die vreemd dreigend aan de bleke horizon lag. 'Wie zijn dat?' zei ik, meer tegen mezelf. 'Wat doen ze daar toch?'

Iedereen in het dorp leek die ochtend onrustig. Toen ik naar de winkel van de Prossages ging om brood te halen, was er niemand aanwezig en hoorde ik luide stemmen uit de achterkamer komen. Ik pakte wat ik nodig had en legde het geld naast de kassa. Achter me gingen Omer en Charlotte door met ruziemaken. Hun stemmen klonken spookachtig in de roerloze lucht. De moeder van Ghislain en Damien was kreeftenfuiken aan het schrobben bij het vivarium. Ze had een doek om haar hoofd gebonden. Bij Angélo was alleen Matthias, die in zijn eentje een *café-devinnoise* zat te drinken. Er waren maar weinig toeristen op de been, misschien vanwege de mist. De lucht was drukkend en geurde naar rook en de ophanden zijnde regen. Niemand leek zin te hebben om te praten.

Toen ik met mijn etenswaar naar huis liep, passeerde ik Alain. Net als zijn vrouw kwam hij tobberig en witjes over. Tussen zijn tanden zat een peuk geklemd. Ik knikte naar hem ter begroeting. 'Wordt er niet gevist vandaag?'

Alain schudde zijn hoofd. 'Ik ben op zoek naar mijn zoon,' zei hij tegen me, 'en wanneer ik hem vind, zweer ik je dat hij wou dat ik hem niet gevonden had.' Damien was kennelijk de hele nacht niet thuisgekomen. Woede en bezorgdheid hadden diepe lijnen tussen Alains wenkbrauwen en om zijn mond gegrift.

'Hij kan niet ver weg zijn,' zei ik. 'Zover kun je toch niet komen op een eiland?'

'Ver genoeg,' antwoordde Alain mat. 'Hij heeft de *Eleanore 2* genomen.'

Ze hadden de boot afgemeerd bij La Goulue, legde hij uit. Alain was van plan geweest met Ghislain in de loop van de ochtend naar La Jetée te gaan om te kijken hoe het er met de kwallen voor stond.

'Ik dacht dat de jongen ook wel mee zou willen,' zei hij bitter. 'Ik dacht dat het hem zou afleiden.'

Maar toen ze bij het strand kwamen, was de *Eleanore 2* al weg. Ze was nergens te bespeuren en de kleine *platt* die ze gebruikten om bij vloed binnen te komen, lag langs de markeringsboei afgemeerd.

'Waar is hij in godsnaam mee bezig?' vroeg Alain zich af. 'Hij kan die boot nooit alleen aan. Hij zal hem ruïneren. En waar wil hij er op een dag als deze in godsnaam mee naartoe?'

Ik besefte dat ik die ochtend toen ik voor de bunker zat, de *Eleanore 2* moest hebben gezien. Hoe laat was dat geweest? Drie uur? Vier uur? De *Cécilia* was ook uitgevaren, maar dat was alleen maar om de kreeftenfuiken in de baai na te kijken; toen was de mist al aan het oprukken geweest en de Bastonnets wisten wel dat je je onder zulke omstandigheden niet op de zandbanken moest wagen.

Alain verbleekte toen ik het hem vertelde. 'Wat voor spelletje speelt dat joch?' kreunde hij. 'O, wanneer ik hem te pakken krijg... Hij zal toch niet iets écht stoms gedaan hebben, denk je? Hij zal toch niet naar het vasteland varen?'

Dat zou toch niet? Het duurt bijna drie uur voordat de *Brismand 1* vanaf Fromentine bij ons is, en er zijn een paar lastige stukken tussen het vasteland en ons eiland. 'Ik weet het niet. Waarom zou hij?'

Alain leek slecht op zijn gemak. 'Ik heb hem er flink van langs gegeven. Je weet hoe jongens zijn.' Hij bestudeerde even zijn knokkel. 'Ik ben misschien een beetje te ver gegaan. En hij heeft ook een paar spullen meegenomen.'

'O.' Dat klonk ernstiger.

'Hoe kon ik weten dat hij zo stom zou zijn?' ontplofte Alain. 'Echt, als ik hem in mijn vingers krijg...' Hij hield op; zijn stem klonk moe en oud. 'Als hem iets is overkomen, Mado, als er iets met Damien is gebeurd... Je zegt het toch wel als je hem ziet, hè?' Hij keek me scherp aan met ogen die angstig en bezorgd stonden. 'Hij vertrouwt jou. Zeg tegen hem dat ik niet boos zal zijn. Ik wil alleen maar dat hem niks overkomt.'

'Ik zal het doen,' beloofde ik. 'Hij is vast niet ver gegaan.'

58

TEGEN DE MIDDAG WAS DE MIST EEN BEETJE OPGETROKKEN.
De lucht was inmiddels bleekgrijs geworden, het was gaan
waaien en het tij was weer gekeerd. Ik liep langzaam naar La
Goulue en voelde me angstiger dan ik in mijn optimistische
afscheid van Alain had laten blijken. Sinds de dag van de
kwallenbeet leek het wel of alles verkeerd begon te gaan; zelfs
het weer en het tij spanden tegen ons samen. Alsof Flynn de
Rattenvanger van Hamelen was, die wegging en onze voorspoed met zich nam.

Toen ik bij La Goulue kwam, was het strand vrijwel verlaten. Even verbaasde me dat, maar toen herinnerde ik me de
waarschuwingen voor kwallen en zag ik de witte rand langs
het water, te dik om schuim te zijn. De netten waren weggehaald en de zee had tientallen dieren achtergelaten, die al
stervende ondoorzichtig werden. Later zouden we een op-
ruimingsoperatie op touw moeten zetten. Nu we wisten hoe
gevaarlijk die beesten waren, moest dat maar gauw gebeuren.

Vlak aan zee zag ik iemand naar het water kijken op bijna dezelfde plek als waar Damien de avond ervoor had gestaan. Het had iedereen kunnen zijn: uitgebleekte *vareuse*,
het gezicht schuilgaand onder een strooien hoed met brede
rand. In ieder geval een eilandbewoner. Maar ik wist wie het
was.

'Dag, Jean-Claude, of noemen we je nu Brismand 2?'

Hij moest me hebben horen aankomen, want hij was er klaar voor. 'Mado, Marin vertelde me dat je het wist.' Hij raapte een stuk drijfhout op en porde ermee in een van de stervende dieren. Ik merkte dat de arm onder de *vareuse* ingezwachteld was. 'Het is niet zo erg als je denkt,' zei hij. 'Niemand komt in de kou te staan. Geloof me, iedereen in Les Salants zal er hierna beter aan toe zijn dan in het begin. Dacht je echt dat ik jou iets vreselijks zou laten overkomen?'

'Ik weet niet wat je zou doen,' zei ik mat. 'Ik weet niet eens meer hoe ik je moet noemen.'

Hij keek me gekwetst aan. 'Je mag me Flynn noemen,' zei hij. 'Dat was mijn moeders naam. Er is niets veranderd, Mado.'

Zijn stem klonk zo vriendelijk dat ik bijna moest huilen. Ik sloot mijn ogen en liet de kou weer bezit van me nemen, blij dat hij niet had geprobeerd me aan te raken.

'Alles is veranderd!' Ik hoorde mijn stem uitschieten, maar kon het niet helpen. 'Je hebt tegen ons gelogen! Je hebt tegen míj gelogen!'

Zijn gezicht kreeg een hardere uitdrukking. Ik vond hem er ziek uitzien: zijn gezicht was bleek en strak. Op zijn linkerwang was een strook huid verbrand. Zijn mondhoeken waren enigszins naar beneden getrokken. 'Ik heb je verteld wat je wilde horen,' zei hij. 'Ik heb gedaan wat je wilde. Je was destijds maar wat blij met het resultaat.'

'Maar je deed het niet voor ons, hè?' Ik kon niet geloven dat hij zijn verraad probeerde te rechtvaardigen. 'Je zorgde voor jezelf. En het heeft geloond, hè? Partner van Brismand, met bijbehorend banksaldo.'

Flynn schopte plotseling fel naar een van de uitgebluste dieren aan zijn voeten. 'Je hebt er geen idee van hoe het was,' zei hij. 'Hoe zou je dat ook kunnen? Jij hebt altijd alleen maar dit eiland gewild. Jij hebt er geen last van gehad dat je in een huis woonde waar nooit iemand om je gaf, of dat je geen geld van jezelf had, geen behoorlijke baan, geen toekomst. Ik wilde meer dan dat. Als ik zo had willen leven, was ik wel in Kerry gebleven.' Hij keek naar de gestrande kwal en schopte er weer tegenaan. 'Smerige dingen.' Hij keek plotseling naar me op en ik zag dat zijn blik uitdagend was. 'Vertel me nu eens eerlijk, Mado. Heb jij je nooit afgevraagd wat je zou doen als alles anders was? Ben je nooit ook maar een beetje in de verleiding geweest?'

Ik negeerde de vraag. 'Waarom Les Salants? Waarom ben je niet gewoon rustig in La Houssinière gebleven zonder anderen lastig te vallen?'

Zijn mond trok. 'Brismand is geen gemakkelijke. Hij wil graag greep op alles hebben. Hij heeft me niet met open armen ontvangen, hoor. Dat heeft allemaal tijd gekost. Planning. Werk. Hij had me jaren aan het lijntje kunnen houden. Dat zou hem prima zijn uitgekomen.'

'Dus je liet ons voor jou zorgen terwijl jij hem voor je eigen karretje spande.'

'Ik heb voor alles betaald!' Hij klonk nu boos. 'Ik heb gewerkt. Ik ben jullie niets verschuldigd.' Hij maakte met zijn niet-gewonde arm een abrupt gebaar, waardoor een aantal meeuwen krijsend opvloog. 'Je weet niet hoe het is,' herhaalde hij, zachter nu. 'Ik ben mijn halve leven arm geweest. Mijn moeder...'

'Maar Brismand heeft je geld gestuurd,' protesteerde ik.

'Geld voor...' Hij slikte het laatste stukje in. 'Niet genoeg,' maakte hij zijn zin op vlakke toon af. 'Lang niet genoeg.' Hij beantwoordde mijn minachtende blik met een uitdagende.

Stilte, als wolken.

'Nou.' Ik maakte mijn stem uitdrukkingloos. 'Wanneer gaat het gebeuren? Hoe snel gaan jullie de Bouch'ou ontmantelen?'

Dat overviel hem. 'Wie zei je dat dat ging gebeuren?'

Ik haalde mijn schouders op. 'Het ligt voor de hand. Iedereen is Brismand geld schuldig. Iedereen rekent dit seizoen op een goede winst. Op meer dan genoeg geld om hem terug te betalen. Maar zonder het rif zullen de mensen genoodzaakt zijn alles tegen bodemprijzen te verkopen om hun schulden af te kunnen lossen. Een jaar later komt Brismand aanzetten. Dan hoeft hij alleen maar te wachten totdat het water weer zijn werk doet en begint hij te bouwen aan zijn nieuwe veerhaven. Zit ik er ver naast?'

'Nee, niet zover,' gaf hij toe.

'Klootzak,' zei ik. 'Was het jouw idee of het zijne?'

'Het mijne. Of eigenlijk het jouwe.' Hij haalde zijn schouders op. 'Als je een strand kunt stelen, kun je ook een heel dorp stelen. Of een heel eiland. Brismand bezit het toch al voor de helft. En de rest runt hij zo ongeveer. Ik word zijn partner. En nu...' Hij zag mijn uitdrukking en fronste zijn wenkbrauwen. 'Kijk me niet op die manier aan, Mado,' zei hij. 'Het is niet zo erg als je denkt. Er is een keus voor ieder wie hem wil maken.'

'Wat voor keus?'

Flynn keerde zijn gezicht naar me toe; zijn ogen glansden. 'Ach, Mado, dacht je nu echt dat we monsters zijn?' zei hij. 'Hij heeft arbeiders nodig. Denk je eens in wat een veerhaven voor het eiland zou kunnen betekenen. Banen. Geld. Leven. Er zal voor iedereen in Les Salants werk zijn. Beter dan wat we nu hebben.'

'Maar er is een prijs, neem ik aan.' We kenden beiden Brismands voorwaarden.

'Nou, en?' Eindelijk meende ik iets defensiefs in zijn stem te horen. 'Wat is daar mis mee? Iedereen werk, goede inkomsten, goede handel. Alles hier is slecht georganiseerd, iedereen trekt een andere kant op. Er is hier land dat niet gebruikt wordt, omdat niemand ondernemend genoeg is of genoeg geld inbrengt om het te gebruiken. Brismand zou daar allemaal verandering in kunnen brengen. Jullie weten het allemaal; alleen willen jullie het door jullie trots en koppigheid nooit toegeven.'

Ik staarde hem aan. Hij klonk alsof hij echt geloofde in wat hij zei. Even had hij me bijna overtuigd. Het klonk ook aantrekkelijk: orde in de chaos. Het is een goedkope truc, die nonchalante charme, als een korte speling van het zonlicht op het water die het oog opvangt, even maar, maar net lang genoeg om, soms met fatale afloop, je aandacht af te leiden van de rotsen die voor je liggen.

'En de oude mensen dan?' Ik had de zwakke plek in zijn redenering gevonden. 'Wat moet er gebeuren met degenen die niets kunnen bijdragen, of die dat niet willen?'

Hij haalde zijn schouders op. 'We hebben altijd Les Immortelles nog.'

'Dat accepteren ze niet. Het zijn Salannais. Ik weet dat ze dat niet zullen.'

'Ze hebben geen keus, lijkt me. Maar goed, we komen er gauw genoeg achter,' voegde hij er nu vriendelijker aan toe. 'Vanavond is er een vergadering bij Angélo.'

'Doe dat dan maar gauw, nu de kustinspectie er nog is.'

Hij keek me waarderend aan. 'O, dat schip heb je dus al gezien?'

'Je zult de Bouch'ou zonder een schip haast niet weg kunnen krijgen,' zei ik laatdunkend. 'Zoals je ooit tegen me zei is het een illegale constructie. Ongepland. Hij heeft schade aangericht. Het enige wat je hoeft te doen is dat aan het juiste adres melden, afwachten en de bureaucraten het werk laten doen.' Ik moest toegeven dat het een elegante oplossing was. Salannais zijn bang voor bureaucraten en hebben groot ontzag voor de autoriteiten. Met een clipboard krijg je voor elkaar wat je met dynamiet niet bereikt.

'We waren niet van plan geweest meteen iets te ondernemen, maar we hadden uiteindelijk een reden moeten bedenken om ze erbij te halen,' zei Flynn. 'Kwallengevaar leek ons een goed excuus. Ik wou alleen dat ik niet het slachtoffer was geworden.' Hij kromp ineen en wees op zijn verbonden arm.

'Ben jij ook op de vergadering vanavond?' vroeg ik, er geen aandacht aan schenkend.

Flynn glimlachte. 'Ik denk het niet. Ik ga misschien terug naar het vasteland, mijn deel van de business daar runnen. Ik denk dat ik in Les Salants niet al te populair zal zijn wanneer ze horen wat Brismand te zeggen heeft.'

Even was ik er zeker van dat hij me ging vragen met hem mee te gaan. Mijn hart sloeg om als een stervende vis; maar Flynn had zich al afgewend. Ik had een vaag gevoel van opluchting; hij had er in ieder geval een duidelijk eind aan gemaakt, zonder te doen alsof.

De stilte lag als een oceaan tussen ons in. Aan de andere kant van de vlakte hoorde ik het *hissj* van de golven. Het verbaasde me dat ik zo weinig voelde; ik was zo hol als een stuk gedroogd drijfhout, zo licht als schuim. De wazige wolken vormden een heldere band voor de zon. Terwijl ik mijn ogen tegen dat bedrieglijke licht tot spleetjes kneep, zag ik een boot, ver op La Jetée. Ik dacht aan de *Eleanore 2* en keek beter, maar er was al niets meer te zien.

'Het komt allemaal heus goed,' zei Flynn. Zijn stem bracht me met een schok tot mezelf. 'Er zal voor jou altijd werk zijn. Brismand denkt erover je de mogelijkheid te geven een galerie te beginnen in La Houssinière, of zelfs op het vasteland. Ik zal ervoor zorgen dat hij een mooi huis voor je vindt. Je zult het beter krijgen dan in Les Salants.'

'Wat kan jou dat schelen?' spuugde ik uit. 'Jíj maakt het toch goed?'

Hij keek me aan en zijn blik werd gesloten. 'Ja,' zei hij eindelijk met een harde, heldere stem. 'Ik maak het prima.'

59

Ik was te laat op de vergadering. Om negen uur was het allemaal al voorbij, op het schreeuwen na, waar we al meer dan genoeg van gehad hadden. Ik kon de luide stemmen, het stampvoeten en het slaan op tafels helemaal in de Rue de l'Océan horen. Toen ik naar buiten keek, zag ik Brismand bij de bar staan met een *devinnoise* in zijn hand; hij zag eruit als een toegeeflijke onderwijzer met een groep onstuimige leerlingen.

Flynn was er niet. Ik had hem ook niet verwacht, zijn aanwezigheid zou een reeds chaotische vergadering ongetwijfeld hebben veranderd in een rel of een massamoord. Toch bezorgde zijn afwezigheid me een vreemde pijn. Boos op mezelf schudde ik hem van me af.

Er ontbraken nog een paar gezichten: de Guénolés en de Prossages – waarschijnlijk zochten ze nog steeds het eiland af naar Damien – en Xavier en GrosJean. Verder leek vrijwel heel Les Salants aanwezig, ook de vrouwen en de kinderen. De mensen stonden dicht tegen de tafels en elkaar aan; de deur stond open om meer ruimte te maken. Logisch dat Angélo er verdwaasd uitzag: deze avond zou beslist een recordopbrengst betekenen.

Buiten was het bijna vloed. Een vlagerig, rommelig geheel van paarse wolken verduisterde de horizon. De wind was ook enigszins gedraaid, naar het zuiden, zoals vaak gebeurt voordat er noodweer losbarst. Er hing kilte in de lucht.

Toch bleef ik bij het raam hangen; ik probeerde stemmen te herkennen en had geen zin om naar binnen te gaan. Ik zag dichtbij Aristide. Désirée hield zijn hand vast. Naast hen zag ik Philippe Bastonnet en zijn gezin – zelfs Laetitia en de hond Pétrole. Hoewel ik Aristide niet met Philippe zag spreken, vond ik dat zijn houding minder agressief overkwam, wat minder gespannen, alsof de voedingsbodem verdwenen was. Sinds het nieuws over Mercédès was de zelfverzekerdheid van de oude man grotendeels verdwenen, en hij kwam ondanks zijn barsheid verward en meelijwekkend over.

Plotseling hoorde ik in de kreek achter me een geluid. Ik keerde me om en zag Xavier Bastonnet en Ghislain Guénolé samen hard hollend, met strakke gezichten, het duin af komen. Ze zagen me niet, maar gingen recht op de *étier* af, die nu het vloed was, volgelopen was met zeewater, naar de plek waar de *Cécilia* lag afgemeerd.

'Jullie gaan vanavond toch niet met de boot weg?' riep ik naar hen, toen ik zag dat Xavier de lijnen begon los te maken.

Ghislain keek grimmig. 'Er is bij La Jetée een boot gesignaleerd,' zei hij kortaf. 'Met deze mist kun je er alleen maar achter komen als je zelf gaat kijken.'

'Zeg het niet tegen mijn grootvader,' zei Xavier, terwijl hij met de motor van de *Cécilia* worstelde. 'Hij zou woest worden als hij wist dat ik op een avond als deze met Ghislain eropuit was gevaren. Hij zegt altijd dat mijn vader door de roekeloosheid van een Guénolé om het leven is gekomen. Maar als Damien daar is en niet terug kan komen...'

'En Alain?' vroeg ik. 'Moet er in ieder geval niet nog iemand met jullie meegaan?'

Ghislain haalde zijn schouders op. 'Die is met Matthias naar La Houssinière gegaan. Er is niet veel tijd. We moeten met de *Cécilia* daar zijn voordat de wind te sterk wordt.'

Ik knikte. 'Dan wens ik je veel succes. Wees voorzichtig.'

Xavier glimlachte verlegen naar me. 'Alain en Matthias zijn al in La Houssinière. Iemand moet erheen gaan om hun het nieuws te vertellen. Zeg maar tegen hen dat we de situatie onder controle hebben.'

De motor gromde en kwam tot leven. Terwijl Ghislain de giek vasthield, stuurde Xavier het bootje tussen de met hout beschoeide oevers door en de open zee op, richting La Goulue.

60

Aristide was nog in het café, en omdat ik liever niet wilde uitleggen waarom Xavier en de *Cécilia* verdwenen waren, besloot ik de boodschap zelf te gaan bezorgen.

Het was bijna donker toen ik in La Houssinière aankwam. Het was ook koud: wat in de kom van Les Salants een vlagerige wind was geweest, deed op dit zuidelijkste deel van het eiland stagen zingen en vlaggen ratelen. De lucht was zeer onrustig – de bleke strook boven het strand was al half opgeslokt door felpaarse donderkoppen, de golven hadden witte schuimkoppen en de vogels dreven afwachtend op het water. Jojo-le-Goëland kwam van de promenade met een bord waarop stond dat de terugtocht van de *Brismand 1* naar Fromentine die avond vanwege de slechte weersverwachting niet doorging. Een paar somber kijkende toeristen met koffers liepen protesterend achter hem aan.

Op de boulevard was geen spoor te bekennen van Alain of Matthias. Ik stond bij de zeemuur over Les Immortelles uit te kijken; ik huiverde een beetje en betreurde het dat ik geen jas had meegenomen. Uit het café achter me kwamen plotseling luide stemmen, alsof er een deur was opengegaan.

'Hé, het is Mado, *ma soeur*. Ze komt ons opzoeken.'

'Madootje, wat zie je er koud uit, hm, je hebt het vast heel-heel erg kil.'

Het waren de oude nonnen, soeur Extase en soeur

Thérèse, die beiden uit de Chat Noir kwamen, zo te zien met een kopje *café-devinnoise*.

'Kom toch binnen, Mado. Drink iets warms.'

Ik schudde mijn hoofd. 'Nee, bedankt. Het gaat best.'

'Het is weer die vreselijke zuidenwind,' zei soeur Thérèse. 'Daardoor zijn die kwallen hierheen gekomen, zegt Brismand. Die plaag doet zich om de...'

'...dertig jaar voor, *ma soeur*, wanneer het tij van de Golfstroom af komt. Nare beesten.'

'Ik herinner me nog de vorige keer,' zei soeur Thérèse. 'Hij zat maar te wachten bij Les Immortelles en naar zee te kijken...'

'Maar ze is nooit teruggekomen, hè, *ma soeur*?' De twee nonnen schudden hun hoofd. 'Nee, nooit. Nooit-nooit. Helemaal niet meer.'

'Over wie hebben jullie het?' vroeg ik.

'Over dat meisje, natuurlijk.' De twee nonnen keken me aan. 'Hij was verliefd op haar. Allebei waren ze verliefd op haar, die broers.'

Broers? Uit het veld geslagen staarde ik de nonnen aan. 'Hebben jullie het over mijn vader en P'titJean?'

'De zomer van het Zwarte Jaar.' De zusters knikten stralend. 'We weten het nog heel goed. We waren toen jong...'

'...in ieder geval jonger...'

'Ze zei dat ze wegging. Ze gaf ons een brief.'

'Wie?' vroeg ik, verward.

De zusters richtten hun zwarte ogen op me. 'Het meisje, natuurlijk,' zei zuster Extase ongeduldig. 'Eleanore.'

De naam verraste me zozeer dat het geluid van de klok eerst nauwelijks tot me doordrong; het klokgelui galmde dof over de haven en weerkaatste als een steen op het water. Een paar mensen dromden uit de Chat Noir om te zien wat er aan de hand was. Iemand botste tegen me aan en morste drank. Toen ik na de korte verwarring weer opkeek, waren soeur Thérèse en soeur Extase verdwenen.

'Wat bezielt père Alban om op dit tijdstip de klok te luiden?' vroeg Joël loom, met een sigaret tussen zijn lippen. 'Er is toch geen mis?'

'Ik denk het niet,' zei René Loyon.

'Misschien is er brand,' opperde Lucas Pinoz, de neef van de burgemeester.

De mensen leken brand het meest voor de hand liggend te vinden. Op een klein eiland als Le Devin zijn er geen hulpdiensten van enige betekenis en de kerkklok is vaak de snelste manier om alarm te slaan. Iemand riep: 'Brand!' en er volgde enige verwarring, waarbij nog meer drinkenden elkaar bij de ingang van het café verdrongen, maar, zoals Lucas opmerkte, er was geen rode gloed aan de hemel en het rook niet naar brand.

'We hebben in vijfenvijftig ook de klok geluid, toen de oude kerk door de bliksem was getroffen,' verkondigde de oude Michel Dieudonné.

'Er is iets daar bij Les Immortelles,' zei René Loyon, die op de zeemuur was gaan staan. 'Iets op de rotsen.'

Het was een boot. Nu je wist waar je moest kijken, zag je het zo: hij was honderd meter uit de kust vastgelopen op dezelfde grimmige rotsen die de *Eleanore* het jaar daarvoor noodlottig waren geworden. Mijn adem stokte in mijn keel. Er was geen zeil te zien. Op die afstand kon je ook onmogelijk vaststellen of het een van de twee boten uit ons dorp was.

'Daar is niet veel meer van over,' zei Joël met gezag. 'Het

moet er al uren liggen. We hoeven niet meer in paniek te raken.' Hij drukte met zijn laars zijn sigaret uit.

Jojo-le-Goëland was niet overtuigd. 'We moeten proberen er licht op te richten,' opperde hij. 'Misschien valt er iets te bergen. Ik kom wel met de tractor.'

Er verzamelden zich al mensen aan de voet van de zeemuur. Nu zijn waarschuwende werk gedaan was, viel de kerkklok stil. Jojo's tractor reed slingerend over het ongelijke strand naar de rand van het zand; het krachtige licht scheen over het water.

'Ik kan hem nu zien,' zei René. 'Hij is nog heel, maar dat zal niet lang meer duren.'

Michel Dieudonné knikte. 'Het water staat te hoog om nu naar hem toe te gaan, zelfs met de *Marie Joseph*. En met die windvlagen...' Hij spreidde expressief zijn handen. 'Van wie hij ook is, hij is er geweest.'

'O, mijn god!' Dat was Paule Lacroix, Joëls moeder, die boven ons op de promenade stond. 'Er ligt iemand in het water!'

Er wendden zich gezichten naar haar toe. Het licht van de tractor was te fel: tussen de reflecties was alleen de donkere romp van de stuurloze boot te zien.

'Doe het licht uit!' gilde burgemeester Pinoz, die zojuist met père Alban was gearriveerd.

Het duurde even voordat onze ogen aan de duisternis gewend waren. De zee leek nu zwart en de boot een diepblauwe schaduw. We spanden onze ogen in en probeerde de lichte vlek tussen te golven te zien.

'Ik zie een arm! Er ligt een man in het water!'

Links van mij, een eindje verderop, schreeuwde iemand, een stem die ik herkende. Ik keerde me om en zag Damiens moeder, haar gezicht vormloos van ellende onder een dikke eilandsjaal. Alain stond met een verrekijker op de zeemuur, hoewel ik me afvroeg of hij met de zuidenwind in zijn gezicht en de steeds hoger wordende golven meer kon zien dan wij. Matthias stond naast hem en keek hulpeloos naar het water.

Damiens moeder zag mij en rende over het strand op me af, haar jas flapperend in de wind. 'Het is de *Eleanore 2*!' Ze klemde zich ademloos aan me vast. 'Ik weet het! Het is Damien!'

Ik probeerde haar gerust te stellen. 'Dat weet je niet,' zei ik zo kalm ik kon. Maar ze was ontroostbaar. Ze begon een hoog, scherp geluid te maken, half gejammer, half woorden. Ik ving een paar maal de naam van haar zoon op, maar verder niets. Ik besefte dat ik nog niet had verteld dat Xavier en Ghislain met de *Cécilia* waren uitgevaren, maar als ik daar nu over sprak zou dat de zaak er alleen maar erger op maken.

'Als daar iemand is, moeten we toch proberen bij hem te komen.' Dat was burgemeester Pinoz, half dronken maar dapper pogend de situatie onder controle te krijgen.

Jojo-le-Goëland schudde zijn hoofd. 'Niet met mijn *Marie Joseph*,' zei hij spijkerhard.

Maar Alain rende al vanaf de promenade het pad naar de haven over. 'Probeer me maar eens tegen te houden!' gilde hij.

De *Marie Joseph* was zeker het enige vaartuig dat stabiel genoeg was om dicht bij de gestrande boot te komen; desondanks was de operatie bij dit weer bijna onmogelijk.

'Er is daar niemand!' klaagde Jojo verontwaardigd, terwijl hij over het strand achter Alain aan begon te hollen. 'Je kunt er niet in je eentje mee wegvaren!'

'Ga dan met hem mee,' drong ik aan. 'Als die jongen daar is...'

'Als dat zo is, is het toch met hem gedaan,' mompelde Joël. 'Het heeft geen zin met hem mee te gaan.'

'Dan ga ik wel!' Ik nam de treetjes naar de Rue des Immortelles met twee tegelijk. Er was een boot op de rotsen gelopen; er was een Salannais in gevaar. Ondanks mijn angst zong mijn hart. Een felle vreugde sloeg door me heen: zó voelt het om een eilander te zijn, zo voelt het om ergens bij te horen; geen enkele andere plek kent zo'n loyaliteit, zo'n rotsvaste, betrouwbare liefde.

Er renden mensen met me mee. Ik zag père Alban en Matthias Guénolé, die zoals ik al vermoedde, ook in de buurt was; Omer sjokte zo snel hij kon achter hem aan; Marin en Adrienne stonden achter het verlichte raam van La Marée te kijken. Groepjes Houssins keken toe terwijl wij renden, sommigen verward, anderen ongelovig. Het kon me niet schelen. Ik rende naar de haven.

Alain was er al. De mensen stonden op de steiger naar hem te kijken, maar weinigen leken van plan zich bij hem te voegen in de *Marie Joseph*. Matthias riep iets vanaf de straat; ik hoorde achter hem nog meer luide stemmen. Een man met een uitgebleekte *vareuse* aan was met zijn rug naar me toe al de zeilen aan het strijken. Toen Omer ons, amechtig, had ingehaald, keerde de man zich om en zag ik dat het Flynn was.

Er was geen tijd om te reageren. Hij ving mijn blik op en wendde toen zijn ogen af, bijna onverschillig. Alain zat al aan de helmstok. Omer worstelde met de onbekende motor. Père Alban, die op de steiger stond, probeerde Damiens moeder te kalmeren, die een paar minuten na ons was aangekomen. Alain nam me kort op, alsof hij wilde inschatten of ik geschikt was om te helpen. Daarna knikte hij.

'Bedankt.'

De mensen dromden nog om ons heen en sommigen probeerden te helpen waar ze konden. Er werd van alles – bijna lukraak, leek het wel – in de *Marie Joseph* gegooid: een bootshaak, een rol touw, een emmer, een deken, een zaklantaarn. Iemand overhandigde me een zakfles cognac; iemand anders reikte Alain een paar handschoenen aan. Toen we van de steiger wegvoeren, wierp Jojo-le-Goëland me zijn jas toe. 'Niet nat laten worden, hè?' zei hij bars.

De haven uitvaren was bedrieglijk gemakkelijk. Hoewel de boot met de neus tamelijk diep in het water dook, was de haven beschut. We voeren vrij gemakkclijk door de smalle vaargeul naar open zee. Overal om ons heen deinden boeien rubber boten; ik leunde voorover op de boeg om ze tijdens het passeren weg te duwen.

Toen sloeg de zee toe. In de korte tijd die het ons had gekost om alles op orde te brengen, was de wind in kracht toegenomen. Hij kreunde nu door het stag; het opspattende water was zo hard als grind. De *Marie Joseph* was een goed werkpaardje, maar niet op zwaar weer gebouwd. Hij lag diep in het water, als een oesterboot; de golven sloegen over de boeg. Alain vloekte.

'Zie je hem al?' gilde hij naar Omer.

'Ik zie icts!' schreeuwde hij tegen de wind in. 'Maar ik weet nog steeds niet of het de *Eleanore 2* is.'

'Je moet keren!' brulde Alain. Ik kon hem nauwelijks verstaan. Ik werd verblind door het water. 'We moeten pal in de wind varen!'

Ik begreep wat hij bedoelde. Als je recht tegen de wind in

voer, was dat gevaarlijk, maar de golven waren zo hoog dat we zouden omslaan als we ze van opzij op ons af lieten komen. We kwamen schrikbarend langzaam vooruit; we namen een golf en werden door de volgende weer met een klap in de diepte geworpen. De *Eleanore 2*, als die het was, was nauwelijks te zien; alleen de wilde schuimkragen eromheen waren zichtbaar. Van de vorm die we in het water hadden gezien, was geen spoor te bekennen.

Twintig minuten later wist ik niet eens of we zelfs maar tien meter vooruit waren gekomen; 's nachts zijn afstanden bedrieglijk en de zee eiste al onze aandacht op. Ik was me vaag bewust van Flynn, die op de bodem van de boot aan het hozen was, maar er was geen tijd om daar bij stil te staan, of om terug te denken aan de laatste keer dat we ons samen in een vergelijkbare situatie hadden bevonden.

Ik zag nog steeds de lichten van Les Immortelles; ik meende over een grote afstand stemmen te horen. Alain scheen met zijn zaklantaarn over zee. Het water leek bij het zwakke licht grijsbruin, maar eindelijk kon ik de geruïneerde boot zien, dichterbij nu en herkenbaar, bijna in tweeën geslagen op een smalle rots.

'Het is 'm!' De wind ontnam aan Alains stem de angstige klank; hij klonk me iel en ver in de oren, als gefluit door het riet. 'Ga daar weg!' Dit zei hij tegen Flynn, die zover naar voren was gegaan dat hij bijna aan de neus van de *Marie Joseph* hing. Even zag ik iets in het water, iets bleeks dat geen schuim was. Korte tijd was het zichtbaar, maar daarna leek het met de golf mee te rollen.

'Ik zie iemand!' gilde Flynn.

Alain liet Omer de boot besturen en sprong op de boeg af. Ik greep een touw en wierp het hun toe, maar de wind sloeg het drijfnatte touw gemeen terug in mijn gezicht. Ik viel achterover; mijn ogen waren dicht en de tranen stroomden eruit. Toen ik ze weer kon opendoen, was de wereld vreemd wazig; in het waas kon ik nog net Flynn en Alain onderscheiden. De een hield de ander in een wanhopige trapeze vast, terwijl de zee onder hun voeten omhoogschokte en viel. Beiden waren drijfnat. Alain had een touw om zijn enkel gebonden om zichzelf aan boord te houden. Flynn, die een touw met een lus vasthield, leunde echt buitenboord, een voet stevig tegen Alains maag geplant en de andere tegen de zijkant van de *Marie Joseph* gedrukt. Zijn armen waren wijd in het tumult onder hem gespreid. Er flitste iets wits langs. Flynn dook ernaar maar miste. Achter ons worstelde Omer om de neus van de boot in de wind te houden. De *Marie Joseph* nam een misselijkmakende duik naar voren; Alain wankelde, een golf sloeg over beide mannen heen en trok de boot naar opzij. Koud water plensde op alle hoofden. Even vreesde ik dat beide mannen overboord waren geslagen. De boeg van de *Marie Joseph* zakte tot op maar een paar centimeter boven de zee. Ik hoosde zo snel ik kon, terwijl de rotsen ineens, beangstigend dichtbij, opdoken. Toen was er een vreselijk geluid tegen de kiel van de boot, een schurend geluid en gekraak als een bliksemflits. Gespannen wachtten we af, maar het was de *Eleanore 2* die het begeven had en met gebroken ruggengraat eindelijk in tweeën brak op de schuimende rotsen. Ook wij waren verre van veilig, want we koersten op de drijvende wrakstukken af. Ik voelde iets tegen de zijkant van de boot bonken. Er leek iets onder vast te zitten, maar toen tilde een golf ons op en schoof de *Marie Joseph* net op tijd van de rots af, terwijl Omer ons met een bootshaak bij de wrakstukken weg probeerde te houden. Ik keek op. Alain stond nog op dezelfde plaats op de voorplecht, maar Flynn was weg. Dat duurde echter maar even. Met een schorre kreet van opluchting zag ik hem weer achter een muur van water vandaan komen, het touw in zijn handen. Er kwam even iets in het zicht, terwijl hij en Alain het begonnen op te hijsen. Iets wits.

Hoezeer ik ook wilde weten wat er allemaal gebeurde, ik moest blijven hozen; de *Marie Joseph* was zo vol als maar kon. Ik hoorde geschreeuw en durfde even op te kijken, maar Alains rug benam me het zicht. Ik hoosde minstens vijf minuten, of in ieder geval tot we bij die verschrikkelijke rotsen vandaan waren. Ik meende van Les Immortelles een ver, iel gejuich te horen komen.

'Wie is het?' gilde ik. Mijn stemgeluid werd door de wind meegenomen. Alain keerde zich niet om. Flynn worstelde met een dekzeil dat onder in de boot lag. Het zeil vulde bijna geheel mijn gezichtsveld.

'Flynn!' Ik wist dat hij me had gehoord; hij keek me snel aan, maar wendde toen zijn hoofd af. Iets in zijn gezichtsuitdrukking vertelde me dat er geen goed nieuws was. 'Is het Damien?' gilde ik opnieuw. 'Leeft hij nog?'

Flynn duwde me naar achteren met een hand die nog gedeeltelijk in het druipnatte verband zat. 'Het heeft geen zin meer,' riep hij, nauwelijks hoorbaar boven het geluid van de wind. 'Het is al te laat.'

Omdat we het tij nu mee hadden, voeren we snel in de richting van de haven; het leek alsof ik de golven stiller voelde worden. Omer keek Alain vragend aan; Alain beantwoordde hem met een blik van ontzetting en niet-begrijpen. Flynn keek geen van beiden aan; hij pakte een emmer en begon te hozen, hoewel dat inmiddels niet meer nodig was.

Ik greep Flynns arm en dwong hem me aan te kijken. 'Doe me een plezier, Flynn, en vertel me wie het is! Is het Damien?'

Ze wierpen alledrie een blik op het zeil en toen weer op mij. Flynns gezicht had een complexe, niet te doorgronden uitdrukking. Hij keek naar zijn handen, die rauw waren van de natte touwen. 'Mado,' zei hij ten slotte, 'het is je vader.'

61

IK HERINNER HET ME ALS EEN SCHILDERIJ, ALS EEN FELLE VAN Gogh met kolkende paarse luchten en vage gezichten; geen geluid. Ik herinner me dat de boot steeds oversloeg, als een hart. Ik herinner me dat ik mijn handen voor mijn gezicht hield en dat de huid bleek was en gerimpeld door het zeewater. Ik geloof dat ik viel.

GrosJean was half toegedekt door het dekzeil. Voor de eerste keer was ik me ten volle bewust van zijn enorme omvang, zijn dode gewicht, zijn dode massa. Hij was zijn schoenen kwijtgeraakt, en zijn voeten leken klein vergeleken bij de rest, bijna fijntjes. Over de dood wordt vaak gezegd dat hij op slaap lijkt, op vredige rust. GrosJean leek op een dier dat in een klem is gestorven. Zijn vlees voelde even rubberig aan als dat van een varken in een slagerij; zijn mond hing open en zijn vertrokken mond liet de gele tanden vrij, alsof hij op het laatste moment, met de dood voor ogen, eindelijk zijn stem had hervonden. Ook voelde ik niet die verdoofdheid waarover zoveel nabestaanden het hebben, dat genadige gevoel van onwerkelijkheid. Wat ik voelde was een enorme woede.

Hoe had hij dit durven doen? Na alles wat we samen hadden meegemaakt, hoe dúrfde hij? Ik had hem vertrouwd, ik had hem in vertrouwen genomen, ik had geprobeerd opnieuw te beginnen. Dacht hij zó over me? Dacht hij zó over zichzelf?

Iemand pakte me bij de arm; ik hamerde met mijn vuisten op mijn vaders klamme lichaam. Het voelde als vlees. 'Mado, toe nou.' Het was Flynn. Mijn woede welde weer op; zonder erbij na te denken keerde ik me om en gaf ik hem een klap op zijn mond. Hij deinsde terug. Ik struikelde achterover en viel op het dek. Even zag ik de ster Sirius vanachter een wolkenvlaag tevoorschijn komen. De sterren werden dubbel, driedubbel en daarna vulden ze de lucht.

Ik hoorde later dat ze Damien hadden gevonden in de goederenloods van de *Brismand 1*, waar hij zich had verstopt had; hij was koud en hongerig, maar ongedeerd. Hij had blijkbaar als verstekeling op de veerboot mee willen varen naar het vasteland, maar toen werd de vaart afgelast.

Ghislain en Xavier hebben Les Immortelles nooit bereikt. Ze probeerden het urenlang, maar uiteindelijk hadden ze de *Cécilia* bij La Goulue aan land moeten brengen en waren ze naar het dorp teruggekeerd, net toen de vrijwilligers uit La Houssinière thuiskwamen.

Mercédès had staan wachten. Ze had Aristide in het dorp ontmoet en er was tussen hen heel wat afgeschreeuwd. Alle remmen gingen los. Haar ontmoeting met Xavier en Ghislain was beheerster. Beide jonge mannen waren doodop, maar wonderlijk euforisch. Hun pogingen op zee hadden geen succes gehad, maar het was duidelijk dat er tussen hen een nieuwe verstandhouding was ontstaan. Zo vijandig als ze ooit tegenover elkaar hadden gestaan, zo dicht bij vriendschap waren ze nu. Aristide begon zijn kleinzoon op zijn kop te geven omdat hij de *Cécilia* had meegenomen, maar voor het eerst leek Xavier niet onder de indruk. In plaats daarvan nam hij Mercédès terzijde, met een glimlach die heel anders was dan zijn gebruikelijke verlegen manier van doen, en hoewel het nog te vroeg was om van een verzoening tussen hen te spreken, hoopte Toinette heimelijk dat het goed zou aflopen.

Ik vatte kou op de *Marie Joseph*, die omsloeg in longontsteking. Misschien herinner ik me daarom vrijwel niets van wat er gebeurde: een paar beelden in verbleekte sepia, meer niet. Mijn vaders lichaam dat in een deken op de kade werd getild. De ingetogen Guénolés die elkaar met een felle en ongeremde hartstocht omhelsden. Père Alban die geduldig wachtte, zijn soutane opgetrokken tot boven zijn vislaarsen. Flynn.

Het duurde bijna een week voordat ik me echt bewust werd van wat er om me heen gebeurde. Tot die tijd was alles wazig geweest, kleuren intenser, geluiden afwezig. Mijn longen zaten vol beton, mijn koorts steeg.

Ik werd meteen overgebracht naar Les Immortelles, waar de nooddokter nog aanwezig was. Geleidelijk trok de koorts weg en werd ik me bewust van mijn kamer met zijn witte muren, de bloemen en de cadeautjes die een constante stroom bezoekers had achtergelaten bij de deur. Eerst besteedde ik er nauwelijks aandacht aan. Ik voelde me zo ziek en zo zwak dat het me al moeite kostte om mijn ogen open te houden. Ademen vergde bewuste inspanning. Zelfs de herinnering aan mijn vaders dood was ondergeschikt aan mijn fysieke misère.

Adrienne was in paniek geraakt bij de gedachte me te moeten verplegen en was met Marin naar het vasteland gevlucht zodra het weer het toeliet. De arts had verklaard dat ik aan de beterende hand was en liet Capucine over me waken, terwijl de mopperende Hilaire me antibiotica-injecties gaf.

Toinette maakte kruidenthee en dwong me die op te drinken. Père Alban zat volgens Capucine nachtenlang naast mijn bed. Brismand bewaarde afstand. Niemand had Flynn gezien.

Het was misschien goed voor hem dat dat zo was; tegen het eind van de week was zijn aandeel in de gebeurtenissen voor iedereen duidelijk, en de vijandigheid jegens hem in Les Salants was enorm. Vreemd genoeg stonden ze minder vijandig tegenover Brismand; hij was per slot van rekening een echte Houssin. Daar kon je alles van verwachten. Maar Rouget was een van ons geweest. Alleen de Guénolés durfden hem te verdedigen – hij was tenslotte met de *Eleanore* mee gegaan toen niemand anders dat wilde doen – en Toinette weigerde de zaak serieus op te vatten, maar veel Salannais spraken duister over wraak. Capucine was ervan overtuigd dat Flynn weer naar het vasteland was gegaan, en schudde om de hele affaire treurig haar hoofd.

De kwallenplaag was onder controle; er waren netten over de zandbanken gespannen om te voorkomen dat er nog meer in de baai terechtkwamen en een boot van de kustwacht had de kwallen die er nog waren, weggehaald. De officiële verklaring was dat ze door toedoen van grillige stormen door de Golfstroom waren meegevoerd, misschien wel helemaal vanaf Australië; de dorpsroddel zag er liever een waarschuwing van de heilige in.

'Ik heb de hele tijd al gezegd dat dit een zwart jaar zou worden,' bevestigde Aristide met sombere voldoening. 'Zie je nou wat er gebeurt als je niet luistert?'

Ondanks zijn woede jegens Brismand leek de oude man te berusten. Bruiloften kosten geld, merkte hij op; als die jonge dwaas van een kleinzoon van hem in zijn koppigheid bleef volharden... Hij schudde zijn hoofd. 'Maar ik heb ook niet het eeuwige leven. Het is een prettige gedachte dat de jongen toch nog iets anders kan erven dan drijfzand en rotting. Misschien keren onze kansen wel weer.'

Niet iedereen dacht er zo over. De Guénolés bleven zich verzetten tegen het Brismands project, en daar hadden ze alle reden toe. Met vijf monden te voeden, waaronder een schooljongen en een oude man van vijfentachtig, hadden ze altijd krap bij kas gezeten. Nu bevonden ze zich in een crisis. Niemand wist precies hoeveel ze geleend hadden, maar het werd algemeen aangenomen dat het meer dan honderdduizend frank was. Het verlies van de *Eleanore 2* was de genadeklap. Alain had na de vergadering in felle bewoordingen gezegd dat het niet eerlijk was, dat de gemeenschap een verantwoordelijkheid had, dat hij door Damiens verdwijning niet had kunnen deelnemen aan de discussie; maar aan zijn bezwaren werd weinig aandacht besteed. Er was in onze broze gemeenschapszin een scheur ontstaan; het was weer iedere Salannais voor zich.

Matthias Guénolé weigerde natuurlijk zijn intrek in Les Immortelles te nemen. Alain stond achter dat besluit. Er was sprake van dat ze het eiland zouden verlaten. De Guénolé-Bastonnet-vijandelijkheden waren hervat. Aristide, die zwakheid rook en het mogelijke vertrek van zijn grootste rivaal op visgebied, had blijkbaar gedaan wat hij kon om de rest van Les Salants tegen hen op te zetten.

'Ze verpesten het nog met hun koppigheid, eh! Onze enige kans. Het is egoïstisch, dat is het, en ik laat de toekomst van mijn jongen niet ruïneren door het egoïsme van de Guénolés. We moeten redden wat er te redden valt, anders gaan we allemaal kopje-onder!'

Velen moesten toegeven dat er wat in zat. Maar toen Alain

hoorde wat er gezegd was, was zijn woede groot. 'Dus zo zit dat, hè?' brulde hij. 'Zo letten wij in Les Salants op onze eigen zaakjes. En míjn jongens dan? En hoe zit dat met mijn vader, die nog in de oorlog heeft meegevochten? Laten jullie ons zomaar in de steek? En waarvoor? Geld? Voor vuile Houssin-winst?'

Een jaar geleden had dit argument meer kracht gehad. Maar nu hadden we aan dat geld geroken. We wisten beter. Niemand zei iets; sommigen liepen rood aan. Het raakte slechts weinigen. Wat was één gezin als er een heel dorp op het spel stond? Beter de veerhaven van Brismand dan niets.

Mijn vader werd begraven terwijl ik in Les Immortelles lag. Een lijk blijft 's zomers niet lang goed, en eilanders hebben weinig op met vastelandrituelen als opbaren en balsemen. We hadden toch een priester? Père Alban vervulde zijn plichten op La Bouche, zoals altijd, met zijn soutane en vislaarzen aan.

De grafzerk is een brok grijsroze graniet van Pointe Griznoz. Ze hebben het er met de oplegger van de tractor heen gesleept. Later, wanneer het zand gepakt heeft, zal ik er een inscriptie op laten aanbrengen – misschien doet Aristide het wel, als ik het hem vraag.

'Waarom heeft hij het gedaan?' Mijn woede was sinds de avond op de *Marie Joseph* nog niet geweken. 'Waarom is hij er die dag met de *Eleanore 2* op uit gegaan?'

'Wie zal het zeggen?' zei Matthias, terwijl hij een Gitane opstak. 'Het enige wat ik weet is dat we een paar verdomd rare spullen in de boot aantroffen toen we hem tenslotte...'

'Niet nu, dat kind is nog ziek, idioot!' onderbrak Capucine hem, de sigaret met een handige kneep van haar vingers onderscheppend.

'Wat voor dingen?' wilde ik weten, terwijl ik rechtop ging zitten.

'Touwen. Klimijzers. En een halve doos dynamiet.'

'Hè?'

De oude man haalde zijn schouders op en slaakte een zucht. 'Ik denk dat we wel nooit zullen weten wat hij van plan was. Ik wou alleen dat hij er niet de *Eleanore* voor genomen had.'

De *Eleanore*. Ik probeerde me voor de geest te halen wat de nonnen die avond van de storm tegen me gezegd hadden. 'Ze was iemand die ze kenden,' zei ik. 'Iemand die zowel hij als P'titJean graag mocht. Die Eleanore.'

Matthias schudde afkeurend zijn hoofd. 'Je moet die eksters niet altijd geloven. Ze zeggen maar wat.' Hij keek even naar mijn gezicht en ik dacht dat hij kort bloosde. 'Nonnen, ha! Dat zijn de ergste roddelaars die er zijn. Dat is trouwens allemaal al zo lang geleden gebeurd. Hoe kan dat iets te maken hebben met de manier waarop GrosJean is gestorven?'

Misschien niet met de manier waarop, maar wel met de reden waarom. Ik bleef er maar over nadenken, over het verband met de zelfmoord van zijn broer dertig jaar geleden, zijn zelfmoord in de *Eleanore*. Had mijn vader hetzelfde gedaan? Maar waarom had hij dynamiet bij zich gehad?

Ik piekerde zo lang over deze kwestie dat Capucine constateerde dat het mijn herstel in de weg stond. Ze moet het er met père Alban over gehad hebben, want de dorre, oude priester kwam me twee dagen later bezoeken, even treurig kijkend als altijd.

'Het is voorbij, Mado,' zei hij. 'Je vader heeft rust gevonden. Je zou die rust niet moeten verstoren.'

Ik voelde me inmiddels al veel beter, hoewel ik nog steeds

erg moe was. Ik zat rechtop, kussens in mijn rug, en ik zag achter hem de strakblauwe augustuslucht. Het zou een mooie dag worden om te vissen. 'Père Alban, wie was Eleanore? Hebt u haar gekend?'

Hij aarzelde. 'Ik heb haar gekend, maar ik kan er met jou niet over praten.'

'Zat ze in Les Immortelles? Was het een van de nonnen?'

'Geloof me, Mado, we kunnen haar maar het beste vergeten.'

'Maar als hij een boot naar haar heeft genoemd...' Ik probeerde uit te leggen hoe belangrijk dat voor mijn vader was geweest; dat hij dat nooit meer gedaan had, zelfs niet voor mijn moeder. Het was vast geen toeval dat hij juist die boot had gekozen. En wat konden de spullen die Matthias erin had gevonden, betekenen?

Maar père Alban was zelfs nog minder mededeelzaam dan anders. 'Het heeft niets te betekenen,' herhaalde hij, voor de derde keer. 'Laat GrosJean in vrede rusten.'

62

Ik was op dat moment al ruim een week in Les Immor-telles. Hilaire beval nog een week rust aan, maar ik begon ongeduldig te worden. De lucht die ik door het hoge raam zag, vormde een uitdaging; vergulde stofjes dwarrelden in het licht neer op mijn bed. De maand liep bijna ten einde; over een paar dagen zou het volle maan zijn en zou het weer tijd zijn voor het feest van Sainte-Marine op de Pointe. Het voelde alsof al die vertrouwde dingen voor de laatste keer plaatsvonden; elke seconde was een laatste afscheid dat ik niet wilde missen. Ik bereidde me voor om naar huis te gaan.

Capucine protesteerde, maar ik schoof haar argumenten zonder meer terzijde. Ik was al te lang weg. Ooit moest ik weer naar Les Salants toe. Ik had mijn vaders graf nog niet eens gezien.

Toen ze op zoveel beslistheid stuitte, gaf La Puce toe. 'Blijf nog een poosje in mijn caravan,' stelde ze voor. 'Ik wil niet dat je alleen in dat lege huis bent.'

'Het geeft niet,' verzekerde ik haar. 'Ik ga er niet naar te-rug. Maar ik moet een poosje alleen zijn.'

Ik ging die dag niet terug naar het huis van GrosJean. Ik ontdekte tot mijn verbazing dat ik er niet nieuwsgierig naar was, en ook niet binnen wilde kijken. Ik ging naar de dui-nen boven La Goulue om uit te kijken over wat er nog rest-te van mijn wereld.

De meeste zomergasten waren weg. De zee was zijdeachtig; de lucht was felblauw, als in een kindertekening. Les Salants lag stil en uitgeblust onder de late augustuszon, zoals het al zovele jaren deed. De bloembakken voor het raam en de tuinen, die de laatste tijd verwaarloosd waren, waren verdord en doodgegaan; in de groei gestuite vijgenbomen gaven kleine, karige vruchten; honden slenterden om huizen waarvan de luiken gesloten waren; de hazenstaartjes werden wit en bros. Ook de mensen waren weer als vanouds. Omer zat nu uren bij Angélo kaart te spelen en de ene kop *devinnoise* na de andere te drinken. Charlotte Prossage, die door de komst van de zomerkinderen zo ontdooid was, verborg haar gezicht weer onder saaie bruine sjaals. Damien was nors en lichtgeraakt. Nog geen vierentwintig uur na mijn thuiskomst kon ik al vaststellen dat de Brismands Les Salants niet alleen kapot hadden gemaakt, maar er niets van over hadden gelaten.

Maar weinig mensen spraken met me; het was voldoende dat ze met hun geschenken en kaarten hun bezorgdheid hadden laten zien. Nu ik weer beter was, voelde ik bij hen een soort sloomheid, een terugkeer naar de oude gewoonten. Een begroeting werd weer afgedaan met een knikje, gesprekken werden niet gaande gehouden. Eerst dacht ik dat ze misschien wrok tegen me koesterden; mijn zus was tenslotte met een Brismand getrouwd. Maar na een poos begon ik het te begrijpen. Ik zag het aan de manier waarop ze naar de zee keken, één oog voortdurend gericht op dat drijvende ding in de baai, onze Bouch'ou, ons eigen zwaard van Damocles. Ze wisten niet eens dat ze het deden. Maar ze hielden het in de gaten, zelfs de kinderen, bleker en stiller dan ze de hele zomer geweest waren. Het was des te kostbaarder, hielden we onszelf voor, omdat er offers voor waren gebracht. Hoe groter het offer, hoe kostbaarder het werd. We hadden er ooit van gehouden, maar nu haatten we het; toch wilden we het niet kwijt. Omers lening had Toinettes eigendom in gevaar gebracht, ook al was het niet aan hem geweest om het in te zetten. Aristide had een veel te zware hypotheek op zijn huis genomen. Alain raakte zijn zoon kwijt, misschien beide zoons, nu de zaken slechter gingen lopen; de Prossages waren hun dochter kwijt. Xavier en Mercédès dachten erover Le Devin voorgoed te verlaten, te gaan wonen in een plaats als Pornic of Fromentine, waar het kind zonder schandaal geboren zou kunnen worden.

Aristide was kapot toen hij het hoorde, maar hij was veel te trots om dat te zeggen. Pornic is niet ver, zei hij telkens tegen iedereen die het horen wilde. Tweemaal per week een tocht met de veerboot van drie uur. Dat was toch niet ver?

Er gingen nog steeds geruchten over GrosJeans dood. Ik hoorde ze uit de tweede hand bij Capucine – het dorpsprotocol vereiste dat ik in deze periode met rust gelaten werd – maar er werd druk gespeculeerd. Velen geloofden dat hij zelfmoord had gepleegd.

Er was enige aanleiding om dat te geloven. GrosJean was altijd instabiel geweest; misschien was het besef dat Brismand hem erin had laten lopen net iets te veel voor hem geweest. En dan ook nog zo dicht bij de dag van P'titJeans dood en het feest van Sainte-Marine... De geschiedenis herhaalt zich, zeiden ze met gedempte stem. Alles keert terug.

Maar anderen waren niet zo gemakkelijk te overtuigen. De aanwezigheid van dynamiet in de *Eleanore 2* was niet aan de aandacht ontsnapt; Alain was ervan overtuigd dat GrosJean de golfbreker bij Les Immortelles had willen opblazen, toen hij de macht over de boot verloor en op de rotsen werd geworpen.

'Hij heeft zich opgeofferd,' herhaalde Alain tegen wie het maar horen wilde. 'Nog voordat wij het door hadden, wist hij al dat het de enige manier was om de overname van Brismand tegen te houden.'

Het was niet verder gezocht dan iedere andere verklaring. Een ongeluk, zelfmoord, een heldhaftige daad... De waarheid was dat niemand het wist; GrosJean had niemand iets over zijn plannen verteld en we konden alleen maar speculeren. Zowel dood als levend gaf mijn vader zijn geheimen niet prijs.

Ik ging de ochtend na mijn terugkeer naar La Goulue. Lolo zat met Damien langs de waterkant, beiden zwijgend en bewegingloos als rotsen. Ze leken op iets te wachten. Het begon net eb te worden; donkere komma's nat zand gaven dat aan. Damien had een nieuwe blauwe plek op zijn wang. Hij haalde zijn schouders op toen ik er iets over zei. 'Ik ben ergens over gevallen,' zei hij, geen moeite doend om het overtuigend te laten klinken.

Lolo keek me aan. 'Damien had gelijk,' zei hij somber. 'We hadden dit strand nooit gehad moeten hebben. Daardoor is het zo'n rotzooi geworden. We waren daarvóór beter af.' Hij zei het zonder wrok, maar met een zware vermoeidheid die ik nog verontrustender vond. 'We wisten het toen gewoon niet.'

Damien knikte. 'We hadden het wel gered. Als de zee te dichtbij was gekomen, hadden we verderop alles herbouwd.'

'Of we waren verhuisd.'

Ik knikte. Plotseling leek verhuizen niet meer zo'n vreselijk alternatief.

'Het is een plek als iedere andere, toch?'

'Tuurlijk. Er zijn andere plekken.'

Ik vroeg me af of Capucine wist wat er in haar kleinzoon omging. Damien, Xavier, Mercédès, Lolo... Als het zo doorging was er tegen volgend jaar geen jong gezicht meer over in Les Salants.

De beide jongens keken naar de Bouch'ou. Het was nu onzichtbaar, maar het zou over een uur of vijf zichtbaar zijn, wanneer het tij de oesterbedden blootlegde.

'En als ze het nou eens weghalen?' Lolo's stem klonk scherp.

Damien knikte. 'Dan krijgen ze hun zand terug. Wij hebben het niet nodig.'

'Neu. We hoeven helemaal geen zand uit La Houssinière.'

Ik bemerkte tot mijn grote schrik dat ik het half-en-half met hen eens was.

Toch merkte ik na mijn terugkeer dat de Salannais meer tijd aan het strand besteedden dan ooit. Niet met zwemmen of zonnebaden – alleen toeristen doen dat – en ook niet met gezellige gesprekken, zoals we die zomer zo vaak hadden gehad. Deze keer waren er geen barbecues, vreugdevuren of drinkfestijnen bij La Goulue. Nee, we slopen er stiekem heen, vroeg in de ochtend of wanneer het tij keerde, en we lieten het zand door onze steelse vingers glijden en meden elkaars blik.

Het zand fascineerde ons. We zagen het nu met andere ogen: niet meer als goudstof, maar als eeuwenoude resten van botten, schelpen, microscopisch kleine stukjes fossiel, verpulverd glas, afgesleten steen, stukjes niet te bevatten tijd. Op het zand waren mensen geweest: minnaars, kinderen, verraders, helden. Er hadden dakpannen gelegen van reeds lang gesloopte huizen. Er waren krijgers op geweest en vissers, nazivliegtuigen, kapot aardewerk en vernietigde godenbeelden. Het had opstanden gekend en nederlagen. Alles was er geweest, en toch was er niets veranderd.

We zagen dat nu: hoe zinloos dit alles was, onze strijd tegen het tij, tegen de Houssins. We zagen hoe het worden zou.

63

<small>Twee dagen voor het feest van Sainte-Marine</small> besloot
ik eindelijk mijn vaders graf te bezoeken. Mijn afwezigheid
op de begrafenis was onvermijdelijk geweest, maar ik was nu
terug en het werd van me verwacht.

De Houssins hebben hun eigen keurige kerkhof met gras,
met een kracht die alle graven verzorgt. Op La Bouche doen
we al het werk zelf. Dat moeten we wel. Vergeleken bij die
van hen lijken onze grafzerken heidens, monolitisch. Maar
we zorgen er goed voor. Een heel oud graf is dat van een jong
stel, met de eenvoudige tekst: 'Guénolé-Bastonnet, 1861-
1887'. Iemand zet er nog steeds bloemen neer, hoewel niemand meer oud genoeg kan zijn om zich te herinneren wie
er liggen.

Ze hadden mijn vader naast P'titJean gelegd. Hun stenen
zijn bijna gelijk van omvang en kleur, hoewel aan die van
P'titJean te zien is dat hij ouder is, begroeid als hij is met
korstmos. Toen ik dichterbij kwam, zag ik dat er schoon
grind om de twee graven geharkt was, en dat iemand de aarde had klaargemaakt voor beplanting.

Ik had een paar lavendelstekken meegenomen die ik om
de steen heen wilde planten, en een troffel om mee te graven. Père Alban leek hetzelfde te hebben gedaan; zijn handen zaten onder de aarde en er stonden bij beide stenen vers-
geplante rode geraniums.

De oude priester keek verschrikt toen hij me zag, alsof hij betrapt was. Hij wreef een paar maal zijn vuile handen tegen elkaar. 'Ik ben blij dat je er zo goed uitziet,' zei hij. 'Ik zal je met je vader alleen laten.'

'Ga alstublieft niet weg.' Ik deed een stap naar voren. 'Père Alban, ik ben blij dat u hier bent. Ik wilde...'

'Sorry.' Hij schudde zijn hoofd. 'Ik weet wat je van me wilt. Je denkt dat ik iets over je vaders dood weet. Maar ik kan je niets vertellen. Laat het los.'

'Waarom?' vroeg ik. 'Ik wil het begrijpen! Mijn vader is om een bepaalde reden gestorven en ik denk dat u weet wat die reden is!'

Hij keek me streng aan. 'Je vader is omgekomen op zee, Mado. Hij is met de *Eleanore 2* uitgevaren en werd overboord geslagen. Net als zijn broer.'

'Maar u weet iets,' zei ik zacht. 'Toch?'

'Ik heb – vermoedens. Net als jij.'

'Wat voor vermoedens?'

Père Alban zuchtte. 'Laat het los, Madeleine. Ik kan je niets vertellen. Wat ik misschien weet, valt onder het biecht-geheim, en ik kan er niet met je over praten.' Maar ik meen-de iets in zijn stem te horen, een vreemde intonatie, alsof de woorden die hij sprak botsten met iets anders dat hij ook wil-de overbrengen.

'Maar kan iemand anders dat wel?' zei ik, terwijl ik zijn hand pakte. 'Is dat wat u bedoelt?'

'Ik kan je niet helpen, Madeleine.' Was het mijn verbeel-ding, of was er iets in de manier waarop hij zei: '*Ik* kan je niet helpen', een lichte beklemtoning van de eerste letter-greep? 'Ik moet nu terug,' zei de oude priester, terwijl hij voorzichtig mijn hand losmaakte uit de zijne. 'Ik moet nog een paar oude registers op orde brengen. Geboorte- en overlijdensregisters, je kent dat wel. Het is een klus die ik heel lang heb uitgesteld. Maar ik ben er verantwoordelijk voor. Dat knaagt aan me.' Daar had je het weer, die speciale intonatie.

'Registers?' herhaalde ik.

'Registers, ja. Ik had vroeger een administrateur. Daarna de nonnen. Nu heb ik niemand.'

'Ik zou kunnen helpen.' Ik verbeeldde het me niet. Hij probeerde me inderdaad iets te vertellen. 'Père Alban, zal ik u helpen?'

Hij glimlachte me bijzonder lief toe. 'Wat een vriendelijk aanbod, Madeleine. Dat zou een hele opluchting zijn.'

64

Eilanders wantrouwen papieren. Daarom laten we een priester onze geheimen bewaren, onze vreemde geboorten en gewelddadige sterfgevallen, en onze stambomen verzorgen. De informatie is natuurlijk openbaar, althans, in theorie. Er hangen echter schaduwen van de biechtstoel boven, begraven als ze is onder het stof. Er is hier nooit een computer geweest, en die zal er niet komen ook. Er zijn boeken, dichtbeschreven met roodbruine inkt, en champignonkleurige mappen met documenten erin die knisperen van ouderdom.

De handtekeningen die breeduit of kriebelig op die bladzijden staan, bevatten hele geschiedenissen: hier heeft een ongeletterde moeder een rozenblaadje bij de geboorteaangifte van haar kind geplakt, daar heeft de hand van een man gebeefd toen hij de dood van zijn vrouw moest optekenen. Huwelijken, doodgeboren kinderen, sterfgevallen. Hier twee broers, doodgeschoten door de Duitsers omdat ze zwartemarktgoederen van het vasteland hadden gesmokkeld, daar een heel gezin dat gestorven is aan de griep. Hier een bladzij waarop een meisje, ook een Prossage, een kind heeft gebaard – 'vader onbekend' – en op de tegenoverliggende bladzijde weer een meisje, een kind van veertien, dat gestorven is tijdens het baren van een misvormd kind dat niet in leven is gebleven.

De eindeloze variaties verveelden nooit; vreemd genoeg vond ik ze nogal opwekkend. Ondanks alles doorgaan met waar we mee bezig zijn, lijkt wonderlijk heldhaftig, als je bedenkt dat het uiteindelijk allemaal hierop uitloopt. De eilandnamen – Prossage, Bastonnet, Guénolé, Prasteau, Brismand – marcheerden als soldaten over de bladzijden. Ik vergat haast waarom ik hier was.

Père Alban liet me alleen. Misschien vertrouwde hij zichzelf niet. Even ging ik helemaal op in de geschiedenissen van Le Devin, totdat het licht begon af te nemen en ik me herinnerde waarvoor ik gekomen was. Het duurde nog een uur voordat ik de verwijzing vond waarnaar ik zocht.

Ik wist nog steeds niet precies waarnaar ik zocht, en ik verspilde tijd door mijn eigen stamboom te bekijken – mijn moeders handtekening deed de tranen in mijn ogen springen, toen ik hem toevallig boven aan een bladzij zag staan, met GrosJeans zorgvuldige, ongeletterde schrift ernaast. Daarna GrosJeans geboorte en die van zijn broer, op dezelfde bladzijde, zij het met vele jaren ertussen. GrosJeans dood en die van zijn broer – 'Op zee omgekomen'. De bladzijden, zo dichtbeschreven dat ze bijna onleesbaar waren, moest ik minutenlang bekijken. Ik begon me af te vragen of ik het misschien verkeerd begrepen had, en of er uiteindelijk toch niets voor mij in stond.

En toen zag ik het ineens. Een aantekening van een huwelijk tussen Claude Saint-Joseph Brismand en Eleanore Margaret Flynn, twee met paarse inkt geschreven handtekeningen – een kort 'Brismand', gevolgd door een uitbundig 'Eleanore', met een lus aan de 'l' die ik weet niet hoe lang doorging en zich als klimop met de namen erboven en eronder verstrengelde.

Eleanore. Ik zei het hardop, met een haperende stem.

Ik had haar gevonden.

'Ja hoor, *ma soeur.*'

'Ik wist dat ze het zou vinden als ze bleef zoeken.'

De twee zusters stonden in de deuropening, een stralende glimlach op hun gezicht. Bij het zwakke licht leken ze bijna weer jong; hun ogen glansden. 'Je doet ons een beetje aan haar denken, hè, *ma soeur*? Ze doet ons denken aan...'

'...Eleanore.'

Daarna was het niet moeilijk meer. Met Eleanore begon het en met de *Eleanore* eindigde het. We regen de feiten aaneen tot een verhaal, de nonnen en ik, in de registratiekamer van de kerk, in het invallende duister de oude papieren met kaarslicht verlichtend.

Ik had een deel van het verhaal al geraden. De zusters wisten de rest. Misschien had père Alban zich iets laten ontvallen wanneer ze hem hielpen met de registers.

Het is een eilandverhaal, naargeestiger dan menig ander, maar ja, we klemmen ons al zo lang vast aan deze rotsen dat we een zekere veerkracht hebben ontwikkeld, althans, sommigen van ons. Het begint met twee broers die dikke maatjes zijn – Jean-Marin en Jean-François Prasteau. En natuurlijk het meisje, een en al vuur en temperament. Er was ook hartstocht; je zag het aan de lussen in haar handtekening en aan de ruimte die hij in beslag nam, een soort rusteloze romantiek.

'Ze was niet van hier,' legde soeur Thérèse uit. 'Monsieur Brismand nam haar mee van een van zijn reizen naar het buitenland. Ze had geen ouders, geen vrienden en ze bezat geen geld. Ze was tien jaar jonger dan hij, nauwelijks meer dan een tiener...'

'...maar een echte schoonheid,' zei soeur Extase. 'Mooi en rusteloos, de explosieve combinatie...'

'Maar monsieur Brismand had het na de bruiloft zo druk met geld verdienen dat hij haar nauwelijks leek op te merken.'

Hij had kinderen gewild; dat willen alle eilanders. Maar zij had meer gewild. Ze vond geen vriendinnen onder de vrouwen van La Houssinière – ze was te jong en te anders naar hun smaak – en ze zat elke dag alleen in La Houssinière over zee uit te kijken en boeken te lezen.

'O, ze was gek op verhalen,' zei soeur Extase. 'Verhalen die ze las en vertelde...'

'...over ridders en jonkvrouwen...'

'...prinsen en draken.'

Daar hadden de broers haar voor het eerst gezien. Ze kwamen spullen voor de werf ophalen die ze samen met hun vader runden, en ze zat daar te wachten. Ze was nog geen drie maanden op Le Devin.

De impulsieve P'titJean was meteen tot over zijn oren verliefd geworden. Hij begon haar in La Houssinière op te zoeken. Hij zat naast haar op het strand en praatte met haar. GrosJean keek onaangedaan toe, eerst geamuseerd, daarna nieuwsgierig, een beetje jaloers en ten slotte hopeloos in haar ban.

'Ze wist wat ze deed,' zei soeur Thérèse. 'Het was eerst een spelletje – ze hield van spelletjes. P'titJean was nog maar een jongen; hij zou er wel overheen zijn gekomen. Maar GrosJean...'

Mijn vader, een stille man met hevige emoties, was anders. Ze voelde het: hij trok haar aan. Ze ontmoetten elkaar in het geheim, in de duinen of bij La Goulue. GrosJean leerde haar zeilen, zij vertelde hem verhalen. De boten die hij op de werf gebouwd had, weerspiegelden haar invloed, met hun fantasierijke namen uit boeken en gedichten die hij zelf nooit zou lezen.

Maar Brismand was inmiddels achterdochtig geworden. Dat kwam voornamelijk door P'titJean; zijn adoratie was in La Houssinière niet onopgemerkt gebleven en hoewel hij zo jong was, kwam hij in leeftijd veel meer overeen met Eleanore dan haar echtgenoot. Eleanore mocht niet meer alleen naar Les Salants; Claude zorgde ervoor dat er altijd een non uit Les Immortelles in de buurt was om over haar te waken. Bovendien was Eleanore nu zwanger, en Claude was dolblij.

De jongen werd een beetje te vroeg geboren. Ze noemde hem naar Claude – de eilandtraditie vereist dat – maar met typerende perversiteit voegde ze bij de registratie een andere, stiekeme naam toe, die iedereen zó kon lezen.

Niemand had het verband gelegd. Ook mijn vader niet – hij was gewoon niet bij machte dat ingewikkelde, lusserige handschrift te ontcijferen – en een paar maanden lang werd Eleanores rusteloosheid ingetoomd door de eisen die het kind aan haar stelde.

Maar Brismand was bezitteriger geworden nu hij een zoon had. Zoons zijn belangrijk op Le Devin, belangrijker dan op het vasteland, waar gezonde kinderen heel gewoon zijn. Ik stelde me voor hoe hij geweest was, hoe trots op zijn jongen. Ik stelde me voor hoe de broers hem hadden gadegeslagen, vol minachting, schuldgevoel, afgunst en verlangen. Ik had altijd aangenomen dat mijn vader Claude Brismand haatte vanwege iets dat Brismand hem had aangedaan. Nu begreep ik pas dat degenen die we het meest haten, degenen zijn die we zelf onrecht hebben aangedaan.

En hoe ging het verder met Eleanore? Een tijdlang probeerde ze zich echt aan haar kind te wijden. Maar ze was ongelukkig. Net als mijn moeder kon ze het leven op het eiland niet verdragen. De vrouwen bekeken haar met achterdocht en afgunst; de mannen durfden niet met haar te praten.

'Ze las maar in die boeken van haar,' zei soeur Thérèse, 'maar niets hielp. Ze werd mager, ze raakte haar glans kwijt. Ze was als van die wilde bloemen die je nooit moet plukken, omdat ze in een vaas slap gaan hangen en verwelken. Ze praatte wel eens met ons...'

'...maar we waren te oud voor haar, ook toen al. Ze had behoefte aan levendigheid.'

De zusters knikten, hun opmerkzame ogen glommen. 'Op een dag gaf ze ons een brief die we in Les Salants moesten bezorgen. Heel-heel nerveus was ze...'

'...maar ze lachte zich te barsten...'

'...en de volgende dag – pfft! – waren zij en haar baby verdwenen.'

'Niemand wist waarheen of waarom...'

'...maar we kunnen het wel raden, hè, *ma soeur*? We nemen de mensen wel niet de biecht af, maar...'

'...ze vertellen ons wel van alles.'

Wanneer had P'titJean de waarheid geraden? Kwam hij er toevallig achter, of vertelde ze het hem zelf? Of zag hij het, zoals ik dertig jaar later, in de aangifte van de geboorte in haar eigen uitbundige handschrift geschreven staan?

De zusters keken me verwachtingsvol aan, beiden met een glimlach op hun gezicht. Ik keek naar wat er in het register op het bureau voor me geschreven stond; de paarse inkt, de

naam die met dat lusserige, drukke handschrift was opge-
schreven...

Jean-Claude Désiré St-Jean François Brismand.
De jongen was de zoon van GrosJean.

65

I K WEET WAT SCHULDGEVOEL IS. IK KEN HET HEEL GOED. DAT
is mijn vader in mij, de bittere kern die ik van hem heb geërfd.
Het verlamt, het verstikt. Toen P'titJean en zijn boot bij La
Goulue waren aangespoeld, moet GrosJean zich zo gevoeld
hebben. Verlamd. Dichtgeklapt. Hij was altijd de stilste van
de twee geweest; nu leek hij nooit stil genoeg te kunnen zijn.
Toen P'titJean nog leefde moet hij hem al heel wat hartzeer
gegeven hebben, maar toen hij dood was, moet hij een obsta-
kel geworden zijn dat nooit meer weggenomen kon worden.

Tegen de tijd dat mijn vader op de gedachte kwam contact met Eleanore op te nemen, was ze al vertrokken; ze had
een aan hem geadresseerde brief voor hem achtergelaten die
hij opengemaakt in de zak van zijn broer had aangetroffen.

Ik vond hem toen ik mijn vaders oude huis nog éénmaal
doorzocht. Door die brief kon ik de laatste details invullen:
de dood van mijn vader, P'titJeans zelfmoord, Flynn.

Ik zal niet doen alsof ik het allemaal begreep. Mijn vader
liet geen andere uitleg achter. Ik weet niet waarom ik dat verwacht had: tijdens zijn leven gaf hij die ook nooit. Maar we
spraken er lang over, de nonnen en ik, en ik denk dat we aardig in de buurt kwamen.

Flynn was uiteraard de katalysator geweest. Zonder het te
weten had hij de hele machinerie in beweging gezet. De zoon
van mijn vader, de zoon die GrosJean nooit had kunnen

erkennen, omdat hij dan had moeten toegeven dat hij verantwoordelijk was voor de zelfmoord van zijn broer. Nu kon ik mijn vaders reactie begrijpen toen hij hoorde wie Flynn was. Alles keert terug; de cirkel was rond van het ene zwarte jaar tot het andere, van Eleanore tot de *Eleanore*; de bittere poëzie van dit einde moet de romanticus in hem aangesproken hebben.

Misschien had Alain gelijk gehad toen hij zei dat hij niet van plan was geweest te sterven, bedacht ik. Misschien was het een wanhoopsgebaar geweest, een verlangen naar verlossing, mijn vaders manier om iets goed te maken. De man die voor dat alles verantwoordelijk was, was per slot van rekening zijn zoon.

De zusters en ik legden alle papieren en registers terug op hun oorspronkelijke plaats. Ik was in stilte dankbaar voor hun aanwezigheid, voor het onophoudelijke gebabbel waarmee ze me afhielden van een onderzoek naar mijn eigen aandeel in het verhaal.

Het was al donker. Langzaam liep ik terug naar Les Salants; ik luisterde naar de krekels in de tamariskbosjes en keek naar de sterren. Van tijd tot tijd zag ik het zwakke schijnsel van een glimworm tussen mijn voeten. Het voelde alsof ik bloed gespuwd had. Mijn woede was gezakt. Mijn verdriet ook. Zelfs de afschuw voor wat ik had vernomen, leek ontzettend onwerkelijk, even ver weg als de verhalen die ik als kind gelezen had. Iets in mij was losgesneden en voor het eerst in mijn leven had ik het gevoel dat ik Le Devin misschien zou kunnen verlaten zonder dat vreselijke gevoel te hebben dat ik ronddreef, gewichtloos was, een stuk drijfhout op een vreemd tij. Ik wist eindelijk waar ik heen ging.

Het was stil in mijn vaders huis. Toch had ik het eigenaardige gevoel dat ik niet alleen was. Er hing iets in de lucht, als de geur van een uitgemaakte kaars, een onbekende resonantie. Ik was niet bang. Ik voelde me juist op een vreemde manier thuis, alsof mijn vader deze nacht gewoon was gaan vissen, alsof mijn moeder er nog steeds was, misschien in de slaapkamer, waar ze een van haar beduimelde romannetjes las.

Ik aarzelde even voor mijn vaders deur alvorens hem open te duwen. De kamer was nog zoals hij hem had achtergelaten, misschien een beetje netter dan anders; zijn kleren waren opgevouwen en zijn bed was opgemaakt. Toen ik GrosJeans oude *vareuse* aan een haakje achter de deur zag hangen, voelde ik even een steek van pijn, maar vanbinnen was ik kalm. Deze keer wist ik waar ik naar zocht.

Hij bewaarde zijn geheime papieren in een schoenendoos, zoals zulke mannen doen, bij elkaar gehouden door een stukje vislijn, achter in zijn klerenkast. Een kleine verzameling; toen ik met de doos schudde, voelde ik dat hij nog niet eens halfvol was. Een paar foto's – de bruiloft van mijn ouders, zij in het wit, hij in eilandkledij. Zijn gezicht onder de zwarte hoed met vlakke rand zag er nog pijnlijk jong uit. Een paar kiekjes van Adrienne en mij; een paar van P'titJean op diverse leeftijden. De meeste andere papieren waren tekeningen.

Hij tekende op slagerspapier, merendeels met houtskool en dik zwart potlood, en door het verstrijken van de tijd en het langs elkaar heen wrijven van de papieren waren de lijnen vervaagd, maar toch zag ik dat GrosJean ooit een uitzonderlijk talent had gehad. De gelaatstrekken waren weergegeven met een spaarzaamheid die sterk overeenkwam met zijn conversatie, maar elke lijn, elke vlek drukte iets uit. Hier had zijn duim een dikke schaduwlijn om de contour van een kaak gemaakt, daar staarden een paar ogen je met vreemde intensiteit aan vanuit een masker van houtskool.

Het waren allemaal portretten, allemaal van dezelfde vrouw. Ik kende haar naam; ik had de elegante lijnen van haar handschrift in het parochieregister gezien. Nu zag ik ook haar schoonheid; de arrogantie van haar jukbeenderen, haar opgeheven hoofd, de welving van haar mond.

Dat waren zijn liefdesbrieven, besefte ik, die tekeningen van haar. Mijn stille, ongeletterde vader had zich ooit op prachtige wijze kunnen uiten. Er viel een gedroogde bloem tussen twee vellen slagerspapier uit: een duinroosje, door de jaren geel gebleekt. Verder een lintje dat misschien ooit blauw of groen was geweest. En toen een brief.

Het was het enige geschreven document. Eén enkele bladzij, die op de vouwen stuk was gegaan doordat hij zo vaak open- en dichtgevouwen was. Ik herkende haar handschrift meteen, de lussen en de paarse inkt.

Mijn lieve Jean-François,

Misschien is het maar goed dat je zo lang bij me bent weggebleven. Ik nam het je eerst kwalijk, en ik was boos, maar nu begrijp ik dat het was om me tijd te geven om na te denken.

Ik weet dat ik hier niet thuishoor. Ik ben uit ander hout gesneden. Een tijdlang heb ik gedacht dat we elkaar misschien zouden kunnen veranderen, maar het was te moeilijk voor ons beiden.

Ik heb besloten met de veerboot van morgen te vertrekken. Claude zal me niet tegenhouden, hij is voor zaken een paar dagen naar Fromentine. Ik wacht tot 12.00 uur op je bij de steiger.

Ik neem het je niet kwalijk als je niet met me meegaat. Jij hoort hier en het zou verkeerd zijn als ik je dwong weg te gaan. Maar toch hoop ik dat je me niet zult vergeten. Misschien komt onze zoon op een dag terug, ook al kom ik nooit weer.

Alles keert terug,
Eleanore

Ik vouwde de brief weer zorgvuldig op en legde hem in de schoenendoos. Daar had je hem, dacht ik. De laatste bevestiging, zo die nodig was. Hoe hij in P'titJeans bezit was gekomen weet ik niet, maar voor de ontvankelijke en gevoelige jongeman die hij was, moet de schok van zijn broers verraad heel groot zijn geweest. Was het zelfmoord geweest, of een dramatisch gebaar dat verkeerd uitpakte? Niemand wist het zeker, behalve misschien père Alban.

GrosJean zou naar hem zijn gegaan, dat wist ik. Als Houssin en priester was hij de enige die ver genoeg van de hele affaire af stond om hem de brief van Eleanore te laten ontcijferen. Het was voor de oude priester zoveel als een biecht geweest, en hij had het geheim goed bewaard.

GrosJean had het aan niemand anders verteld. Na het vertrek van Eleanore was hij steeds stiller geworden en zat hij uren bij Les Immortelles over zee uit te kijken, waarbij hij steeds meer in zichzelf gekeerd raakte. Even had het misschien geleken alsof het huwelijk met mijn moeder hem wat meer uit zichzelf zou halen, maar de verandering was van korte duur geweest. Uit ander hout gesneden, had Eleanore gezegd. Een andere wereld.

Ik deed de deksel weer op de schoenendoos en liep ermee de tuin in. Toen ik de deur achter me dichttrok, wist ik ineens heel zeker dat ik nooit meer een voet in GrosJeans huis zou zetten.

'Mado.' Hij stond te wachten bij de ingang van de werf, bijna onzichtbaar in zijn zwarte spijkerbroek en trui. 'Ik dacht wel dat je zou komen, als ik maar lang genoeg wachtte.'

Mijn handen klemden zich vaster om de schoenendoos. 'Wat wil je?'

'Ik wil je condoleren met de dood van je vader.' Er viel geen licht op zijn gezicht; de schaduw omhulde ook zijn ogen. Ik voelde vanbinnen iets verstrakken.

'Mijn vader?' zei ik hard.

Ik zag hem ineenkrimpen toen hij de klank van mijn stem hoorde. 'Alsjeblieft, Mado.'

'Blijf uit mijn buurt.' Flynn had zijn hand uitgestoken om mijn arm even aan te raken. Hoewel ik een jasje aan had, was het net of ik zijn hand door de zware stof heen voelde branden. Tot mijn afgrijzen merkte ik hoe het verlangen zich als een slang onder in mijn buik ontrolde. 'Raak me niet aan!' riep ik, terwijl ik naar hem sloeg. 'Wat wil je? Waarom ben je teruggekomen?'

Mijn klap had hem in het gezicht getroffen. Hij bracht zijn hand naar zijn mond en keek me kalm aan. 'Ik weet dat je boos bent,' zei hij.

'Bóós?'

Ik ben niet zo'n prater, maar deze keer kreeg mijn woede stem. Een heel orkest van stemmen. Niets sloeg ik over: Les

Salants, Les Immortelles, Brismand, Eleanore, mijn vader, hem. Buiten adem hield ik op en ik stopte hem de schoenendoos toe. Hij maakte geen aanstalten om hem aan te pakken. De doos viel op de grond en de trieste papieren overblijfselen van mijn vaders bestaan dwarrelden op de grond. Ik knielde op de grond om ze op te rapen. Mijn handen trilden.

Zijn stem was uitdrukkingloos. 'GrosJeans zoon? Zijn zóón?'

'Heeft Eleanore het je niet verteld? Was dat niet de reden waarom je het zo graag binnen de familie wilde houden?'

'Ik wist van niets.' Hij kneep zijn ogen tot spleetjes; ik voelde dat hij snel nadacht. 'Het maakt niet uit,' zei hij ten slotte. 'Er verandert niets door.' Hij leek meer tegen zichzelf dan tegen mij te praten. Hij keerde zich met een snelle beweging weer naar me toe. 'Mado,' zei hij dringend, 'er is niets veranderd.'

'Hoe bedoel je?' Ik wilde hem bijna weer slaan. 'Natuurlijk is er iets veranderd. Alles is veranderd. Je bent mijn bróér!' Ik voelde dat mijn ogen begonnen te branden, mijn keel voelde rauw en bitter. 'Mijn broer,' zei ik weer, mijn vuisten nog steeds vol met GrosJeans papieren, en ik begon hard te lachen, wat eindigde in een lange, pijnlijke hoestbui.

Het was stil. Toen begon Flynn in het donker zachtjes te lachen.

'Wat nu weer?'

Hij lachte nog steeds. Het had niet onaangenaam moeten klinken, maar dat deed het wel. 'O, Mado,' zei hij eindelijk. 'Het ging zo gemakkelijk. Het had zo mooi kunnen zijn. De slimste truc die iemand ooit had uitgehaald. Alle ingrediënten waren er: een oude man met geld en een strand en een wanhopige behoefte iemand te vinden die alles kon erven.'

Hij schudde zijn hoofd. 'Het lag voor het grijpen. Het kostte alleen maar een beetje tijd. Meer tijd dan ik had verwacht, maar toch: ik hoefde de gebeurtenissen alleen maar op hun beloop te laten. Een jaar in een gat als Les Salants doorbrengen was niet zo'n hoge prijs.' Hij schonk me een gevaarlijke zon-op-het-waterlach. 'En toen,' zei hij, 'kwam jij.'

'Ik?'

'Jij met je mooie ideeën. Je eilandnamen. Je onmogelijke plannen. Koppig, naïef, en uiterst onkreukbaar.' Hij raakte even mijn nek aan; ik voelde de statische elektriciteit overspringen.

Ik duwde hem weg. 'Straks ga je nog zeggen dat je het voor mij hebt gedaan.'

Hij grijnsde. 'Voor wie dacht je dan dat ik het deed?' Ik voelde zijn adem nog op mijn voorhoofd. Ik sloot mijn ogen, maar zijn gezicht leek op mijn netvlies te staan. 'O, Mado, als je eens wist hoe ik mijn best heb gedaan om je bij me weg te houden. Maar je bent net als dit eiland: langzaam, stilletjes, krijgt het je te pakken. En voor je het weet, ben je erbij betrokken.'

Ik deed mijn ogen open. 'Het kan niet,' zei ik.

'Te laat.' Hij zuchtte. 'Het zou fantastisch geweest zijn om Jean-Claude Brismand te zijn,' zei hij spijtig. 'Om geld te hebben, land, te doen waar ik maar zin in had.'

'Dat kun je nog steeds,' zei ik tegen hem. 'Brismand hoeft het niet te weten.'

'Maar ik ben Jean-Claude niet.'

'Hoe bedoel je? Het staat hier, op de geboorteakte.'

Flynn schudde zijn hoofd. Zijn ogen waren ondoorgrondelijk, bijna zwart. Er dansten vuurvliegjes in. 'Mado,' zei hij, 'die knul op de geboorteakte is iemand anders.'

66

Toen hij mij zijn verhaal vertelde, kwam het me griezelig bekend voor, een klassiek eilandverhaal, en of ik wilde of niet, ik luisterde steeds geboeider. Dit was dus zijn geheim, de plek waar ik nooit welkom was, eindelijk wijd opengegooid. Een verhaal over twee broers.

Ze waren vijftienhonderd kilometer bij elkaar vandaan en twee jaar na elkaar geboren. Hoewel ze maar halfbroers waren, hadden ze allebei veel weg van hun moeder en leken ze sprekend op elkaar, hoewel ze in ieder ander opzicht heel verschillend waren. Hun moeder had waar het mannen betrof een slechte smaak en veranderde vaak van mening. Dientengevolge hadden John en Richard veel vaders gehad.

Maar de vader van John was een rijk man. Hoewel hij in het buitenland woonde, bleef hij de jongen en zijn moeder financieel ondersteunen en hield hij contact, hoewel hij nooit in eigen persoon kwam. Dat had tot gevolg dat de twee broers hem als een schimmige weldoener gingen zien, iemand tot wie je je kunt wenden in tijden van nood.

'Maar dat was een lachertje,' zei Flynn. 'Daar kwam ik tot mijn verdriet achter toen ik naar de middelbare school ging.' John was twee jaar daarvoor naar een *grammar school* gestuurd, waar hij Latijn leerde en in het eerste cricketteam zat, maar Richard ging naar de plaatselijke *comprehensive school*, een vreselijk oord waar verschillen, maar vooral intelligentie, genadeloos werden blootgelegd en afgestraft met ingenieuze en wrede pesterijen.

'Onze moeder vertelde hem nooit van mijn bestaan. Ze was bang dat als ze hem over haar andere mannen vertelde, hij zijn toelagen zou stopzetten.' Daardoor was Richards naam nooit gevallen, en Eleanore deed haar uiterste best Brismand de indruk te geven dat zij en John alleen woonden.

Flynn ging verder: 'Wanneer er geld was, was dat altijd voor haar troetelkindje. Schoolreisjes, schooluniform, sportuitrusting. Niemand zei waarom. John had een spaarrekening bij het postkantoor. John had een fiets. Ik bezat alleen maar de spullen die John niet meer wilde hebben, of kapot had gemaakt, of waarvan hij niet snapte hoe ze gebruikt moesten worden. Niemand kwam ooit op de gedachte dat ik wel eens iets voor mezelf zou willen hebben.'

Ik dacht even aan mezelf en Adrienne. Bijna onbewust knikte ik.

Na de middelbare school ging John naar de universiteit. Brismand wilde zijn studie wel betalen, mits hij een vak koos dat nuttig zou zijn voor het bedrijf; maar John had geen vaardigheden op het gebied van techniek of management en hij vond het vervelend als iemand hem zei wat hij moest doen. In feite vond John het vervelend om überhaupt te moeten werken, doordat hij al zo lang verwend was, en in het tweede jaar gaf hij zijn studie op. Hij leefde van zijn spaargeld en ging om met een groep vrienden die een slechte reputatie en constant geldgebrek hadden.

Eleanore hield hem zo lang mogelijk de hand boven het hoofd, maar ze kon nu geen invloed meer op hem uitoefenen. Hij kwam op een gemakkelijke manier aan zijn geld: hij verkocht gestolen autoradio's en gesmokkelde sigaretten.

Na een paar drankjes schepte hij altijd op over zijn rijke vader.

'Het was altijd hetzelfde. Op een dag zou hij een baan krijgen, zou die ouwe hem uit de nesten helpen, niks aan de hand, er was genoeg tijd. Ik denk dat hij stiekem hoopte dat Brismand dood zou gaan voordat hij een besluit zou moeten nemen. John is nooit zo'n doorzetter geweest, en het idee naar Frankrijk te moeten verhuizen, de taal te moeten leren, zijn maats en zijn gemakkelijke leventje op te moeten geven...' Flynn lachte smalend. 'Maar ik had lang genoeg op scheepswerven en bouwterreinen gewerkt, en de rol van Jean-Claude was nog vrij. Ons troetelkind leek geen haast te hebben.'

Het had de volmaakte kans geleken. Flynn had voldoende goed gedocumenteerd en anekdotisch bewijs om voor zijn broer door te kunnen gaan, en vertoonde ook meer dan genoeg gelijkenis met John. Hij gaf zijn baan bij een aannemer op en gebruikte zijn spaarcenten om de reis naar Le Devin te betalen.

Eerst was hij gewoon van plan geweest om tevreden te zijn met het geld dat hij van Brismand los kon krijgen en daarna te verdwijnen. 'Een Gold Card zou een aardig begin zijn geweest, of misschien een paar fondsen. Dat komt meer voor bij vader en zoon. Maar eilanders zijn anders.'

Hij had gelijk; eilanders stellen geen vertrouwen in fondsen alleen. Brismand wilde meer inzet. Hij wilde hulp. Eerst met Les Immortelles, daarna met La Goulue. Dan Les Salants. 'Les Salants was het struikelblok,' zei Flynn met een beetje spijt in zijn stem. 'Ik zou binnen geweest zijn. Eerst het strand, dan het dorp, daarna het hele eiland. Ik had het allemaal kunnen hebben. Brismand wilde met pensioen gaan. Hij zou me het bedrijf voor het grootste deel hebben laten runnen. Ik zou volledige toegang tot al het geld hebben gehad.'

'Maar nu niet meer.'

Hij grijnsde en raakte met zijn vingertoppen mijn wang aan.

'Nee, Mado, nu niet meer.'

In de verte hoorde ik het sissende geluid van het opkomende water bij La Goulue. Iets verder weg het gekrijs van meeuwen omdat iemand een nest bedreigde. Maar de geluiden waren ver weg, overstemd door het luide kloppen van mijn bloed. Ik deed mijn best om Flynns verhaal te begrijpen, maar het ontglipte me al. Mijn slapen klopten; er leek iets in mijn keel te zitten dat me het ademen bemoeilijkte. Het leek wel alsof al het andere door één enkele, reusachtige realiteit overschaduwd werd.

Flynn was niet mijn broer.

'Wat was dat?' Ik maakte me los zonder eigenlijk goed te weten dat ik het gehoord had. Een waarschuwend geluid, een diepe, resonerende klank, net hoorbaar boven het geluid van de zee.

Flynn wierp me een snelle blik toe. 'Wat nu weer?'

'Sst!' Ik legde mijn vinger op mijn mond. 'Hoor!'

Daar was het weer, een doffe klank in de roerloze avondlucht; het geklep van een verdronken klok dat bonsde tegen onze trommelvliezen.

'Ik hoor niks.' Ongeduldig maakte hij aanstalten om zijn arm om mijn schouders te leggen. Ik stond op en duwde hem van me af, deze keer met meer kracht.

'Kun je niet horen wat dat is? Herken je het niet?'

'Het kan me niet schelen.'

'Flynn, het is La Marinette.'

67

HET EINDIGDE ZOALS HET BEGON, MET DE KLOK, NIET DE BE-
ruchte marinette, zoals later bleek, maar de kerkklok van La
Houssinière, die de tweede keer die maand alarm sloeg, met
een stem die zijn boodschap helder over de moerassen droeg.
's Nachts heeft een klok een andere klank dan overdag; het
gelui had nu iets onheilspellends en dringends. Ik reageerde
erop met instinctieve haast. Flynn wilde me tegenhouden,
maar ik was niet in de stemming om me te laten weerhou-
den. Ik voelde dat er een ramp in de lucht hing die wellicht
groter was dan het verloren gaan van de *Eleanore 2*, en ik rende het duin af in de richting van Les Salants, voordat Flynn
door had waar ik heen ging.

Het dorp was natuurlijk de enige plek waar hij me niet
kon volgen; hij bleef op de top van het duin staan en liet me
gaan. Angélo was open. Een groep gasten stond buiten,
opgeschrikt door het gelui van de klok. Ik zag Omer, en
Capucine, en de Bastonnets. 'Dasut alarm,' zei Omer met
dubbele tong. Hij had al zoveel *devinnoise* op dat hij aan-
zienlijk trager was geworden. 'Dasut alarm van de Houssins.'

Aristide schudde zijn hoofd. 'Dan gaat het ons niets aan,
toch? Laat de Houssins maar eens een crisis hebben. Het eiland zal wel niet in de zee zakken, denk ik zo.'

'Toch moet iemand uitzoeken wat er aan de hand is,'
merkte Angélo verontrust op.

'Iemand moetunaatoe fiessen,' lispelde Omer.

Een aantal mensen was het daarmee eens, maar niemand meldde zich. Er werd een aantal wensen geuit met betrekking tot de aard van de ramp, variërend van nieuwe kwallenwaarschuwingen voor Les Immortelles tot weggevaagd worden door een cycloon. Deze mogelijkheid had de voorkeur van de overgrote meerderheid der aanwezigen, en Angélo stelde voor nog een rondje in te schenken.

Op dat moment kwam Hilaire de bocht om van de Rue de l'Océan, met zijn armen zwaaiend en schreeuwend. Dat was op zich al bijzonder: de dierenarts was al wars van ieder vertoon zonder zijn eigenaardige kledij; in zijn haast scheen hij zijn *vareuse* over zijn pyjama te hebben aangetrokken en zijn blote voeten staken in een paar vale espadrilles. Voor Hilaire, die meestal zeer correct gekleed was, zelfs bij heel warm weer, was dat meer dan ongewoon. Hij riep iets over een radio.

Angélo had een drankje voor hem klaargezet en het eerste dat Hilaire deed, was het snel en met grimmige voldoening achteroverslaan. 'We kunnen er allemaal wel een gebruiken,' zei hij, 'als het waar is wat ik zojuist gehoord heb.'

Hij had naar de radio zitten luisteren. Hij luisterde graag naar de internationale nieuwsprogramma's om tien uur voordat hij naar bed ging, hoewel eilanders zelden het nieuws volgen. De kranten op Le Devin komen meestal te laat aan en alleen burgemeester Pinoz beweert belangstelling te hebben voor politiek of de actualiteit – iets dat je van een man in zijn positie ook mag verwachten.

'Nou, deze keer hoorde ik iets,' zei Hilaire, 'dat echt niet zo best is!'

Aristide knikte. 'Verbaast me niks,' zei hij, 'ik zei toch al

459

dat het een zwart jaar was. Het zat er dik in.'

'Een zwart jaar! Ha!' bromde Hilaire en hij stak zijn hand uit naar het volgende glaasje. 'Zo te horen wordt het nog een heel stuk zwarter!'

Je hebt er vast wel iets over gelezen. Een beschadigde olietanker voor de kust van Bretagne, die honderden liters olie per minuut lekte. Het is het soort gebeurtenis dat het publiek een paar dagen, misschien een week, bezighoudt. De televisiezenders laten beelden van dode zeevogels zien, verontwaardigde studenten protesteren tegen vervuiling en een paar vrijwilligers uit de stad scherpen hun sociale geweten door een of twee stranden schoon te maken. Het toerisme lijdt er een poosje onder, hoewel de autoriteiten meestal maatregelen nemen om de meer winstgevende gebieden schoon te maken. De visserij lijdt er natuurlijk langer onder.

Oesters zijn gevoelig: het minste spoortje vervuiling kan al het einde betekenen. Voor krabben en kreeften geldt hetzelfde; met poon is het zelfs nog erger. Aristide weet nog dat de ponen in 1945 opgeblazen buiken hadden van de olie; we herinneren ons allemaal nog wel de olievlekken uit de jaren zeventig van de vorige eeuw, veel, veel verder weg dan deze ramp, en toen moesten we al de grote klonters zwarte teer van de rotsen bij Pointe Griznoz schrapen.

Toen Hilaire klaar was met zijn verhaal, waren er al andere mensen binnengekomen met tegenstrijdige of bevestigende informatie, en waren we in een toestand die grensde aan paniek. Het schip was nog geen zeventig kilometer ver weg – nee, nog geen vijftig – en vervoerde ruwe dieselolie, het ergste wat je kunt hebben. De olievlek was al kilometers lang en totaal onbeheersbaar. Een paar van ons gingen naar

La Houssinière om Pinoz op te zoeken, die misschien meer informatie had. Velen bleven achter om te kijken of ze meer van de televisiezenders te weten konden komen, of trokken een oude kaart uit hun zak om te speculeren over de route die de vlek zou kunnen afleggen.

'Als hij hier is,' zei Hilaire somber, terwijl hij op een plek op Aristides kaart wees, 'dan móét hij ons wel aandoen. Dit is de Golfstroom.'

'Je kunt niet weten of de vlek al in de Golfstroom terecht is gekomen,' zei Angélo. 'Misschien krijgen ze hem te pakken voordat dat gebeurt. Of misschien trekt hij om het eiland heen, voor Noirmoutier langs, en misschien komt hij hier helemaal niet.'

Aristide was niet overtuigd. 'Als de olie bij Nid'Poule komt,' begon hij, 'zou hij daar meteen naar de bodem kunnen zinken en ons een halve eeuw lang vergiftigen.'

'Ach, dat doe jij nu al bijna twee keer zo lang,' merkte Matthias Guénolé op, 'en dat hebben we ook overleefd.'

Hier werd zenuwachtig om gelachen. Angélo serveerde nog een rondje *devinnoise*. Toen riep iemand binnen om stilte en we voegden ons bij het groepje dat om de televisie heen stond. 'Stil allemaal! Hier komt het!'

Er zijn nieuwsberichten die alleen maar in stilte aangehoord kunnen worden. We luisterden als kinderen, met steeds groter wordende ogen, terwijl het scherm de boodschap bracht. Zelfs Aristide zweeg. We waren verbijsterd, gebiologeerd door het scherm en het rode kruisje dat de plaats van de ramp aangaf. 'Hoe dichtbij is het?' vroeg Charlotte angstig.

'Dichtbij,' zei Omer zacht, met een heel wit gezicht.

'Dat stomme vastelandnieuws ook,' ontplofte Aristide.

'Kunnen ze niet een behoorlijke kaart gebruiken? Door die stomme overzichtskaart lijkt het wel twintig kilometer hiervandaan! Waar zijn de detaíls?'

'Wat gebeurt er als het hier komt?' fluisterde Charlotte.

Matthias probeerde onbewogen over te komen. 'Dan bedenken we wel wat. We maken ons sterk. We hebben het al eerder gedaan.'

'Maar niet zo!' zei Aristide.

Omer mompelde iets onhoorbaars.

'Wat zei je daar?' wilde Matthias weten.

'Ik zei dat ik wou dat Rouget er nog was.'

We keken elkaar allemaal aan. Niemand sprak hem tegen.

68

DIE AVOND BEGONNEN WE, ONZE MOTOR DRAAIEND OP *DE-vinnoise*, te werken zo hard we konden. Er werden vrijwilligers verzameld om in ploegen bij de televisie en de radio te zitten en nieuwe informatie over de olievlek te vergaren. Hilaire, die een telefoon had, werd aangewezen als ons officiële contact met het vasteland. Het was zijn taak om de verbinding met de kustwacht te onderhouden, evenals met de scheepvaartdiensten, zodat we op de hoogte bleven. Er werden uitkijkposten neergezet bij La Goulue, die om de drie uur werden afgelost; als er iets te zien viel, zei Aristide grimmig, zou het daar beginnen. Verder werd de kreek leeggedregd en afgesloten met behulp van rotsen die afkomstig waren van La Griznoz en cement dat nog over was van de Bouch'ou. 'Als we de *étier* schoon kunnen houden, hebben we in ieder geval nog iets,' zei Matthias. Aristide stemde er voor de verandering mee in zonder te klagen.

Xavier Bastonnet verscheen rond middernacht – blijkbaar waren hij en Ghislain tweemaal met de *Cécilia* uitgevaren – met het nieuws dat het schip van de kustwacht nog steeds voorbij La Jetée lag. Het scheen dat de kapotte tanker al een poos in moeilijkheden was geweest, maar dat de autoriteiten het nieuws pas een paar dagen geleden hadden vrijgegeven. De vooruitzichten, meldde Xavier, waren niet gunstig. Er zou zuidenwind komen en die zou als hij aanhield, de olie recht op ons af sturen. Als dat gebeurde, zou alleen een wonder ons kunnen redden.

Op de ochtend van het feest van Sainte-Marine waren we in een sombere stemming. Er was bij de *étier* wel enige vooruitgang geboekt, maar nog niet genoeg. Zelfs met de juiste materialen, zei Matthias, zou het nog minstens een week duren voordat hij grondig was ingedamd. Om tien uur 's morgens hadden meldingen van zwart spul een paar kilometer bij La Jetée vandaan, het dorp bereikt, en we voelden ons kwetsbaar en bang. De zandbanken waren al zwart. Hoewel het nog niet de kust had bereikt, zou dat zeker in de loop van dit etmaal gebeuren.

Niettemin zou het, zo stelde Toinette, niet goed zijn als we de heilige op haar feestdag verwaarloosden. In het dorp werden de gebruikelijke voorbereidingen al getroffen; de kleine schrijn werd opnieuw geverfd, er werden bloemen naar de Pointe gebracht en in de vuurpot naast de ruïne van de kerk werd het vuur aangestoken.

Zelfs met een kijker was nog steeds niet goed te zien wat voor spul het was, maar Aristide meldde dat er wel verdomde veel van was, en dat het nu het die avond vloed werd en de wind zuidelijk was, waarschijnlijk ieder moment bij La Goulue kon aanspoelen. Het zou om ongeveer tien uur die avond weer hoogwater zijn en tegen de middag stond een aantal dorpelingen al bij Pointe Griznoz te kijken, met offerandes, bloemen en afbeeldingen van de heilige. Toinette, Désirée en vele oudere dorpelingen waren geneigd te geloven dat bidden de enige oplossing was.

'Ze heeft al eens wonderen verricht,' verkondigde Toinette. 'Er is altijd hoop.'

Het zwarte water was al vanaf het eind van de middag met het blote oog waarneembaar. Je zag het even onder een golf, je zag het van de zandbanken af rollen of in de schaduw van een rots dobberen. Er was echter nog geen spoor van olie op het water, nog niet eens een glimmend laagje, maar dit kon, zei Omer, een speciaal soort olie zijn, een slecht soort, nog erger dan de olie die we in het verleden hadden meegemaakt. In plaats van op het oppervlak te drijven, klonterde het, waarna het zonk, naar de bodem rolde en alles vergiftigde. De techniek kon verschrikkelijke dingen aanrichten, eh? De hoofden werden hierop geschud, maar niemand wist het echt. We waren niet deskundig op dit gebied.

Aan het begin van de avond deden er al vele verhalen over de zwarte zee de ronde. Er zouden vissen met twee koppen komen, beweerde Aristide, en vergiftigde krabben. Ze aanraken zou al een groot infectiegevaar opleveren. Er zouden vogels gek worden, er zouden boten onder het gewicht van de gestolde brij naar beneden getrokken worden. Misschien had het zwarte water wel de kwallenplaag veroorzaakt. Maar ondanks dit alles, of misschien juist door dit alles, liet Les Salants zich niet klein krijgen.

Dat was in ieder geval iets dat het zwarte water ons geschonken had. We hadden weer richting, een gemeenschappelijk doel. De geest van Les Salants – de harde kern binnen in ons, die uit de bladzijden van père Albans register had gesproken – was weer terug. Ik kon hem voelen. Oude grieven werden opnieuw vergeten. Xavier en Mercédès hadden hun plan om te vertrekken opgegeven, in ieder geval voorlopig, en richtten hun aandacht op meehelpen. Philippe Bastonnet, die in La Houssinière op de volgende veerboot had gewacht, keerde met Gabi, Laetitia, de baby en Pétrole terug naar Les Salants, waar hij, ondanks de afnemende protesten van Aristide, per se wilde blijven om te helpen. Désirée had in hun huis ruimte voor hen gemaakt, en deze keer tekende Aristide geen bezwaar aan.

Toen het donker werd en het water steeg, begonnen zich steeds meer mensen te verzamelen bij La Griznoz. Père Alban was bezig in La Houssinière, waar een speciale mis werd opgedragen in de kerk, maar de oude nonnen waren er, even opgewekt en alert als altijd. Er werden nog meer vuurkorven aangestoken en er flakkerden rode, oranje en gele lantaarns om de voet van de vervallen kerk. Opnieuw hadden de Salannais iets wonderlijk ontroerends met hun eilandhoeden en zondagse kleding, in een rij opgesteld bij Sainte-Marine-de-la-Mer om te bidden en hardop smeekbeden tot de zee te richten.

De Bastonnets waren er met François en Laetitia, de Guénolés, de Prossages en Capucine met Lolo. Mercédès was er ook; ze hield Xaviers hand vast, een beetje verlegen. De andere hand lag op haar buik. Toinette zong met haar bibberstem het Santa Marina en Désirée, die tussen Philippe en Gabi in stond aan de voet van het beeld, zag er even rozig en tevreden uit als iemand die een bruiloft bijwoont. 'Zelfs als de heilige niet iets voor ons wil doen,' zei ze sereen, 'is het voor mij al de moeite waard omdat mijn kinderen hier zijn.'

Ik stond een eindje bij de anderen vandaan, op de top van het duin, en ik luisterde en dacht terug aan het feest van het jaar daarvoor. Het was een rustige nacht; de krekels klonken luid in de warme, met gras begroeide kommen. Het harde zand voelde koel aan mijn voeten. Bij La Goulue hoorde ik het *hissj* van het opkomende water. Sainte-Marine keek vanuit haar stenen isolement op ons neer, haar gezicht tot leven gebracht door de dansende vlammen. Ik keek toe, terwijl de Salannais één voor één op de kust toeliepen.

Mercédès was de eerste; ze liet een handvol bloemblaadjes in het water vallen. 'Sainte-Marine, zegen mijn kind, zegen mijn ouders en waak over hen.'

'Santa Marina, zegen mijn dochter. Zorg dat ze gelukkig blijft met haar jongeman, en laat haar dichtbij genoeg blijven om ons af en toe te kunnen bezoeken.'

'Marine-de-la-Mer, zegen Les Salants. Zegen onze kusten.'

'Zegen mijn man en mijn zoons.'

'Zegen mijn vader.'

'Zegen mijn vrouw.'

Langzaam werd ik me ervan bewust dat er iets bijzonders aan het gebeuren was. De Salannais gaven elkaar bij het licht van het vuur de hand; Omer sloeg zijn arm om Charlotte, Ghislain stond arm in arm met Xavier, Capucine hand in hand met Lolo, Aristide met Philippe en Damien met Alain. De mensen hadden een lach op hun gezicht, ondanks hun ongerustheid; in plaats van de norse gebogen hoofden van vorig jaar zag ik heldere ogen en trotse gezichten. Er werden sjaaltjes naar achteren geschoven, er werd haar losgemaakt. Ik zag gezichten die oplichtten door iets meer dan het licht van het vuur, dansende gestalten die handenvol bloemblaadjes en linten en kruidenzakjes in de golven wierpen. Toinette begon weer te zingen en deze keer zongen er meer mensen mee – hun stemmen vermengden zich geleidelijk tot één stem: de stem van Les Salants.

Als ik aandachtig luisterde kon ik GrosJeans stem haast mee horen zingen, en ook die van mijn moeder, en van P'tit-

Jean. Plotseling had ik zin om met hen mee te doen, de licht-kring binnen te stappen en tot de heilige te bidden. Maar in plaats daarvan fluisterde ik mijn gebed op het duin, heel stil-letjes, bijna in mezelf...

'Mado?' Hij kan als hij wil ontzettend geruisloos bewe-gen. Dat is de eilander in hem, zo er een eilander onder alle schijn zit. Ik keerde me abrupt om. Mijn hart maakte een sprongetje.

'Jezus, Flynn, wat doe jij hier?' Hij stond achter me op het duinpad, uit het zicht van de kleine ceremonie. Hij droeg een donkere *vareuse* en hij zou vrijwel onzichtbaar zijn ge-weest als het maanlicht zijn haar niet deed glanzen.

'Waar heb jij gezeten?' siste ik, nerveus achteromkijkend naar de Salannais, maar voor hij kon antwoorden, kwam er een luide kreet van de uitkijk bij Pointe Griznoz, die een paar tellen later werd gevolgd door een jammerklacht bij La Goulue.

'Aii! Het tij! Aii!'

Bij de schrijn hield het zingen op. Er was even verwarring; sommige Salannais renden naar de rand van de Pointe, maar bij het onduidelijke licht van de lantaarns kon niemand veel zien. Er dreef iets op de golven, een donkere, half-drijvende massa, maar niemand wist precies wat het was. Alain greep een lantaarn en begon te rennen; Ghislain deed hetzelfde. Even later danste een spoor van lantaarns en fakkels over het duin naar La Goulue, naar het zwarte water.

Flynn en ik bleven in de verwarring onopgemerkt. De mensen liepen vlak langs ons, schreeuwend en vragen stel-lend en met lantaarns zwaaiend, maar niemand leek ons op te merken. Iedereen wilde het eerst bij la Goulue zijn. Sommigen gristen in het dorp harken en netten mee, alsof

468

ze meteen wilden gaan opruimen.

'Wat is er allemaal aan de hand?' vroeg ik Flynn, terwijl we ons door de menigte lieten meevoeren.

Hij schudde zijn hoofd. 'Kom maar kijken.'

We kwamen bij de bunker, altijd een goed uitkijkpunt. Beneden was La Goulue vol lichten. Ik zag diverse mensen in het ondiepe water staan met hun lantaarns, als een rij lichtvissers. Om hen heen zag ik donkere vormen, tientallen, half-drijvend, half onder water, die met de golven meerolden. In de verte hoorde ik opgewonden stemmen, en – was dat geen lachen? De donkere vormen waren bij het licht van de lantaarns niet goed herkenbaar, maar even dacht ik een regelmatig patroon te zien, te geometrisch om natuurlijk te zijn.

'Let op,' zei Flynn.

De stemmen beneden waren luider geworden; er waren nog meer mensen aan de waterkant bij gekomen; sommigen stonden tot aan hun oksels in zee. Het licht van de lantaarns gleed over het water; van waar ik stond leken de ondiepten een onwerkelijke, lugubere groene kleur te hebben.

'Blijf kijken,' zei Flynn.

Het was inderdaad gelach; ik zag daar beneden bij La Goulue mensen in het ondiepe water rondspetteren. 'Wat gebeurt er allemaal?' wilde ik weten. 'Is dit het zwarte water?'

'In zekere zin.'

Nu zag ik Omer en Alain donkere voorwerpen uit de golven rollen. Anderen deden hetzelfde. De voorwerpen waren ongeveer een meter in doorsnee en regelmatig van vorm. Vanuit de verte vond ik ze op autobanden lijken.

'En dat zijn het ook,' zei Flynn rustig. 'Dat is de Bouch'ou.'

'Wát?' Het voelde alsof iemand mijn ankerketting had doorgesneden. 'De Bouch'ou?'

Hij knikte. Zijn gezicht werd vreemd verlicht door de gloed van het strand.

'Mado. Dat was het enige wat er gedaan kon worden.'

'Maar waarom? Al ons werk...'

'We moeten op dit moment de stroming naar La Goulue tegenhouden. Als je het rif weghaalt, gaat de stroming mee. Als de olie bij Le Devin komt, zal hij Les Salants misschien passeren. Nu hebben jullie in ieder geval een kans.'

Hij was bij eb de zee op gegaan. Hij had voor de vliegtuigkabels die de modules met elkaar verbonden, een grote kniptang gebruikt. Een halfuurtje werk – de zee had de rest gedaan.

'Ben je er zeker van dat het zal werken?' zei ik ten slotte. 'Lopen we nu geen gevaar meer?'

Hij haalde zijn schouders op. 'Dat weet ik niet.'

'Dat weet je niet?'

'Hè, Mado, wat had je dan gedacht?' Hij klonk nu geërgerd. 'Ik kan je niet álles geven!' Hij schudde zijn hoofd. 'Jullie kunnen nu in ieder geval iets doen. Les Salants hoeft niet ten onder te gaan.'

'En Brismand?' vroeg ik stug.

'Die heeft het te druk met zijn kant van het eiland om veel aandacht te schenken aan wat hier gebeurt. Het laatste wat ik hoorde, was dat hij zich suf piekert hoe hij een golfbreker van honderd ton in een etmaal kan afbreken.' Hij glimlachte. 'Het lijkt erop dat GrosJean dat misschien toch goed gezien had.'

Even begreep ik niet wat hij zei. Ik was zo verdiept geweest in mijn gedachten over de zwarte zee dat ik Brismands plannen helemaal vergeten was. Ik voelde plotseling een wilde golf van vreugde in me opwellen. 'Als Brismand zijn constructies ook afbreekt, zou dat overal een eind aan maken,' zei ik. 'Dan zouden de stromingen weer worden zoals ze vroeger waren.'

Flynn lachte. 'Kleine barbecues op het strand. Drie gasten in een achterkamer. Drie frank per persoon voor het bezichtigen van de schrijn. Elke cent omkeren. Geen geld, geen uitbreiding, geen toekomst, geen fortuin, niets.'

Ik schudde mijn hoofd. 'Je hebt het mis,' zei ik tegen hem. 'We zouden altijd Les Salants nog hebben.'

Hij lachte weer, nu tamelijk wild. 'Dat is waar. Les Salants.'

69

Ik weet dat hij niet in Les Salants kan blijven. het is
dom van me om dat te verwachten. Hij heeft zoveel gelogen
en bedrogen dat het hem de kop kan kosten. Te veel mensen hebben een hekel aan hem. En hij is in zijn hart een vastelander. Hij droomt van steden en lichten. Hoezeer hij het
ook mag willen, ik zie niet in hoe hij zou kunnen blijven.
Maar ik wil evenmin vertrekken. Dat is de GrosJean in mij,
het eiland. Mijn vader hiield van Eleanore, maar uiteindelijk
ging hij niet met haar mee. Het eiland vindt altijd een manier om je vast te houden. Deze keer is het het zwarte tij. De
vlek is nu tien kilometer bij ons vandaan, aan de kant van
Noirmoutier. Niemand weet of de olie ons zal treffen of passeren, zelfs de kustwacht niet. Bij de kust van de Vendée is
al grote schade aangericht; de televisie brengt ons beelden
van onze mogelijke toekomst in irritant grofkorrelige, op-
zichtige kleuren. Niemand kan echt voorspellen wat er met
ons zal gebeuren; in theorie zou de olie de Golfstroom moeten volgen, maar het is nu nog slechts een kwestie van kilometers, en het kwartje kan beide kanten op vallen.

Noirmoutier zal bijna zeker het slachtoffer worden. Het
Île d'Yeu is nog onzeker. De woeste stromingen die ons
scheiden, zijn al met elkaar in gevecht. Een van ons, misschien slechts één, zal de olie krijgen. Maar in Les Salants
heeft men de hoop nog niet verloren. We werken zelfs har-

der dan ooit tevoren. De kreek is inmiddels veilig gesteld en het vivarium goed bevoorraad. Aristide, die door zijn houten been niet actiever kan zijn, zoekt de televisiekanalen af om nieuws te vinden, terwijl Philippe Xavier helpt. Charlotte en Mercédès runnen het café en maken eten voor de vrijwilligers. Omer, de Guénolés en de Bastonnets zijn bijna de hele tijd bij Les Immortelles. Brismand heeft iedereen, Houssin of Salannais, ingehuurd die bereid is te helpen met het langzame ontmantelen van de golfbreker bij Les Immortelles. Hij heeft ook zijn testament gewijzigd ten gunste van Marin. Damien, Lolo, Hilaire, Angélo en Capucine zijn nog steeds aan het opruimen bij Goulue, en we zijn van plan de oude autobanden te gebruiken om een beschermende barrière tegen de olie op te werpen, als die onze stranden mocht bereiken. We zijn al begonnen voorraden schoonmaakspul in te slaan voor het geval dat. Flynn heeft de leiding.

Ja, voorlopig blijft hij. Een paar mannen doen nog steeds koel tegen hem, maar de Guénolés en de Prossages hebben hem met heel hun hart weer verwelkomd, ondanks alles. Aristide heeft gisteren met hem geschaakt, dus misschien is er nog hoop voor hem. Dit is in ieder geval niet de juiste tijd voor zinloze verwijten. Hij werkt net zo hard als wij allemaal – zelfs nog harder – en op Le Devin is dat nu het enige dat telt. Ik weet niet waarom hij blijft. Toch gaat er een wonderlijke troost vanuit hem elke dag te zien, op zijn gebruikelijke plek bij La Goulue, met een stok porrend in de dingen die de zee hem brengt, de eindeloze golf autobanden de duinen in rollend voor hergebruik. Hij is zijn scherpe kantjes nog niet kwijt, en misschien gebeurt dat ook wel nooit, maar ik vind hem zachter geworden, minder ruw, een beetje getemd, bijna een van ons. Ik ben hem zelfs aardig gaan vinden – een beetje maar.

Soms kijk ik wanneer ik wakker word door het raam naar de lucht. Het is rond deze tijd van het jaar nooit helemaal donker. Soms sluipen Flynn en ik naar buiten om naar La Goulue te kijken, waar de zee grijsgroen is met dat vreemde fosforescerende van de Jade Kust, en dan zitten we op het duin. Er groeien daar tamarisken, late duinroosjes en hazenstaartjes, die bleek staan te trillen en te dansen bij het licht van de sterren. Over het water zien we soms de lichten van het vasteland, in het westen een waarschuwingsbaken en in het zuiden de knipperende *balise*. Flynn slaapt graag op het strand. Hij houdt van de geluidjes van de insecten op de rots boven zijn hoofd en van het gefluister van het *oyat*-gras. Soms blijven we daar de hele nacht.

Epiloog

HET IS WINTER GEWORDEN EN NOG STEEDS HEEFT HET ZWAR-
te water ons niet bereikt. Het Île d'Yeu is licht getroffen.
Fromentine zit onder de olie en op heel Noirmoutier is zware schade. Het komt nog steeds hoger; het volgt de kust naar
het noorden, dringt ondiepten binnen en kruipt landtongen
op. Het is nog te vroeg om te zeggen wat er hier zal gebeuren. Maar Aristide is optimistisch. Toinette heeft de heilige
geraadpleegd en beweert visioenen te hebben gezien. Mercédès en Xavier zijn in het huisje in het duin getrokken, tot de
onuitsprekelijke vreugde van de oude Bastonnet. Omer
heeft de laatste tijd bij *belote* ongehoord gewonnen. Ook
weet ik zeker dat ik Charlotte Prossage met een lach op haar
gezicht heb gezien. Nee, ik zou niet willen zeggen dat ons tij
gekeerd is, maar er is wel iets terug op Le Devin. Een soort
doel. Niemand kan het tij keren, in ieder geval niet voor altijd. Alles keert terug. Maar Le Devin blijft overeind. Bij
overstromingen, bij droogte, in zwarte jaren of bij zwarte
zeeën, het blijft overeind. Het blijft overeind omdat de
Devinnois dat ook doen: de Bastonnets, de Guénolés, de
Prasteaus, de Prossages, de Brismands, ja, zelfs sinds kort ook
misschien de Flynns. Niets kan ons eronder krijgen. Dat lukt
je net zomin als tegen de wind in spugen.

Dankwoord

GEEN BOEK IS EEN EILAND, EN IK ZOU DAN OOK DE VOLGEN-
de mensen willen bedanken, zonder wie dit boek niet tot
stand zou zijn gekomen. Mijn welgemeende dank gaat uit
naar mijn krijgshaftige agent Serafina, naar Jennifer
Luithlen, Laura Grandi, Howard Morhaim en iedereen die
heeft onderhandeld, gevleid, geïntimideerd en dit boek op
welke wijze dan ook richting publicatie heeft gestuurd.
Dank ook aan mijn fantastische redacteur Francesca Liver-
sidge, mijn toegewijde pr-dame Louise Page, en iedereen bij
Transworld; aan mijn ouders, mijn broer Lawrence, mijn
echtgenoot Kevin en mijn dochter Anouchka voor het (bijna altijd) bieden van een veilige haven; aan mijn e-mailcor-
respondenten Curt, Emma, Simon, Jules, Charles en Mary
voor het bieden van contact met de buitenwereld; aan
Christopher voor het bemannen van de telefoon en aan
Stevie, Paul en David voor de pepermuntthee, de pannen-
koeken en de opbouwende kritiek. Ook dank aan de ontel-
bare verkopers en boekhandelaars die hun best hebben gedaan om mijn boeken op de plank te houden, en ten slotte
bedank ik alle inwoners van Les Salants, die me, naar ik
hoop, mettertijd zullen willen vergeven...

Lees ook van Joanne Harris:

BRAMEN WIJN

Vervuld van herinneringen aan zijn vriend Jackapple Joe koopt de Londense Jay Mackintosh in een opwelling een vervallen château in het Franse dorp Lansquenet-sous-Tannes. Zijn schrijverscarrière zit in het slop – sinds zijn debuutroman een bestseller werd, schrijft hij alleen nog slechte sciencefiction onder pseudoniem – en hij vertrekt met zijn typemachine en enkele flessen zelfgemaakte wijn uit de nalatenschap van Joe naar Lansquenet.

Joe, een zonderlinge oude man met fantastische verhalen en een grote voorliefde voor de magische eigenschappen van alles wat groeit en bloeit, was heel belangrijk voor Jay, maar op een dag was hij verdwenen.

Niets kan Joe terugbrengen, maar de magie van zijn lang vergeten vruchtenwijnen lijkt zijn uitwerking niet te missen. Terwijl Jay langzaam zijn plekje in de Franse gemeenschap verovert en kennismaakt met de teruggetrokken en geheimzinnige Marise, lijken de ongewone eigenschappen van het brouwsel hem een handje te helpen...

'Een pastorale van het subtiele soort: fijntjes, aards en verleidelijk.'
Emma Brunt in Het Parool

'...een betoverend boek, met humor, spanning en een beetje magie.'
The Daily Telegraph

Gebonden, 400 blz.
ISBN 90 325 0851 2

VIJF KWARTEN VAN DE SINAASAPPEL

Terwijl ze haar ware identiteit angstvallig verborgen houdt, runt de zwijgzame Framboise een succesvolle crêperie in Les Laveuses aan de Loire. Haar geheimen dreigen te worden onthuld wanneer haar neef, een opportunistische Parijse restauranthouder, uit is op de familierecepten die ze van haar moeder heeft geërfd – een vrouw aan wie met minachting wordt teruggedacht door de inwoners van Les Laveuses, en door Framboise zelf. Framboise kan haar verleden niet langer ontvluchten. Geholpen door het dagboek van haar moeder, dat deels recepten en deels memoires bevat, laat ze haar herinneringen aan haar jeugd tijdens de oorlog terugkomen... Hoe ze als kind strijd voerde met de ongevoelige vrouw die nooit lachte, haar aan migraine lijdende moeder, die haar kinderen alleen moest opvoeden. Pas als ze de onbegrijpelijke fragmenten tussen de recepten van haar moeder weet te ontcijferen, leert ze de hele waarheid kennen.

'Het is een prachtig verteld, meeslepend en boeiend verhaal dat je lang nadat je de laatste pagina hebt omgeslagen, bijblijft.'
Sunday Mirror

'Harris heeft een groot talent voor het inbrengen van magie in het alledaagse. Haar romans laten een onweerstaanbare betovering op je los.'
The Daily Telegraph

Gebonden, 416 blz.
ISBN 90 325 0815 6